Les libérateurs de l'amour

Ouvrages de Alexandrian

Alexandrian

Les libérateurs
de l'amour

Éditions du Seuil

En couverture :
Paul Delvaux, *Les Phases de la lune*.
Exposition rétrospective P. Delvaux,
musée des Arts décoratifs, mai 1969.
Photo Daniel Czap, agence Top.

ISBN 2-02-004544-3

Introduction

Notre époque, si l'on en croit ses témoignages et ses mythes, est obsédée par l'idée de l'émancipation des mœurs et admet volontiers que la conquête des libertés amoureuses est aussi importante que celle des libertés politiques, qu'elles peuvent même être corrélatives. Le rôle du nu dans les spectacles et la publicité, la mode qui tend toujours davantage à la compétition des sexes, les débats institués dans la presse sur les rapports des couples, la contraception, l'avortement, le roman pornographique, les perversions et divers sujets qu'escamotait naguère l'hypocrisie bourgeoise, les mouvements de l'opinion en faveur des amants victimes du puritanisme, le fait que l'on remplace de plus en plus la notion d'amour par la notion d'érotisme, tout cela correspond à la recherche d'une éthique fondée sur une compréhension élargie des problèmes de l'intimité. Cependant, on a le tort d'estimer qu'un tel courant de pensée est redevable aux conditions nouvelles de la vie et signifie une mutation dans les échanges quotidiens des êtres; il ne fait que répéter, souvent en les affaiblissant, des courants existant déjà aux siècles précédents, et manifester sous une forme différente la permanence de tendances remontant au Moyen Age. Ceux qui soutiennent aujourd'hui la révolution sexuelle ont eu des précurseurs tellement audacieux qu'il est apparemment difficile de les surpasser; si l'on connaissait mieux ces briseurs de chaînes, on se représenterait plus clairement que les excès de nos contemporains en ce domaine ne sont pas les signes d'une décadence, mais les suites d'une évolution progressive et légitime.

On trouvera justement en ce livre les portraits critiques d'écrivains qui, soit par l'exemple de leur vie, soit par le caractère de leur œuvre, ont montré comment pouvait s'accomplir la libération de l'amour. Leurs convictions respectives ne sont pas du même ordre : les uns voient le salut dans le culte exclusif et absorbant d'un seul être; les autres, à la recherche du plaisir total, préconisent le changement incessant de partenaires; d'aucuns sont matérialistes, font de la passion amoureuse une force de renouveau social; et certains l'érigent en mystique, édifiant toute une religion autour de son principe. Ils ont en commun d'affirmer que l'amour est chose perfectible, et qu'il appartient à chaque être de l'affranchir des préjugés restrictifs et des conventions amoindrissantes, pour le mener à un état idéal de plénitude.

L'amour est la conception qu'on a de l'amour. S'il était uniquement un sentiment, il serait vain de vouloir lui chercher un style : il suffirait de laisser parler son cœur ; mais il est aussi une cause de sensations et d'états de conscience, ce qui fait qu'il a une histoire, car on peut les amplifier par certaines manières d'être et disputer à l'infini de ce qui les favorise. Il fut un temps, dans la préhistoire, où les rapprochements sexuels se passaient de commentaires, où ils s'accomplissaient sous le coup d'une oppressante nécessité biologique et où, par conséquent, l'attrait amoureux se réduisait à un instinct rudimentaire. L'esprit de l'homme a brodé sur ces données les variations du merveilleux, a magnifié la sexualité de façon à en faire une aventure prestigieuse du corps. Ainsi l'amour est une invention humaine, un produit de l'imagination créatrice des individus. Les confusions idéologiques naissent de ce qu'on le prend pour une entité immuable et qu'inversant le rapport de cause à effet qui le lie à l'imagination on substitue un sens passif au sens actif qui est le sien. De même que l'imagination est à l'origine du concept amoureux, de même elle intervient sans cesse pour le parfaire et le réinventer. L'amour, à l'état de valeur, n'est jamais qu'un pressentiment, le rappel figuré qu'il y a des amants et que l'être peut aimer ; il n'existe pas telle une force extérieure aux intéressés qui les revêtirait d'un comportement convenu, il est leur subjectivité même et l'ensemble des conduites prodigues qu'ils improvisent pour se jouer l'un avec l'autre ; cela revient à dire que ce sont les amants qui créent l'amour, et non l'amour qui fait les amants. En utilisant ce vocable, on devrait rester conscient qu'il n'indique pas une essence éternelle, devant laquelle comparaissent les peuples ; dès le départ, l'amour n'existe pas, seul l'être aimé existe. Deux amants ne s'atteignent qu'en construisant de concert le mythe qui leur est le plus favorable. Ils tirent leur entente de l'imaginaire.

En examinant les faits sociaux et en interrogeant la littérature qui les interprète, on s'aperçoit qu'il n'y a jamais eu que deux arts d'aimer s'opposant ou alternant dans l'opinion, comme s'ils se rattachaient à deux exigences continuelles de l'humanité : l'amour unique et le libertinage.

Qu'est-ce que l'amour unique ? C'est le choix définitif que l'on fait d'un être pour le double partage sexuel, affectif, intellectuel et pragmatique de la vie. Il repose sur la persuasion, constamment entretenue, que l'on attendait *depuis toujours* l'être aimé, et que l'on s'accorde avec lui *pour toujours*, envers et contre toutes les vicissitudes du sort. Il comporte à la fois une victoire sur le temps et une réalisation privilégiée de la communication humaine. On pourrait penser aujourd'hui que rien n'est plus naturel, et qu'une telle inclination réciproque répond sans conteste à la vocation sentimentale de l'homme et de la femme ; force est de constater, au contraire, que la croyance en l'amour unique s'est lentement élaborée au cours des siècles, qu'il a fallu, pour l'établir, soit l'appuyer sur un contrat social et religieux, soit la motiver par un perpétuel débat spéculatif, psychologique et métaphysique.

Les Pères de l'Église et les scolastiques, au Moyen Age, en voulant montrer en quoi la monogamie chrétienne était supérieure à la monogamie grecque et romaine, contribuèrent à fortifier cette notion d'amour unique et lui assignèrent des limites précises. La fidélité, qui était dans l'Antiquité une sujétion juridique, à laquelle on astreignait exclusivement la femme, devint dans le contexte évangélique la vertu suprême de l'amour, résultant d'une épuration des instincts dont l'être ressortait grandi. Pour saint Augustin, premier grand théoricien du mariage, qui cherchait à concilier les assertions de ses prédécesseurs, le destin du couple se caractérisait par un *tripartum bonum*, une trilogie de biens, comprenant la procréation, la fidélité et le sacrement (*proles, fides* et *sacramentum*, ce dernier mot pris dans le sens archaïque de « mystère »). Il combattait énergiquement la concupiscence et faisait surtout l'éloge de l'entente morale, la *fraterna societas* des époux. Après lui, on accentua la réprobation envers le plaisir sexuel entre mari et femme, qui semblait une suite du péché originel ; on s'éleva contre les secondes noces, on infligea des pénitences à ceux qui usaient de leurs droits conjugaux sans modération ; saint Grégoire le Grand interdisait même l'accès de l'église aux époux sortant d'embrassements voluptueux. Au XIIᵉ siècle, une réaction se dessina, et l'on avança la théorie du *remedium*, considérant le mariage comme un remède à la fornication. Gratien, suivi en cela par Pierre Lombard, regarda la conjonction charnelle (*copula carnalis*) comme la fin essentielle du mariage et ce qui le rendait indissoluble ; Albert le Grand, au XIIIᵉ siècle, démontra que la *copula* recherchée en vue de quatre fins objectives était moralement bonne ; mais Duns Scot fera ensuite des restrictions et ne lui reconnaîtra qu'un seul but, le devoir de procréation. On ne saurait dénier l'importance de cet apport, pour fonder la monogamie sur une communauté de chair et d'esprit, mais il apparut qu'il n'était pas suffisant, puisqu'on s'efforça de réévaluer l'amour unique en dehors du mariage, en dehors même de la *copula* tolérée sous cette réserve par les théologiens.

Cette œuvre s'effectua principalement en Occitanie, où aimer devint un art, et en Toscane, où ce fut plutôt une religion dont les attitudes étaient calquées sur les extases, les prières, les mortifications des vrais mystiques. Pour les Fidèles d'amour (c'est-à-dire Dante et ses émules du *dolce stil nuovo*), l'homme naît amoureux, et il le reste en puissance jusqu'à ce que le dieu Amour (identifié à la fois à Cupidon et au Saint-Esprit) lui fasse rencontrer la femme qui sera l'objet de cette ferveur indéterminée. « Nous sommes les amants de l'amour », dit Cino da Pistoia dans un sonnet et, dans un autre, il parodie pour sa maîtresse le psaume XXX contenant la formule de l'*In manus*. Cette dévotion était telle que le Fidèle rêvait d'être transporté au « ciel d'amour », mi-Paradis mi-Olympe, et qu'il équivoquait sur les divers sens du mot *salute* (santé, salut éternel, salutation) pour dire que sa Dame, en le saluant, lui assurait la santé et le salut. Afin de ne pas compromettre sa Dame, si elle était mariée, le poète utilisait le subterfuge du *schermo* (simulacre), consistant à faire semblant d'en aimer une autre ; la première devait prendre pour elle les déclarations qu'il adressait à la seconde. On vit ainsi s'introduire des notions de prédestination, de fatalité irrésistible, de fidélité passionnée et inviolable, dans des relations extra-conjugales rendues licites par les prescriptions de l'amour courtois.

On alla plus loin, en établissant par un statut philosophique que le sacré de l'amour résidait non dans le sacrement du mariage, mais dans son essence même. Ce fut Marsile Ficin, un prêtre de Florence protégé par Cosme de Médicis, qui, au XVᵉ siècle, se fit le propagateur d'une interprétation religieuse de l'Éros platonicien, dont la Renaissance fit sa loi d'amour. Traducteur de Platon, Marsile Ficin écrivit en 1464 un *Commentaire sur le Banquet* qui allait devenir la théorie à la mode ; d'autres traités, comme sa *Theologica platonica* (1474), la consolidèrent. Il développa deux idées capitales : 1° l'amour est le désir de la beauté, mais de la beauté intérieure, « invisible lumière », premier degré d'une ascension qui mène l'âme jusqu'à la pensée angélique ; 2° aimer, c'est mourir à soi-même pour renaître en la personne aimée : « Quiconque aime meurt en aimant », dit Ficin, en précisant qu'une autre vie succède à cette mort. Son influence fut considérable : on la retrouve en Italie chez Pic de La Mirandole, Bembo, Castiglione, en France chez Marguerite de Navarre, Gilles Corrozet, Antoine Héroët, Maurice Scève[1]. Même Léon Hébreu, médecin portugais exilé à

---

1. Jean Festugière, dans *la Philosophie de l'amour de Marsile Ficin* (Paris, Vrin, 1942), examine les ouvrages italiens et français qui s'en inspirèrent.

Naples, puis à Gênes, dont les *Dialoghi di amore* (traduits en français par Pontus de Thyard et offerts par Ronsard à Charles IX) furent opposés aux écrits de Ficin, ne l'éclipse pas et adopte un point de vue ficinien quand il définit l'amour : « Conversion en l'aimé, avec le désir que l'aimé se convertisse en nous. »

L'usage de décrire l'amour unique indépendamment des finalités du mariage fut tel qu'Aeneas Silvius (qui devint pape en 1458 sous le nom de Pie II) publia dans sa jeunesse un roman, l'*Histoire de deux amants,* racontant la folle passion d'une femme mariée et d'un jeune homme. Lucretia est une bourgeoise de Sienne qui s'éprend au premier coup d'œil d'Eurialus, un gentilhomme allemand arrivé dans la ville ; il doit user de stratagèmes pour la rencontrer à l'insu du mari jaloux, dont Aeneas Silvius fait un personnage ridicule ; quand Eurialus doit partir sur l'ordre de l'empereur Sigismond, la dame meurt de chagrin dans les bras de sa mère[1]. Boccace, dans sa *Fiammetta* (1481), dédiée aux dames amoureuses (« aux nobles et vertueuses dames », dira le traducteur français G. Chappuis), montre au contraire un mari bon et affectueux dont la femme, bien qu'elle lui soit reconnaissante, a une liaison avec l'adolescent Pamphile ; à leur séparation, Fiammetta ne meurt pas, mais tout au moins s'évanouit. La réaction contre les descriptions de l'amour coupable se fit dans la seconde moitié du XVIe siècle, à la faveur de l'abondante littérature romanesque espagnole, italienne et française qui s'y répandit[2]. On y vantait les amours chastes et fidèles ; les héros et les héroïnes en étaient d'ailleurs soumis à des « épreuves de chasteté » dont ils se tiraient victorieux. La règle était de faire le roman de la jeune fille, alors que les amoureuses des histoires courtoises, des fabliaux, étaient surtout des femmes mariées. On mit en évidence le caractère grave et douloureux de l'amour, et combien il était avantagé par « les belles façons de dire ». Telle fut l'évolution suivie jusqu'à la Renaissance pour poser le problème de l'amour unique : on l'envisagea dans le mariage ; puis on l'envisagea à l'encontre du mariage, comme une passion fatale menant ses victimes à leur perte ; on l'envisagea ensuite comme un supplément légitime du mariage, grâce à une doctrine de l'Éros qui en faisait un commerce d'âmes ; enfin, on l'envisagea exclusivement dans ses débuts, au moment où il se formait entre des jeunes gens incertains de son issue.

1. Ce roman, *De duobus amantibus,* eut trente-deux éditions latines de 1470 à 1500, sans parler des traductions.
2. Voir les nombreux échantillons analysés par Gustave Reynier dans *le Roman sentimental avant l'Astrée,* Paris, Colin, 1908.

On ne s'étonnera pas, puisque les tenants de l'amour unique semblaient douter eux-mêmes de sa compatibilité avec le mariage, de voir surgir une offensive contre ce type de contrat sexuel, au nom d'une revalorisation des besoins réels de l'individu. Ce fut le but du libertinage, qui s'est éveillé à la Renaissance, profitant de la résurrection de l'Antiquité païenne pour s'imposer comme un nouveau style de rapports entre amants et maîtresses. D'abord, le mot désigna le mouvement d'incrédulité religieuse qui se dessina chez les humanistes ; il s'appliqua par extension à la vie amoureuse, établissant un lien entre l'inconstance de l'appétit érotique et la philosophie de l'instant [1]. Les premiers libertins, ce furent les penseurs qui, dans l'Italie du XVIᵉ siècle, voulurent opposer une « morale naturelle » à une « morale révélée », contestèrent l'immortalité de l'âme et le dogme de la divine Providence, et s'attaquèrent à la scolastique héritée d'Aristote. Surestimer l'activité des sens, déifier la Nature, tels étaient les principes de cette tendance à l'émancipation dont le foyer fut l'École de Padoue. Mais les deux plus grands noms du libertinage philosophique demeurent Machiavel et Giordano Bruno ; ce dernier, qui devint le martyr et le héros de la liberté de pensée, s'éleva violemment contre le culte de la femme pratiqué par les imitateurs de Pétrarque. Il n'en blâmait pas moins la licence des mœurs, et voyait dans l'amour un des quatre états de *furor divinus* qui transportent l'esprit dans la connaissance de l'Un primordial.

Le rapprochement entre débauche sexuelle et incroyance religieuse ne commença à se faire qu'en France, au début du XVIIᵉ siècle, lorsque le ministère de Concini y favorisa un climat de galanterie en même temps que l'irrespect des esprits forts. En réaction contre cette vague d'épicurisme, un jésuite, François Garasse, écrivit sa *Doctrine curieuse des beaux esprits de ce temps* (1623), où il distingue nettement les « libertins » et les « athéistes ». Pour lui, les libertins sont « comme qui dirait apprentifs de l'athéisme », mais il les juge moins condamnables que les athéistes : « J'appelle libertins nos yvrognets, mousscherons de tavernes, esprits insensibles à la piété, qui n'ont d'autre dieu que leur ventre, qui sont enroslés en cette maudite confrérie qui s'appelle la Confrérie des bouteilles. » Il vise donc essentiellement les sociétés bachiques qui se réunissaient aux cabarets de *la Pomme de Pin* et de *la*

---

1. Le terme de *libertinus* désignait à Rome le fils d'un affranchi, né libre. Ce fut Calvin qui le reprit pour définir un homme irréligieux. On appela ainsi libertins les disciples d'un hérétique, Quentin, qui se formèrent vers 1525 en Hollande et au Brabant.

Croix de fer, et tenaient, entre deux vins, des propos graveleux et blasphématoires. Il leur suppose néanmoins une philosophie, puisqu'il fait de Pierre Charron « le patriarche des esprits forts », en raison de son livre *De la sagesse* paru en 1601. Se référer à la sagesse, plutôt qu'à la foi chrétienne, suffisait à faire suspecter un auteur de libertinage [1].

Le chef des libertins, aux yeux du père Garasse, était Théophile de Viau, poète gascon et huguenot, qui, sous le couvert de ses nombreux mécènes, buvait, troussait les filles et s'exprimait en libre penseur. Il n'hésitait pas à dire en société qu' « après la mort il n'y avoit pas de différence entre un chien et un homme ». A Agen, examinant une vieille possédée qu'un curé tentait d'exorciser, il affirma que « son mal n'estoit qu'un peu de melancholie et beaucoup de feinte », et que « c'estoit risée et sottise de croyre qu'il y eust des diables »; de tels propos scandalisèrent. Pour déjouer la persécution, Théophile se convertit au catholicisme et afficha une piété excessive; mais il continuait d'écrire selon son humeur. Le Parlement et les jésuites se liguèrent contre lui; le 19 août 1623, tandis que Théophile était caché à Chantilly, il fut condamné par contumace, brûlé en effigie en place de Grève, ainsi que tous ses ouvrages, y compris sa tragédie *Pyrame et Thisbé*. La police le retrouva, l'arrêta le 17 septembre et l'écroua à la tour de Montgommery : Théophile fit alors l'objet d'un long procès où il tint fermement tête à ses accusateurs et au procureur général Mathieu Molé. Au cours de ses interrogatoires, on lui reprocha quelques pièces burlesques — comme le sonnet « Philis, tout est foutu! Je meurs de la vérole », ou la chanson « Approche, approche, ma dryade! » ayant pour refrain « Et tu me branleras la picque » —, mais on incrimina aussi âprement ses vers : « Ne t'oppose jamais aux droits de la nature » (*Stances à M.L.D.*), « J'approuve qu'un chacun suive en tout la nature » (*Satyre première*), « Mon âme incague les destins » (*Épigramme*). On estima criminel qu'il ait déclaré, dans *Fragments d'une histoire comique :* « Il faut avoir de la passion non seulement pour les hommes de vertu, pour les belles femmes; mais aussi pour toutes sortes de belles choses. J'ayme un beau jour, des fontoines claires, l'aspect des montaignes, l'estendue d'une grande plaine, de belle forests, l'océan, ses vagues, son calme, ses rivages. J'ayme encore tout ce qui touche plus particulièrement les sens, la musique, les fleurs, les beaux habits, la chasse, les beaux chevaux, les bonnes odeurs, la bonne chère; mais à

1. Ainsi, quand l'abbé d'Aubignac, dans son roman *Macarise* (1664), voulut fonder l'éducation d'un prince sur la sagesse, il se le vit reprocher par ses supérieurs.

tout cela mon désir ne s'attache que pour se plaire, et non point pour se travailler. » Commentant ce passage, le père Garasse s'indigne : « Proposition brutale, contraire au texte de l'Évangile... Notre-Seigneur dit qu'il ne faut pas regarder une femme pour désirer sa beauté, et Théophile de Viau passe bien au-delà du désir, car il va jusques à la passion, et dit qu'il faut avoir de la passion pour la beauté des femmes et toutes choses belles [1]... » Grâce à sa défense énergique, Théophile de Viau sauvera sa vie, et ne sera condamné qu'au bannissement à perpétuité hors du royaume; toutefois ses protecteurs l'hébergèrent en France à tour de rôle, et le poète mourra non en exil mais à Paris.

Cependant, le premier livre « libertin » où des idées panthéistes se trouvent associées à un projet de réorganisation des mœurs amoureuses est *la Cité du Soleil* (1623), de Tomaso Campanella. L'auteur est un dominicain qui fomenta une conspiration pour délivrer la Calabre du joug espagnol, passa vingt-sept années en prison, fut torturé sept fois et termina sa vie en France où il fut l'hôte à Aix de l'humaniste Peiresc, avant d'être accueilli à Saint-Germain par Louis XIII, qui lui accorda une pension de trois mille livres. Campanella, rédigeant cette utopie dans sa geôle [2], y trace les plans d'une république idéale dont les règlements sont naturalistes. Les Solariens sont gouvernés par un roi-prêtre, nommé le Soleil et assisté de trois chefs, Pon, Sin et Mor, qui correspondent aux trois propriétés fondamentales de l'être : la puissance (*potentia*), la sagesse (*sapientia*) et l'amour (*amor*). Dans leur cité, les garçons et les filles s'adonnent nus en public à des exercices de gymnastique; les magistrats peuvent ainsi désigner ceux qui, vu la conformité de leurs organes, doivent être conjoints. L'âge requis pour leur union est de dix-neuf ans pour la femme, de vingt et un ans pour l'homme. S'ils ont besoin de satisfaire avant cette limite à leurs tempéraments, ils sont guidés dans leur choix par des matrones et des vieillards. Des honneurs sont rendus aux citoyens qui ont conservé leur chasteté jusqu'à vingt-sept ans. L'homosexualité est réprimée avec gradation : « Les individus surpris se livrant à la sodomie sont réprimandés et condamnés à porter pendant deux jours leurs souliers attachés au col, ce qui signifie qu'ils ont renversé l'ordre naturel des choses et mis, comme on dit, " les pieds à la tête ". En cas de récidive,

---

1. Cf. Frédéric Lachèvre, *le Procès du poète Théophile de Viau*, Paris, Champion, 1909.
2. Sa *Civitas solis* a paru primitivement dans un livre publié pendant sa captivité, *Realis philosophiae epilogisticae*, Francfort, 1623.

le châtiment devient plus rigoureux, jusqu'à ce qu'enfin on applique la peine capitale [1]. » Le devoir conjugal a lieu toutes les trois nuits et a pour but la perpétuation de l'espèce; si une femme n'a pas d'enfant avec un géniteur, elle en changera autant de fois qu'il sera nécessaire. Les inclinations personnelles cèdent à ces lois : « Quelqu'un devient-il éperdument épris d'une femme, et cette femme se sent-elle le même penchant pour lui? Il leur est permis de s'entretenir, de jouer ensemble, et de témoigner leur passion en s'adressant des vers et en s'offrant des guirlandes de fleurs ou de feuillages. Mais si ce couple ne réunit pas les conditions exigées pour les unions sexuelles, tout commerce charnel lui est absolument interdit, à moins que la femme n'ait été déclarée stérile ou ne soit enceinte d'un autre, ce que l'amant attend lui-même avec impatience. » Les utopies du genre de *la Cité du Soleil* deviendront des inventions propres à la littérature libertine; mais beaucoup de successeurs de Campanella se contenteront d'évoquer le communisme des sexes, comme dans l'*Histoire des Galligènes* (1765) de Tiphaigne de La Roche, où ce dernier prescrit : « Chacun n'aura rien qui soit à lui; tout sera à la république, tout appartiendra à tous. On ne dira jamais : cette femme est à moi, car chaque femme sera l'épouse de tous les citoyens, chaque citoyen sera l'époux de toutes les femmes. » Ici, le législateur improvisé pose froidement son équation; à l'humanité de s'accommoder d'institutions qui broient ses aspirations légitimes. Il faudra attendre Charles Fourier pour que la liberté sexuelle, dans l'étude d'un modèle de société, ne représente plus une surenchère à « l'état de nature », mais un rouage complexe, entraînant tout le mécanisme du travail et des loisirs.

La théorie du libertinage a acquis un éclat exceptionnel en France, sous la Régence de Philippe d'Orléans et sous Louis XV; une multitude de livres l'ont exprimée avec autant de force que d'élégance. Ils nous montrent des hommes qui portent sur eux la « liste » de leurs conquêtes de l'année; qui, par un parler cynique, s'efforcent de déprécier les élans de tendresse; qui entreprennent des « éducations » de filles, ayant pour but d'en faire de parfaits instruments de volupté. Le libertin estime que, la vie n'étant donnée qu'une fois, il faut s'y assurer tous les plaisirs possibles; qu'on limite son bonheur en se consacrant à une seule femme, au lieu de renouveler ses sensations par de nombreuses liaisons, successives ou simultanées. Tel fut le duc de Richelieu, dont les aventures de jeunesse ont été racontées par son aide de camp Rulhière, dans un opuscule qui fit le régal de Sainte-Beuve et

1. Campanella, *La Cité du Soleil*, Gand, 1911 (trad. Villegardelle).

de Stendhal. Richelieu, dès qu'il parut à la cour de Louis XIV, à l'âge
de quinze ans, gagna tous les cœurs ; la duchesse de Bourgogne en était
entichée, mais il se cacha un matin dans sa chambre pour la voir nue à
sa toilette, ce qui le fit mettre à la Bastille. Son premier succès fut
d'attaquer à la fois deux jolies femmes du monde, Mlle de Valois et
Mlle de Charolais, en entretenant savamment leurs jalousies. A son
ami Crévecœur qui se flattait de la fidélité de sa maîtresse,
Mme de Gœbriant, il paria qu'il obtiendrait les faveurs de celle-ci ; il
la séduisit en une semaine et l'obligea à confesser cette faiblesse à son
amant. Tout pliait devant cet homme à la mode : « M. de Richelieu
était l'oracle de la jeunesse brillante ; on avait beau être né constant, on
avait beau être satisfait de sa maîtresse, on avait envie d'imiter celui
qu'on regardait comme le héros de la galanterie [1]. » Il possédait trois
« petites maisons », dans lesquelles il lui arrivait de donner rendez-
vous à trois femmes simultanément. C'est dans l'une d'elles qu'il
organisa un souper fameux avec Mme de Villeroi, Mme de Duras et
Charlu : « La chaleur du jour avait été excessive, et les quatre amants
l'avaient senti. Richelieu proposa de souper nus : la proposition fut
acceptée aussitôt que faite. Les mets les plus exquis, les vins les plus
rares animaient les convives. Richelieu, voyant avec quelle facilité sa
première proposition avait réussi, en fit une autre qui prouvait qu'il
était plus libertin que tendre : ce fut de changer de maîtresse. » Cette
combinaison ayant été également acceptée, Rulhière ajoute : « L'histoire fut sue, approuvée, et a eu depuis des imitateurs. » On voit donc
que le libertin, au XVIIIᵉ siècle, est un jouisseur qui veut corser ses
plaisirs par des aventures extraordinaires : « Tout ce qui était et bizarre
et nouveau échauffait la tête de notre héros », dit cet historiographe.
Toutefois, le duc de Richelieu ne se souciait pas de justifier ses frasques
par des préceptes moraux, ni de les associer à une critique du régime
ou des institutions religieuses ; les autres libertins, tout en se conformant à ce type de séducteur mondain, vont y mettre des façons plus
argumentées. Leur ton plein de morgue, parfois violent, péremptoire,
sera celui de l'anticonformisme absolu.

   Les livres libertins prétendent ainsi défendre la « morale naturelle »
contre toute espèce de morale conventionnelle. Même les plus
indécents, ceux que l'on publie sous le manteau, prônent l'hédonisme
qui sera de règle chez les encyclopédistes. Les orgies se passent presque
toujours dans des couvents, ce qui est un prétexte à pousser des pointes

1. Charles-Carloman de Rulhière, *Anecdotes sur M. de Richelieu,* au
tome II des *Œuvres de Rulhière,* Paris, 1819.

anticléricales; les descriptions libres sont justifiées par des considérations philosophiques. On s'en aperçoit dans *le Portier des chartreux,* écrit vers 1745 par Gervaise de Latouche, avocat au parlement de Paris; l'auteur s'y exprime en théoricien de la sensation : « Le plaisir est d'un naturel vif et sémillant. S'il était possible de le comparer à quelque chose, je le comparerais à ces feux qui sortent brusquement de la terre, et qui s'évanouissent au moment que votre œil, frappé par l'éclat de la lumière, cherche à en pénétrer la cause. Oui, voilà le plaisir : il se montre et s'échappe. L'avez-vous vu? Non. Les sensations qu'il a excitées dans votre âme ont été si vives, si rapides qu'anéantie par la force de son impulsion, elle s'est trouvée dans l'impuissance de le connaître. Le vrai moyen de le tromper, de le fixer, de le forcer à demeurer avec vous, c'est de badiner avec lui, de l'appeler, de le considérer, de le laisser échapper, de le rappeler, de le laisser fuir encore pour le retrouver, enfin, en vous livrant tout entier à ses transports. » Dans *Thérèse philosophe* (1748), s'inspirant de l'histoire scandaleuse du père Girard et de La Cadière, l'auteur présumé, le marquis d'Argens, appuie ses scènes libertines sur cette philosophie : « Pour faire son bonheur, chacun doit saisir le genre de plaisir qui lui est propre, qui convient aux passions dont il est affecté, en combinant ce qui résultera de bien et de mal de la jouissance de ce plaisir, observant que ce bien et ce mal soient considérés non seulement eu égard à soi-même, mais encore eu égard à l'intérêt public. » Mirabeau, rédigeant tout un traité, l'*Erotika biblion* (1783), afin de prouver que les anciens étaient plus corrompus que les modernes, y recommande cyniquement l'activité génitale sans but de procréation : « La perte d'un peu de sperme n'est pas en soi un plus grand mal, n'en est même pas un si grand que celle d'un peu de fumier qui eût pu faire venir un chou. La plus grande partie en est destinée par la nature même à être perdue. Si tous les glands devenaient des chênes, le monde serait une forêt où il serait impossible de se remuer. » Avec les théories permissives de l'esprit libertin, la discussion de la sexualité s'engage enfin d'une manière franche et provocante, dans l'intention avérée d'accorder le moral au physique.

C'est au cours du XIXᵉ siècle que le mot de libertinage tomba en désuétude, bien que la notion n'ait nullement disparu. Le terme de « débauché » remplace, dans les textes romantiques, celui de libertin et désigne l'homme qui passe son temps avec les filles de joie. Dans *la Fille aux yeux d'or* de Balzac, en 1835, Henri de Marsay est ce qu'on aurait appelé autrefois un libertin : « Il ne croyait ni aux hommes ni aux femmes, ni à Dieu ni au diable. » En amour, il n'a que des

« caprices extravagants », mais qui n'entame jamais son indifférence de blasé : « Il ne pouvait plus avoir que soit des passions aiguisées par quelque vanité parisienne, soit des partis pris avec lui-même de faire arriver telle femme à tel degré de corruption, soit des aventures qui stimulassent sa curiosité. » Marsay attaque Paquita Valdès selon les ruses de la tactique libertine, mais il ne la revendique pas ; il fait plutôt l'éloge du fat à son ami Paul de Manerville : « Le fat est le colonel de l'amour, il a des bonnes fortunes, il a son régiment de femmes à commander. » C'était le culte du dandysme qui justifiait désormais l'inconstance de l'homme en amour. Il y a deux raisons pour lesquelles on ne discute plus cette forme de mœurs : le libertinage était une attitude aristocratique et poussait la femme à s'émanciper, ses pratiquants adressant leurs compliments à celle qui, grande dame ou fille, osait des folies. Or le XIXᵉ siècle, avènement de la société bourgeoise, entendait préserver jalousement l'idéal de la femme gardienne du foyer ; le chef d'accusation contre *Madame Bovary* fut que ce roman était « une glorification de l'adultère », que sa « couleur lascive » induisait l'imagination féminine à des rêves de liberté. Flaubert n'eût peut-être jamais subi de procès s'il avait décrit plutôt l'inconduite d'un mari, car le réquisitoire ne releva rien de blâmable dans le rôle du séducteur Rodolphe.

Enfin, dans la période du naturalisme, on ne parle plus guère de libertinage, parce qu'on admet que la vie normale de l'homme comporte des singularités sexuelles. Maupassant n'est considéré que comme un « gandin de lettres » par Edmond de Goncourt, qui rapporte de lui maints excès libertins, ses « noires méchancetés sadiques », son activité de président à « la Société des maquereaux, une maçonnique société de canotiers férocement obscènes », sa pièce *Feuille de rose* jouée dans l'atelier Becker [1], ses coïts en public : « On remémore les coïts de Maupassant avec public. Le célèbre coït payé par Flaubert où, à la vue de la bonne tête du vieux romancier, une fille

---

1. L'exemplaire original s'intitule *A la feuille de rose, maison turque*. Flaubert disait de cette pièce : « Oui, c'est très frais. » E. de Goncourt était d'un autre avis : « C'est lugubre, ces jeunes hommes travestis en femmes, avec la peinture sur leurs maillots d'un large sexe entrebâillé ; et je ne sais quelle répulsion vous vient involontairement pour ces comédiens s'attouchant et faisant entre eux le simulacre de la gymnastique d'amour. L'ouverture de la pièce, c'est un jeune séminariste qui lave des capotes. Il y a au milieu une danse d'almées sous l'érection d'un phallus monumental et la pièce se termine par une branlade presque nature » (*Journal*, Paris, Flammarion, t. II, p. 1189).

s'est écriée : " Tiens, Béranger ! " — apostrophe qui a tiré deux larmes de la glande lacrymale de Flaubert. Du coït devant le Russe Boborikine, qui a assisté à cinq coups tirés d'une traite [1]. » Et Maupassant lui-même qualifie de viveur, de don Juan, d'homme-fille, tel libertin de ses contes ; les quatre célibataires qui, dans *le Verrou,* se vantent d'avoir séduit en un mois au moins une femme par jour, ne sont pour lui que des « galantins ».

En fait, devant l'ambiguïté de cette évolution, il apparaît que la grande affaire des mœurs, et particulièrement au XXᵉ siècle, est la synthèse de l'amour unique et du libertinage. Ce sont là en effet les deux pôles d'attraction de la vie sexuelle, dont il semble que l'homme ait simultanément la nostalgie, et qui font naître en lui des tentations contradictoires : l'amour unique, unissant un couple pour toujours, répond aux aspirations les plus ardentes de la passion, à la recherche effrénée de la communication pure, à la découverte éblouie du Toi. Il permet le tutoiement absolu, non pas celui qui s'exprime par un symbole grammatical, mais celui qui intériorise la seconde personne et la confond indissolublement avec le Moi. Il est la seule force, la seule, qui vainc la solitude sans en altérer la vertu. Mais, d'autre part, le libertinage, la dilapidation de l'être dans une course au plaisir, met en jeu le sens intime de la fête, la curiosité des possibles physiques. Il est certain que la plupart des drames sentimentaux résultent d'un affrontement de ces tendances adverses. L'adultère, tel qu'il a été décrit dans le roman européen, est le constat de ce besoin de réunir la sécurité et l'aventure, de contenter au sein du mariage un rêve de polygamie. Les solutions préconisées pendant longtemps ont été d'épurer l'amour unique (jusqu'à lui interdire toute possession charnelle, pour le garantir d'une dissipation ultérieure) ou de systématiser le libertinage (de façon à liquider la moindre velléité de sentimentalisme). Ce n'est qu'à partir de la fin du XVIIIᵉ siècle qu'on verra s'ébaucher une dialectique pour trouver une conciliation décisive de ces antinomies, tant au point de vue du comportement social (entre les êtres « à affections profondes » et les êtres « à affections vives », comme l'a admirablement révélé Enfantin) qu'à celui des relations privées (dans une résolution supérieure du conflit entre « courant de tendresse » et « courant de sensualité », conflit mis au jour par Freud scientifiquement).

Les auteurs rassemblés ici ont été, en quelque sorte, les prophètes de la sensibilité moderne. En chacun d'eux on reconnaîtra des idées et des

1. *Journal,* t. IV, p. 553.

thèmes que reprennent aujourd'hui, avec bien moins d'ampleur, les partisans d'une morale nouvelle de l'amour. Ils illustrent surtout, d'une manière éclatante, la possibilité d'une fusion des contraires. Restif de La Bretonne, Nerciat, Sade, Laclos, sont à première vue les plus grands écrivains libertins de la littérature mondiale. Nul n'a été plus loin qu'eux dans la liberté d'expression concernant les choses du sexe; sans jamais tomber dans la vulgarité, et sans oublier la nécessité de remodeler les mœurs, ils ont tout dit, sinon tout fait. Pourtant, on découvrira que ce qui les distingue des littérateurs galants de leur temps, c'est qu'ils cherchent une qualité sublime de libertinage où celui-ci bénéficierait du rayonnement de l'amour unique. Restif, jusqu'à sa mort, à travers ses multiples aventures, a gardé le culte fervent de Jeannette Rousseau, qu'il aimait platoniquement; Nerciat a voulu montrer que l'amitié sexuelle, la politesse exquise entre compagnons de plaisir pouvaient égaler les prévenances des amants exemplaires; Sade a magistralement approfondi la complicité unissant des êtres de proie, faisant de cette complicité, symbolisée par le mariage de Juliette et de Noirceuil après une suite de débauches communes, le titre de gloire d'un couple; Laclos a réalisé le type même du libertin implacable touché par la grâce, c'est-à-dire atteignant à l'amour unique. Tous quatre, en conséquence, ont été les initiateurs d'une éthique complexe qui, dépassant le simple dévergondage, assure à l'individu l'unification de ses désirs les moins conciliables. Ils se sont aussi préoccupés des répercussions sociales de leurs théories, envisageant des modes d'association, des systèmes d'éducation, voire des lois et des institutions, afin d'éviter à la collectivité l'antagonisme des revendications égoïstes.

A leur tour, Fourier et Enfantin, les deux maîtres concurrents du socialisme prémarxiste, se sont attaqués hardiment à ce problème. Fourier, convaincu que le vœu secret de chaque être est la polygamie, a précisé les moyens de la permettre à la femme comme à l'homme, sans préjudice pour le corps social, ni même pour l'exigence d'amour unique (nommé par lui *amour pivotal*). Enfantin, soucieux d'apaiser les désordres résultant des heurts entre les libertins et les amants fidèles, a rêvé d'un couple parfait, le couple-prêtre, en qui s'identifieraient les uns et les autres, ne connaissant ni jalousie, ni perte d'ardeur, ni tyrannie réciproque. Le fouriérisme et le saint-simonisme mirent l'économie politique et la religion au service de l'amour libre. Maria de Naglowska, dont les visées étaient beaucoup plus extraordinaires que celles des militantes du Mouvement de libération de la femme (et que j'ai tenu pour cette raison à faire sortir de l'ombre), a proclamé qu'on ne libérerait le sexe sans dommage qu'en fondant un sacerdoce érotique féminin. Les surréalistes, aux côtés d'André Breton, ont choisi un autre parti pour procéder à la synthèse voulue : magnifier l'amour unique, en l'élargissant de telle sorte qu'il incorpore, sous forme de rêves ou de perversions, les tentations du libertinage. Enfin, Georges Bataille a préféré la voie de l'ascèse, réalisant à partir de la mystique occidentale l'équivalent des expériences sexuelles des taoïstes chinois. Autant de chemins divergents, mais aussi fertiles en ressources naturelles, vers un monde où les instincts seraient totalement comblés.

On risque d'être étonné de ce que ces poètes et ces théoriciens n'aient pas tous entrepris un éloge exalté de l'amour. Certains l'ont même déchiré avec une violence inexorable : ce ne sont pas les moins grands ni les moins profonds, car ils ont pris ainsi sur eux de développer le mouvement de révolte indispensable pour fonder sa gloire ; d'autre part, en le niant sous les formes médiocres dans lesquelles on l'accomplit trop souvent, ils ont préparé un terrain plus pur à son apparition ; et l'on voit d'après eux combien la négation exacerbée de l'amour peut elle-même se faire intensément amour. Cependant, on remarquera qu'ils ont tous ensemble deux sortes d'affinités : d'abord, ils sont *intervenus* par la pensée et par l'acte, dans la réalité des passions, pour mettre en œuvre *ce qu'elles devraient être*. Ensuite, ils ont tous eu une grande idée du rôle de la femme dans la société ; qu'ils l'aient conçue en mal ou en bien, la désignant dans son incarnation suprême comme « parfaite amie » ou « catin sublime », « prêtresse » ou « femme-enfant », ils lui ont attribué un pouvoir occulte spécifique et ont montré qu'elle était l'égale de l'homme non pas en copiant servilement ses privilèges, mais en assumant pleinement sa différence. Il n'est d'ailleurs aucune vue vraiment originale de l'amour sans, au centre, une image dynamique de la femme ; si tant de systèmes romanesques ou philosophiques nous paraissent insipidement conformistes, malgré leurs prétentions révolutionnaires, c'est parce qu'ils méconnaissent cette vérité fondamentale.

Ce n'est donc pas par sélection arbitraire que sont confrontés ces auteurs, plutôt que d'autres, mais parce qu'ils déploient conjointement les diverses éventualités de l'émancipation des mœurs. Les écrivains qui ont parlé éloquemment de l'amour sont légion, et si on voulait les étudier tous, on serait toujours loin du compte. Il était plus intéressant de s'attacher à des cas extrêmes, dans la perspective d'une synthèse de l'amour unique et du libertinage, que ceux-ci ont abordée soit en cultivant au paroxysme « l'art de jouir », soit en traçant des plans de société, soit en inventant des méthodes de transmutation lyrique.

La littérature n'a de vertu que si elle est une initiation à la liberté, sinon une incitation aux libertés. Qui ne voit qu'en analysant comment elle favorise ce dessein dans l'amour, c'est-à-dire la plus haute appétence de l'être, on lui désigne du même coup son moyen d'action dans les autres domaines de la vie?

1

Restif de La Bretonne et la rage de l'amour

> Ce n'est pas le Vice que j'honore, mais la Vertu
> dans le Vice.   RESTIF DE LA BRETONNE

Restif de La Bretonne représente un type d'original achevé, moins rare en son temps qu'on serait tenté de le penser, mais que lui seul a su porter à ce point de perfection dans l'excentricité : *le libertin vertueux* [1]. Il n'a pas cessé un jour de délirer sur les femmes, de ruminer des entreprises galantes, et il s'est vraiment donné beaucoup de mal pour faire servir à la morale des aventures scabreuses. Il ne faut pas croire que c'était une pose; il était entièrement convaincu d'être mandaté pour ce rôle et il l'a prouvé en entrecoupant ses nombreux livres de plans de réformes, de conseils, d'admonitions, de recettes aux couples et aux particuliers. « Pour moi, je ne me suis jamais occupé qu'à indiquer à mes semblables différentes routes de bonheur, surtout dans l'état du mariage, qui est le plus ordinaire et celui de tous les hommes », écrit-il à la fin de ses *Posthumes,* en précisant que chacune de ses nouvelles trace une de ces routes, ce qui en fait réellement beaucoup. Il a des justifications étonnantes : fréquente-t-il les prostituées, il assure que c'est pour les amender, ou se documenter sur les mœurs. Séduit-il une jeune fille, il se persuade que c'est pour l'empêcher de tourner mal avec d'autres. Possède-t-il une femme mûre, ce sera parce qu'elle est insatisfaite et qu'il veut lui rendre service. Engrosse-t-il celle-ci ou celle-là, il s'en glorifie comme d'un titre d'honorabilité : « Je ne prétends pas m'apologier, m'excuser, mais ce n'est pas être libertin, c'est être vertueux, que de faire des enfants », affirme-t-il. Enfin, s'il est amené à présenter des énormités de sa vie privée, inconciliables avec la morale la plus indulgente, il ne manque pas de se lamenter sur les circonstances ou sur la fatalité d'un

---

1. Par exemple, Richardson, dans *Clarisse Harlowe,* présente Lovelace comme un « libertin décent ».

tempérament trop ardent, qui ont conduit un individu aussi honnête et bon que lui à se dévoyer.

Un homme qui a la prétention d'être un don Juan nous exaspère généralement par son égoïsme, sa suffisance ; quelles qu'elles soient, ses histoires de lit sont monotones, car elles prouvent en fait qu'il n'aime et n'admire que lui. Pour qu'elles nous touchent profondément, il faut qu'elles contiennent ce grain de folie qui rend un être irresponsable et un auteur passionnant. Ainsi, Restif eut en lui bien des singularités qui le mettent au-dessus du donjuanisme banal.

D'abord, son caractère d'ours, toujours un peu farouche, ce qu'il nomme « cette orgueilleuse et sauvage timidité qui a fait le tourment de ma vie » ; il était mal à l'aise dans la société des hommes, ne reprenait confiance qu'auprès des femmes. Il les considérait comme des anges, des déesses, nées pour l'enchanter ou le consoler. Un jour qu'il était en colère, la vue d'un talon de femme marqué sur le sol suffit à le calmer. Il avait d'ailleurs un type défini, la *femme féique*, la *sylphide*, avec une taille « joncée », c'est-à-dire fine comme un jonc.

Puis, son extrême émotivité, qui lui donna sans cesse des peurs irraisonnées, des enthousiasmes subits, des défaillances pendant l'amour ; il s'évanouissait souvent au moment du spasme, et l'on voit ses maîtresses occupées à lui bassiner les tempes ou lui faire boire un élixir.

Son exaltation romanesque, à l'origine du culte qu'il voua à Jeannette Rousseau, petite paysanne aperçue le jour où elle sortait de sa première communion ; il ne lui parla jamais, ne la revit plus, mais jusqu'à la fin il rabâcha le souvenir de cette vision, qu'il évoquait pour s'encourager au bien.

Son obsession du pied féminin, qui lui faisait arrêter des passantes dans la rue, pour les prier de lui laisser admirer les leurs ; il se troublait devant les jolies chaussures, gardait en trophées ou en reliques celles de ses conquêtes. Il avoue : « Lorsque j'entrais dans quelque maison et que je voyais les chaussures de fête rangées en parade, comme c'est l'usage, je palpitais de plaisir : je rougissais, je baissais les yeux, comme devant les filles elles-mêmes. » Dans la *Découverte australe,* il décrit un peuple où les femmes portent un soulier sur la tête, au lieu de chapeau.

Son délire de la paternité : il faisait, ou croyait faire, des enfants à toutes ses maîtresses, ces enfants étant principalement des filles ; il en établissait la généalogie avec le même sérieux qu'il tâchait de prouver qu'il descendait de l'empereur Pertinax. Il s'est attribué jusqu'à deux cent dix-sept filles naturelles, selon le compte d'un de ses biographes. Dans une scène du *Drame de la vie,* il imagine qu'il se trouve avec vingt-sept d'entre elles, et qu'il leur distribue les étoiles. Peu à peu, il en vint à croire constamment qu'il commettait des incestes, que telle petite grisette qu'il venait de posséder était née d'une de ses anciennes conquêtes. Peut-être que certaines, sachant sa manie, abusaient de sa crédulité. Car il était d'une profonde candeur, et dupe de bien des mystificateurs.

Enfin, il y a la série de ses enfantillages : il écrivait des billets doux à des inconnues, les signait « Leblanc, mousquetaire » ou « Salsbury, Anglais », allait les porter lui-même, en se donnant pour un commissionnaire, ou les introduisait, pliés en éventail, dans les trous de serrure. Il lui arriva de chanter pendant des heures, devant une boutique de modistes, des chansons exprimant ses sentiments à leur égard. Un temps, il se glissa en cachette dans les chambres des prostituées, pour y changer les objets de place ou y lâcher des souris. Dans sa maturité, il prit l'habitude d'aller dans l'île Saint-Louis, pour graver avec une clef, sur les parapets et les murs, des inscriptions commémorant les événements de sa vie amoureuse. Il faisait régulièrement le tour de l'île, pour baiser ses inscriptions, en ajouter d'autres; l'accompagner dans cette promenade était une faveur qu'il n'offrait qu'à des privilégiés. Tous ces traits lui font une personnalité de rêveur éveillé, de passionné chimérique, qui le rendent infiniment plus intéressant, comme séducteur, que la plupart des collectionneurs de femmes.

Il a raconté sa vie, ses aventures, dans *Monsieur Nicolas ou le Cœur humain dévoilé,* en seize volumes [1], livre touffu, extraordinaire, où il se révèle tout entier, avec sa jactance naïve, ses éclairs de génie, son parler pittoresque et négligé, sa crasse, sa rude sincérité dans les détails intimes. Ce livre marque une date; il est la première confession où le problème du corps soit nettement posé. Sans souci du ridicule, Restif nous entretient de tous ses maux physiques, ses dysenteries, ses pollutions, ses inconvénients phalliques, nous rappelant sans cesse au milieu de quelles contingences doit s'accomplir la vie amoureuse; d'où l'authenticité de son témoignage, en dépit de son interprétation mythique de ses souvenirs. En même temps, dans ses descriptions de la vie paysanne, puis de la vie ouvrière à Paris, il n'omet rien; il s'indigne des moralistes de salon qui parlent des mœurs innocentes des humbles; lui, qui vit dans le peuple, montre que la fornication y est le suprême recours contre la misère et le désespoir. Il déclare : « Je suis fâché de

---

1. *Monsieur Nicolas ou le Cœur humain dévoilé,* publié par lui-même, imprimé à la maison, 1794-1797. Et se trouve à Paris, chez Nicolas Bonneville, à L'Arbre de la Liberté, rue du Théâtre-Français.

n'avoir pas des tableaux plus pudiformes à t'offrir, mon lecteur; mais je préfère la vérité à la belle morale d'imagination, parce que la vérité seule est la morale; assez d'autres ouvrages nous édifient journellement par leur optimisme surnaturel. »

Il nous raconte donc son enfance campagnarde, à Sacy, près d'Auxerre, où son père, un laboureur, menait sa famille en vrai patriarche. Veuf de Marie Dondène dont il avait eu sept enfants, celui-ci s'était remarié avec Barbe Ferlet qui fut la mère de Nicolas Edme Restif, né le 23 octobre 1734 (et non le 22 novembre, comme il le dit lui-même)[1]. Le petit Restif, joli et délicat, était sans cesse embrassé et chatouillé par les filles du voisinage, et surprenait les caresses des couples dans les granges : « C'est ainsi qu'une suite de petites causes contribuaient à développer et à fortifier ce tempérament érotique qui va étonner et qui me précipitera dans tant d'écarts. » Certes, même en faisant la part de sa constitution robuste (son ami Cubières le dépeint tel « un Hercule, au moral ainsi qu'au physique »), il y a de quoi être étonné par les prouesses de Restif; il est aussi infatigable en amour que productif en littérature.

A partir du moment où, à onze ans, il étreint Nanette, « grosse dondon de bonne mine », dans l'étable à mules, et la rend mère, les aventures les plus fantasques s'enchaînent sans interruption. Il est placé dans une école d'enfants de chœur, à Bicêtre, où règne le « vice philandrique » et où il possède deux jeunes sœurs chargées du soin des garçons. Chez son frère, le curé de Courgis, il embrasse le pied d'une dévote pendant la prière, entre la nuit dans la chambre de la gouvernante quadragénaire, la possède pendant qu'elle dort — et se trouve mal. Durant son apprentissage chez un imprimeur d'Auxerre, il écume les bals de village, et ce ne sont que filles fiévreusement troussées le long des haies, dans la cuisine, à côté du lit de leurs parents, n'importe où. Six d'entre elles venant successivement un matin dans sa chambre, alors qu'il est couché, lisant *le Portier des chartreux,* il les a toutes les six à la file. Lorsqu'il vivra à Paris, travaillant comme prote dans différentes imprimeries, que d'incidents curieux! Il habite dans de pittoresques pensions de famille, ainsi chez Bonne Sellier, qui se partage entre tous les hommes de sa maison : « Quoique Bonne Sellier ne fût plus jeune, il était établi que tous ses pensionnaires l'avaient, ou qu'elle avait tous ses pensionnaires : c'était notre femme,

---

1. C'est Sylvain Puychevrier, dans le *Bulletin du bouquiniste* (année 1864, p. 492), qui révéla l'acte de baptême de Restif, conservé dans les registres de la paroisse de Sacy. Son père, habitant la ferme de la Bretonne, devint juge adjoint du bailli sans cesser d'être cultivateur.

en un mot. » Ce qui n'est rien à côté d'une pension d'étudiants où il loge durant dix mois : « Elles étaient quatre femmes : l'aïeule, la mère et deux filles... La grand-mère venait faire votre lit pendant que vous y étiez et vous agaçait si bien que ses beaux restes vous tentaient. Ensuite, quand les hôtesses voyaient que vous deveniez un peu au fait du train de la maison, la mère venait faire votre chambre. Vous l'aviez quelque temps, et c'était la manière d'agir avec elle qui décidait si vous auriez les filles... La fille aînée, en déshabillé provoquant, dessinant le nu, venait faire le lit du prédestiné. Elle faisait filer un peu l'amour ; enfin, si elle était contente de ses sentiments et de ses procédés, elle le rendait heureux. Il fallait être le chef-d'œuvre du mérite et de l'honnêteté pour parvenir au tendron de quinze ans. » Il fréquente de petites actrices, qui l'invitent à souper avec leurs amants ; l'obscurité se fait soudain, et les couples se forment au hasard : « Nous fûmes une heure sans lumière, et j'eus toujours la même personne qui me parut fort tendre. » Un autre jour, deux actrices qu'il se flatte d'aimer dix fois de suite en un après-midi le mettent au défi ; il tient la gageure. Il faut dire qu'il n'est pas seulement attaquant, mais aussi attaqué. Les femmes s'offrent à lui sous tous les prétextes, parce qu'il a l'air honnête, ou qu'il les a défendues contre des vauriens. Rose Lambelin, la malicieuse fille d'un boulanger, lui dit : « Le bonheur t'appelle. Fugitif comme l'occasion, ainsi qu'elle c'est par devant qu'il faut le saisir. » Mlle Mauviette, une sage-femme, le sollicite : « J'ai peu de pratiques. Les femmes manquent de confiance en moi parce que je n'ai pas eu d'enfants. Faites-m'en un. » Un soir, sous un porche de la rue Tiquetonne, la petite Rosette — onze ans — lui souffle : « J'ai une sœur, qui a seize ans, à laquelle on fait ça ; on ne veut pas me le faire parce qu'on dit qu'on ne pourra pas, et ma sœur Zoa se moque de moi, en m'appelant morveuse, grenouille !... Tâchez d'en venir à bout. Je ne crierai pas ! » La luxurieuse Mme Lacroix, qui le recevait « troussée jusqu'au-dessus du genou et montrant sa *concha veneris* qu'elle savait jolie », fait sauter les boutons de ses chausses et l'attire impétueusement contre elle. Lorsqu'il est sur le déclin, une petite Liégeoise qui fabrique des aiguilles de montre lui dit au théâtre : « Vous êtes d'un âge où l'on n'a plus des femmes par-dessus les yeux. Venez me voir. Je ferai pour vous ce que je pourrai. Je serai charmée de vous rappeler que vous êtes homme. » Pour comble, les femmes qu'il a contentées lui offrent souvent par reconnaissance de déflorer leur fille ou leur sœur ; plus fort encore, parfois un mari, ébloui par son renom d'étalon prolifique, le prie de féconder son épouse.

Parmi tous ces épisodes, quelques-uns ont un relief inoubliable.

Ainsi, son amour pour la femme de Fournier, dit Parangon, l'imprimeur chez lequel il est placé tout jeune comme apprenti. Il fit de Mme Parangon son idole; mais s'il lui vouait un culte respectueux, il se montait l'imagination en lui dérobant ses linges intimes pour y porter « une bouche altérée de volupté ». Il lui vola un soir ses souliers et, dit-il, « mes lèvres pressèrent un de ces bijoux, tandis que l'autre, égarant la nature et trompant son but sacré, remplaçait le sexe par excès d'exaltation... Les expressions plus claires se refusent... La chaleur qu'elle avait communiquée à l'insensible objet qu'elle avait touché subsistait encore et y donnait une âme; un nuage de volupté couvrit mes yeux. Calmé, j'écrivis dans un des instruments de mon bouillant écart : *je vous adore!* en petits caractères, et je remis l'élégante chaussure à la place où je l'avais prise. » Il en vient à violer Mme Parangon, dans une scène mélodramatique, et bien qu'ensuite elle consentît à lui pardonner, à devenir même sa conseillère, il ne cessera de se frapper douloureusement la poitrine à ce souvenir. Il y a également, à Paris, sa liaison avec Zéphire, prostituée de quatorze ans, qui est vierge, car sa « matrule » l'emploie à réveiller les sens des vieillards par des attouchements. Il veut délivrer Zéphire de son milieu, l'épouser, mais après une idylle exaltée, celle-ci, trop délicate, meurt. Le désespoir de Restif est décuplé par un coup de théâtre : il apprend que Zéphire était sa fille! Ce sont aussi ses fiançailles avec la maladive Suadèle Guisland; lorsqu'elle est mordue par un chien que l'on croit enragé, Restif se précipite, suce éperdument la blessure pour la désinfecter : « Je ne quittai la main qu'après en avoir tari le sang. Les hommes me regardaient en silence, les bras croisés, profondément consternés. On tua le chien à cent pas de nous. » Tout le monde craint alors pour sa vie : « Il ne m'arriva rien; apparemment, la rage de l'amour garantit de toute autre. » Ensuite, c'est l'histoire épique de son mariage avec Agnès Lebègue, où il expose comment la mère et la fille, pour le faire tomber dans leurs filets, entreprennent de le « maîtriser par les sens », puis l'inconduite de sa femme, les parties crapuleuses auxquelles elle le convie, tous les désordres qui provoquent leur séparation. Et le récit de ce trouble amour à trois avec Louise et Thérèse!

Mais le plus intéressant, c'est encore lorsque Restif, vieillissant, a des liaisons où il a le pressentiment fugitif d'être dupé; par exemple, avec la petite prostituée Virginie : « La passion que j'eus pour Virginie était la première où je fisse le rôle de vieillard : c'est ainsi que les filles de dix-huit ans traitent un homme de quarante-deux... » Elle a un jeune amant, avec qui il se bat; elle force alors Restif à faire des excuses à celui-ci. Elle lui donne ce qu'il nomme pudiquement ailleurs une *essipeduahc;* enfin, après s'être quelque temps jouée de lui, elle le présente à sa mère, qui reconnaît aussitôt en Restif son amant d'autrefois. Virginie est leur fille! Scène d'attendrissement général : « Depuis ce moment, Virginie me traita comme un dieu : cette fille chérie me donna le bonheur paternel. » Vers quarante-cinq ans, il a ses premières infirmités graves : « Ma passion pour les femmes, sans être anéantie, fut diminuée de moitié. » C'est alors qu'il s'éprend de Sara Debée, jolie voisine dont le visage avait, précise-t-il, « une empreinte habituelle de tristesse qui la rendait si intéressante, que souvent je quittais ma croisée les larmes aux yeux ». Il se lie avec elle, et il faut voir comment elle le mène, l'appelant « mon bien-aimé papa », jusqu'au moment où elle se donne à lui : « Fais de moi ce que tu voudras, cher papa : âme, corps, pudeur, tout est à toi. » Ensuite, c'est l'apparition de la mère, matrone habile, les demandes d'argent qui le tourmentent au point qu'il pense procurer à Sara un vieil amant riche, pour assurer son avenir. Puis ce sont les trahisons, les actes d'espionnage, les désillusions progressives : « J'étais le troisième à qui cette perfide Sirène avait persuadé qu'elle n'aimait les hommes que dans l'âge mûr. » Après la rupture lamentable, Restif connaît tous les problèmes de la sénilité précoce : « Si quelquefois il me prend un mouvement de tendresse, c'est une erreur comme celle des songes ou des eunuques; elle me laisse ensuite une tristesse profonde. » Une Mme Maillard, à qui il demande de poser pour son dessinateur, le fait monter chez elle : « J'aime les hommes à la fureur, satisfais-moi afin que je ne fasse pas de sottises », lui dit-elle. Il en est incapable et, par compensation, il lui amène un jeune homme de sa connaissance. Enfin, si on le voit encore envisager d'épouser une fille de seize ans, il y renonce par pitié pour elle. Ainsi, malgré ses outrances, son infatuation énorme, Restif a un accent spontané qui fait de son autobiographie un document psychologique incomparable. Il peut dûment s'écrier : « Je ne suis qu'un homme, votre frère, votre pareil, votre miroir, un autre vous-même. » S'il n'est ni possible ni souhaitable de se reconnaître en lui, il serait injuste de lui refuser un intérêt humain.

Pour ne pas se perdre dans ses multiples amours, Restif en a établi la récapitulation dans *Mon calendrier,* une liste suivant l'ordre chronologique, et où chaque nom est mis en regard d'un jour de l'année; il y a parfois plusieurs noms pour un jour, ce qui fait un impressionnant cortège de bien-aimées, avec des prénoms ravissants, fleurant l'ancienne France : Apolline Canapé, Améthyste Monclar, Génovèfe Tilorier, Félisette Marimond, Reine-Septimanette, Spirette Laval, etc.

« J'honore tous les êtres qui m'ont fait connaître et donné le plaisir », déclare-t-il, et il explique toujours la raison pour laquelle chacune figure comme sainte de ce calendrier. Comme il est aussi sentimental que libidineux, tantôt il rapporte une anecdote graveleuse sur l'une, tantôt il suffoque d'émotion à propos d'une autre. Çe qui prête un charme à cette liste, qui serait autrement d'un avare comptant ses sous, ce sont justement ces notes de sensibilité romantique, comme lorsqu'il évoque Émilie Laloge et ses amies : « Dans quelle douce mélancolie je tombe en me rappelant les temps fortunés de ma jeunesse où je m'égarais sur les pas de ces nymphes charmantes! Je me crois encore soit sur ces gazons fraiseux où elles me surprirent, soit dans cette prairie, sur les bords de l'Yonne, où elles cueillaient des fleurettes, où je possédais Émilie. » Nerval, qui aimait tant Restif, n'est pas loin.

A côté de ses tribulations réelles, Restif de La Bretonne s'est créé un harem de papier, dont la constitution lui procura bien des délices. Je veux parler de la collection de femmes de tous états, de tous âges, dont il entreprit méthodiquement de conter l'histoire, selon des classifications systématiques, tel un botaniste consciencieux. Ce sont d'abord ses *Contemporaines* (1780-1783), en quarante-deux volumes, comportant deux cent soixante-douze nouvelles et quatre cent quarante-quatre historiettes; il y travailla six ans. Il y décrit tous les types possibles de femmes de son temps, les femmes titrées, les femmes de la bourgeoisie, les femmes de théâtre, les femmes du commerce, les petites marchandes du boulevard, les poissardes, etc. Dans *les Françaises* (1786), en quatre volumes de trente-quatre exemples, il adopta la division suivante : les Filles, les Femmes, les Épouses, les Mères. Dans *les Parisiennes* (1787), il analyse quarante caractères féminins, à raison de dix par tome. *L'Année des dames nationales* (1791-1794), en douze parties correspondant aux mois de l'année, raconte l'histoire de six cent quinze provinciales, chacune désignée par le nom de sa province : la Cauchoise, la Bigorrine, l'Autunèse, la Châlomarnette, la Sandomingote, etc. *Les Nouvelles Contemporaines* réunissent encore vingt-trois figures de femmes dans des situations galantes. Toutes ses héroïnes, Restif en a été plus ou moins amoureux, ne serait-ce que le temps d'en parler. On sait qu'il lui fallait, pour écrire un conte, une *base,* c'est-à-dire un fait vrai, et une *muse,* une femme réelle dont il s'inspirait [1].

1. Distinction importante : la muse n'est pas la femme dont il raconte l'histoire; c'est celle qui lui donne l'envie de raconter cette histoire. Il écrit son livre comme si c'était le moyen de conquérir une femme déterminée, à qui sa timidité l'empêche de se déclarer. Ainsi, la muse des *Nuits de Paris* est la marquise de Montalembert, qu'il n'a rencontrée qu'une fois.

Ainsi, la muse des *Nuits de Paris,* ce fut « la Vaporeuse », l'inconnue qui soupirait un soir sur son balcon et avec qui il engagea le dialogue. Celle du *Pied de Fanchette,* un de ses premiers romans, est une passante aux souliers roses aperçue un instant au coin de la rue Tiquetonne.

L'abondance littéraire de Restif ne tient pas seulement à sa prolixité naturelle. Il devait produire pour vivre. Il avait besoin, afin de payer sa nourriture et son logement, des écus qu'il obtenait de ses libraires, la veuve Duchesne, Rapenot, Maradan et autres. Il lui fallait aller vite sous peine de mourir de faim. Ses livres sont les enfants du désir et de la nécessité. On ne doit pas les juger comme ceux qui ont été exécutés patiemment, dans des loisirs dorés. Il sera utile un jour d'écrire l'histoire des *vrais* écrivains; non pas des professeurs, des avocats, des médecins, des diplomates, qui ont écrit leurs livres le dimanche, sans jamais trembler pour leur avenir et leur sécurité matérielle, mais des hommes qui n'ont su, qui n'ont fait qu'écrire, en mettant tous leurs espoirs de vie et de survie dans une œuvre conçue au cours d'une harassante lutte journalière, et en suppléant aux succès tardifs par des emplois occasionnels. Oui, il sera utile de dire les détresses, les fureurs, les amertumes du vrai écrivain devant les vicissitudes d'un ouvrage dont il attend autre chose qu'une satisfaction de vanité. Les frères Goncourt, qui étaient de cette héroïque cohorte, l'ont fait pour leur temps avec *Charles Demailly;* il conviendrait de le faire pour tous les temps. Les diatribes contre la littérature des auteurs suicidaires et des obscurantistes dédaigneux tomberaient dès lors à plat. L'humanité saurait quel courage anime les possédés de l'écriture qui se sentent la mission invincible de la divertir ou de l'instruire. Restif, étant de ceux-là, mérite de n'être pas déconsidéré pour les nombreux livres de second ordre qu'il a commis; ils lui ont donné les moyens d'en réaliser quelques-uns de premier ordre.

Restif était d'ailleurs préparé, ayant d'abord été ouvrier typographe, à faire de la littérature un artisanat supérieur. Il travaillait comme prote chez Quillau, un des meilleurs imprimeurs de Paris, quand en corrigeant *Elizabeth,* de Mme Benoît, il se dit qu'il pourrait en écrire autant. Il fut amené ainsi à publier, à trente-trois ans, son premier roman, *la Famille vertueuse* (1767), histoire anglaise pour laquelle il s'était inspiré de la vie d'un négociant de Lyon, qu'il baptisa Sir Kirsh. Ébloui par la somme que lui donna la veuve Duchesne (15 livres la feuille), il décida de devenir auteur. En cinq jours, il écrivit *Lucile ou le Progrès de la vertu* (1768), qui ne lui rapporta que trois louis. En 1769, il rédigea trois romans : *le Pied de Fanchette* (il fit le serment de ne pas se raser avant de l'avoir terminé, ce qui lui demanda onze jours); *la*

Fille naturelle, « la plus attendrissante de mes productions », disait-il;
la Confidence nécessaire, une « histoire déguisée », sans base. « *La
Confidence nécessaire* est une peinture de la situation de mon cœur,
lorsque, dans ma première jeunesse, j'aimais plusieurs filles à la fois; ce
n'est pas une histoire véritable, mais c'est une situation vraie et un
tableau fidèle [1]. » Une fois la machine-à-créer lancée, elle fonctionnera
pendant quarante ans à cette cadence prodigieuse. Quand certains de
ses ouvrages ne trouvent pas d'éditeur, il les imprime lui-même, aidé
d'un seul ouvrier (ce sera le cas pour les trois volumes du *Nouvel
Abeilard*), composant parfois des passages entiers à la casse sans
copie. Et l'on ne saurait dire qu'il a tant travaillé par cupidité. En
faisant un jour ses comptes, il constatera que ses œuvres lui ont
rapporté en vingt-quatre ans 20 451 livres : somme dérisoire pour un
labeur de forçat. « Il suit de là que je n'ai pas dépensé mille livres par
an, et qu'on m'a beaucoup plus volé qu'on ne m'a donné du fruit de
mon travail. J'ai élevé deux enfants; j'ai donné à trois ou quatre
personnes; ma dépense personnelle n'a pas monté à 400 livres par
année, l'une portant l'autre [2]. »

Dans sa vie d'auteur, Restif n'a connu qu'un seul franc succès, avec
le Paysan perverti ou les Dangers de la ville (1775), écrit en un mois. Ce
roman par lettres montre un jeune villageois, Edmond, arrivant à Paris
et abusé par des corrupteurs qui détruisent en lui ce qu'ils appellent ses
« préjugés de village ». Il devient un libertin endurci, et sa sœur Ursule,
venant le rejoindre, est elle-même entraînée dans la débauche; elle
commet avec lui un inceste dont il naîtra une fille, attrape la syphilis
dans une maison de rendez-vous et finit par se faire épouser par un
marquis. Edmond épouse de son côté une vieille pour son argent et est
accusé de l'avoir empoisonnée; condamné aux galères, il n'en réchappe
que pour tuer sa sœur dans un accès de démence et fuir à travers le
monde. A la fin, tourmenté de remords, ayant perdu un bras et un œil,
il revient à Paris où il meurt renversé par un carrosse contenant la fille
naturelle qu'il a eue avec Ursule. Ces tableaux réalistes remuèrent le
public; même Julie de Lespinasse fut enthousiasmée de ce roman que
l'on nomma « le tas de fumier où se trouvent quelques perles » [3].
Métra écrivait, le 26 janvier 1776 : « On comprend difficilement
comment nos femmes sont assez effrontées pour lire un tel ouvrage.

1. *Monsieur Nicolas ou le Cœur humain dévoilé.*
2. *Mes inscriptions,* Paris, Plon, 1889; préface, notes et index de Paul Cottin.
3. J. Rives Child a montré comment Restif était jugé par ses contemporains dans *Restif de La Bretonne, témoignages et jugements,* Paris, Briffaut,
1949.

Le succès qu'il a obtenu d'elles prouve jusqu'à quel degré de corruption nous sommes parvenus. » Pourtant, Restif terminait *le Paysan perverti* en indiquant le moyen d'éviter de pareils malheurs. Il décrivait les « Statuts du Bourg d'Oudun, composé de la famille R** vivant en commun », type d'association devant empêcher les jeunes paysans d'aller se corrompre en la capitale.

Le même principe de prêche par l'exemple anima les nouvelles des *Contemporaines,* où Restif voulait donner des leçons d'amour à son temps. Il envisagea toutes les situations possibles entre un homme et une femme, toutes les complications sentimentales. Ses titres sont assez éloquents : *le Libertin fixé, la Mariée par force, la Femme vertueuse malgré elle, le Bourru vaincu par l'amour, la Femme-Mari, la Maîtresse tirée au sort, le Mari à l'essai,* etc. Il raconte dans *la Fille de trois couleurs* comment une fille entretient une liaison avec trois amis qui ignorent qu'ils ont la même maîtresse, bien qu'ils en parlent sans cesse. Dans *la Morte vivante,* une femme jalouse feint de mourir pour épier la réaction de son mari et le prendre en tort. *Les Vingt Épouses des vingt associés* offrent le modèle d'une communauté domestique formée par vingt couples et qu'un adultère vient contrarier. Restif prétend montrer aux galants tantôt ce qu'il faut faire, tantôt ce qu'il ne faut pas faire, et corriger de cette façon les mœurs. Il veut aussi donner des leçons de beauté au public ; c'est pourquoi il surveille étroitement l'illustration des *Contemporaines,* engageant cette collaboration féconde avec le dessinateur Louis Binet, à qui il impose la silhouette de la sylphide en lui mettant sous les yeux les chaussures de Zéphyre, de Rose Vaillant (dont il admirait les pieds mignons). Malgré la variété de ses thèmes, il ne peut éviter les répétitions. De son roman *la Fille naturelle,* il tire deux nouvelles des *Contemporaines* (*la Sympathie paternelle* et *la Fille reconnue*) et une comédie, *la Mère impérieuse.* Il en sera souvent ainsi. Il creuse et recreuse son autobiographie. Son désaccord avec son épouse est le sujet de *la Femme infidèle* (1785), où il insère les lettres qu'elle adressait à ses amants. (Il n'est d'ailleurs pas sûr qu'Agnès Lebègue, qui aida un temps son mari en tenant un commerce de mousselines, qui eut des prétentions de bel esprit et qui lui donna les deux seules filles qu'il pût légitimement revendiquer, Agnès et Marion, ait eu tous les torts qu'il s'est plu à amonceler sur elle [1].) Le mariage

---

1. Parmi les ouvrages sur Restif, le mieux fait est *le Vrai visage de Restif de La Bretonne,* par Adolphe Tabarant (Paris, Montaigne, 1936), qui relève ses contradictions et rectifie les erreurs de la *Bibliographie et Iconographie de Restif de La Bretonne* de Paul Lacroix (Paris, Auguste Fontaine, 1875).

malheureux de son aînée lui inspire *Ingénue Saxancour* (1796) et fait de
son gendre Augé le référent du traître dans ses récits.

Quand il eut quarante ans, Restif commença à avoir des doutes sur
son pouvoir de séduire les femmes. Il écrivit alors un texte bizarre, peu
connu (même ses biographes n'en parlent pas), intitulé *Le secret d'être
aimé après quarante ans, et même à tous les âges de la vie, fût-on laid à
faire peur*. On croit d'abord à une simple fantaisie, mais divers traits
indiquent qu'il est convaincu ; il veut donner des conseils pratiques aux
séducteurs désavantagés par leur physique, au nombre desquels il se
met. Il débute par des considérations générales sur l'importance de
l'amour dans la vie humaine, puis il en vient au fait :

« Dès que l'amour cesse de croître, il diminue : l'art suprême connu
serait de le maintenir dans l'âge de la force, ou du moins de ralentir
tellement sa décadence qu'elle allât par une *dégradation* insensible.
Mon secret à moi, c'est de la retenir au point qui précède justement
celui où il doit cesser de croître.
« Pour y parvenir je me propose quatre choses : 1° D'être aimé ;
2° De n'être vu qu'en perspective ; 3° D'employer à charmer l'objet de
mon attachement tout ce que j'eus de grâces, lorsque j'étais jeune ; ou si
j'avais été laid (ce que je dis pour généraliser ma méthode), tout ce
qu'en a le plus beau jeune homme que je pourrais découvrir ; 4° De
tout voir, sans être vu ; de tout entendre, sans être entendu ; et de
répandre, d'après des notions sûres, un charme séducteur sur tout ce
qui m'environnera [1]. »

Il faut se faire aimer sans avoir été vu, et pour cela, écrire à la jeune
fille de son choix des lettres qui laissent croire qu'on a une belle âme,
qu'on est jeune, riche, savant : « Est-il possible qu'on n'aime pas un
homme beau, jeune, spirituel, riche et vertueux ? Vous voilà donc
aimé : mais il faut continuer à l'être. » Le deuxième point consiste à se
faire voir de loin à la jeune fille, par l'intermédiaire d'une personne de
confiance qui la fait passer près d'un lieu où l'on se trouve : « Mon
moyen à moi sera d'être vu de dehors, ou bien à travers de ma chambre
obscure dans mon appartement ; qui ne sera pas censé le mien, mais
celui d'un ami, auquel je rends visite. » Comme l'objet aimé ne se
contentera pas de cette vision furtive, on lui offrira ensuite un faux
portrait de soi-même : « Faites-vous peindre tel que vous étiez à vingt

---

1. *Le secret d'être aimé après quarante ans* se trouve dans les pièces jointes
au tome II des *Nouveaux Mémoires d'un homme de qualité*, La Haie (*sic*),
1774. Ce livre paraît l'année où Restif a précisément quarante ans.

ans; il n'est pas de peintre en portrait au fait de son art qui ne sache *rétrograder* une figure; on fera voir ce tableau à votre jeune maîtresse : vous en devinez l'effet. Si dans votre jeunesse vous étiez si laid qu'on ne puisse rien tirer de votre physionomie, prenez celle d'un autre, et choisissez-la charmante. » Après, on fera sentir sa présence par toutes sortes de moyens à la jeune fille, de sorte qu'elle se sente enveloppée d'une galante assiduité : « Si vous avez de la voix, vous ferez, comme moi, entendre dans le lointain des sons charmants, propres à remuer l'âme. » Le résultat est quasiment infaillible; la jeune fille sera tellement enivrée de toutes ces attentions que, lorsque le séducteur se montrera, elle croira son imagination plutôt que ses yeux, elle le trouvera aimable : « Vous répandrez ainsi le charme sur votre personne et sur tous vos *entours :* j'ose vous prédire que si, dans la suite, vous veniez à être connu, il se prolongerait et que vous seriez aimé pour vous-même. »

Il est clair que *Le secret d'être aimé après quarante ans* est une espèce de consolation que s'adresse Restif, cherchant à prévenir des déboires amoureux qu'il croit inévitables. Ce texte, avec sa rouerie naïve, explique bien des excentricités de sa conduite : pourquoi, par exemple, il allait chanter près du logis de la dame Laugé, chapelière qu'il voulait séduire. Pourquoi aussi il pratiquait « l'amour par lettres » avec les jolies ouvrières d'une marchande de modes de la rue de Grenelle[1]. L'idée de se faire aimer par lettres lui tient à cœur au point qu'il la systématise dans *le Nouvel Abeilard ou Lettres de deux amants qui ne se sont jamais vus* (1778). Il veut y montrer comment « faire faire l'amour à la jeunesse sans danger pour les mœurs ». Le jeune Abeilard, dans ses épîtres à une inconnue, ne néglige rien pour la persuader de son mérite : linguistique, histoire naturelle, il lui parle de tout. Il lui expose aussi « différents modèles de conduite en ménage ». Un de ces modèles est *la Philosophie des maris;* un autre, *la Partie quarrée,* où quatre associés quadragénaires arrivent à épouser quatre jeunes personnes. Dans *l'Amour enfantin,* un homme parvient à « se former une épouse dès l'enfance, non seulement en la pliant à son humeur, mais en s'accommodant lui-même d'avance à son caractère », et cela, au moyen de deux contes de fées[2]. A la dernière page, la correspondante

---

1. Les lettres qu'il leur adressa furent réunies dans *le Quadragénaire ou l'Age de renoncer aux passions* (1777), qui contient aussi des nouvelles comme : *A fille de quinze ans mari de quarante-cinq, L'estime n'est pas de l'amour,* etc.
2. Dans un de ces contes de fées, *les Quatre belles et les Quatre bêtes,* Brancabanda est obligé par la fée Ouroucoucou de marier ses filles à un chien vert, un loup jaune, un mouton rouge et un coq bleu.

d'Abeilard est tout émue à la perspective de leur rencontre prochaine, tant il a su l'intéresser à lui.

Quant au Restif réformateur, il est aussi péremptoire qu'universel, avec des trouvailles incontestables, reflétant ses obsessions. Ses projets de réformes sont contenus dans cinq volumes d'*Idées singulières* (appelés aussi les *Graphes*); un sixième était prévu qui fut abandonné, *le Glossographe,* dans lequel il devait développer sa théorie pour changer l'orthographe (entre autres, il voulait introduire dans la ponctuation quatre points nouveaux : le point *précipitatif,* le point *retentissant,* le point *indignatif* et le point *attendrissant*). On a prétendu faire de Restif l'inspirateur de Fourier : cette thèse a été soutenue par Pierre Leroux, qui cherchait à rabaisser le chef de l'école sociétaire, et a été acceptée sans examen par quelques critiques. Rien n'est plus faux : ce sont deux esprits de même famille, certes, mais Fourier est un socialiste autrement compétent et émancipateur que Restif, qu'il a probablement peu lu.

Le Pornographe (1769), premier ouvrage de la série, est un « projet de règlement pour les filles publiques ». L'auteur établit d'abord que la prostitution n'est pas à supprimer dans la société, qu'elle prévient de plus grands ravages : viols, rapts, recours à l'homosexualité, etc. Il faut simplement trouver les moyens de diminuer ses inconvénients. Pour cela, on n'admettra pas que les prostituées racolent dans la rue, ni qu'elles soient confinées dans des bordels insalubres. Elles seront groupées dans des Parthénions, maisons publiques sous la protection du gouvernement. Chaque Parthénion sera régi par un conseil de douze citoyens et placé sous la responsabilité de Gouvernantes. La maison aura une cour et deux jardins (un pour les visiteurs, l'autre pour les filles et les Gouvernantes); elle comprendra une aile réservée aux enfants nés de ce commerce et un corps de garde où habiteront les préposés au service d'ordre. Il y aura six classes de filles, déterminées d'après leur âge, la dernière étant celle des Surannées; leur prix variera en proportion. Restif expose un règlement en quarante-cinq articles, extrêmement étonnant; il est le seul jusqu'à présent qui ait fait du bordel une institution républicaine, où les prostituées sont des citoyennes bénéficiant de droits civiques.

Le client du Parthénion prendra un ticket à un guichet, comme celui des théâtres; il observera par un judas les filles rassemblées dans un corridor et fera son choix; mais l'élue pourra l'examiner à son tour par le même judas, et, s'il lui déplaît, refuser de le rejoindre. La vie sera douce dans les Parthénions, dont les pensionnaires connaîtront toutes sortes de divertissements; leurs fautes seront traitées avec indulgence :

« Les Gouvernantes ne pourront infliger aucun châtiment : elles n'auront que le droit de faire leur rapport », et le conseil décidera : « On montrera toujours une grande disposition à la clémence. » Les conditions d'hygiène seront strictes : les filles prendront deux bains par jour et seront régulièrement visitées par les médecins. Ce ne seront pas des bêtes de somme, faisant des passes sans interruption : « La même fille ne pourra jamais être choisie par différents hommes en un même jour ; mais si le même homme la redemandait, on permettrait à la fille de l'aller trouver. » L'argent gagné dans leur activité ne servirait qu'aux prostituées elles-mêmes, à les soigner, à doter leurs enfants, à leur assurer une vieillesse heureuse, ou à financer celles d'entre elles qui voudraient quitter le Parthénion pour adopter un autre métier. En effet, elles resteront libres de leur corps : « Le Parthénion sera un asile inviolable : les parents ne pourront en retirer leur fille malgré elle ; ils ne pourront même lui parler, si elle se refuse ; et dans le cas où ils s'introduiraient dans la maison, sous le prétexte de la demander comme une fille, on les fera sortir dès qu'elle les aura reconnus. » On respectera même la délicatesse des Surannées, vers qui sont dirigés les clients immondes : « Pour que les filles *Surannées* se portent avec moins de répugnance à recevoir ceux qui sont assis au dernier degré, on observera trois choses : la première, de faire prendre le bain tiède à ces hommes, dans un endroit où ils seront commodément ; la seconde, qu'ils ne restent avec la fille qu'une demi-heure ; la troisième, que ceux qui se présenteront pris de vin soient gardés dans la maison jusqu'à ce que leur ivresse soit dissipée. » Pour compléter *le Pornographe,* Restif imagine des Objections, une réponse aux Objections, et donne des exemples historiques. Si l'on décide un jour que le bordel est une solution démocratique, le législateur devra se référer au *Pornographe* : il y verra la prostitution traitée comme une profession normale [1].

L'ouvrage suivant, *le Mimographe* (1770), est une réforme du théâtre. Fréron, dans son journal, dit qu'il justifiait bien son sous-titre d'*Idées singulières :* « L'auteur peut se flatter que, de tous les hommes de lettres qui soient actuellement en France, il est, en effet, celui qui se *singularise* le plus, et par ses idées, et par la forme qu'il leur donne, et par la lumière dont il les rend [2]. »

Les Gynographes (1782) renferment toutes sortes de prescriptions « pour mettre les femmes à leur place et opérer le bonheur des deux sexes ». On est déconcerté de voir Restif, si libéral avec les prostituées,

---

1. Restif prétendait que Joseph II d'Autriche avait fait appliquer le règlement du *Pornographe* dans son État.
2. *L'Année littéraire,* 1770, t. IV, p. 334 *sq.*

se montrer d'un rigorisme impitoyable pour les jeunes filles et les femmes mariées. Son système est défini dans des lettres échangées par deux amies, Mme de Tianges et Mme des Arcis; à la fin leurs maris, dans *Réflexions de deux hommes désintéressés,* les approuveront en apportant des arguments supplémentaires. Restif dénonce d'abord les « abus actuels dans la manière d'élever et de considérer les femmes ». Il affirme qu'on ne se fait pas une juste idée de la destination de la femme : « Que doit-on former dans une femme? Un être *essentiellement agréable.* Ce mot dit tout; car il renferme l'utilité, la douceur, la soumission, etc. Voilà ce que toutes les *Gynagogues* doivent continuellement avoir en vue. Plaire est le lot des femmes : une femme qui ne plaît pas est un être nul, au-dessous de tous les autres êtres qui remplissent au moins leur destination physique. On plaît par différents moyens dont un seul suffit, à l'exception de celui qui plaît le plus universellement, la *beauté;* jamais elle ne suffit seule pour continuer à plaire. » Les femmes doivent recevoir une éducation spéciale basée sur le culte du mari : « Il faut de bonne heure inculquer aux jeunes filles qu'elles sont destinées pour l'homme, qui est le chef et le souverain de la société : en conséquence, le second sexe doit être élevé précisément comme ces jeunes seigneurs qu'on place auprès de l'héritier du trône : toutes les leçons de déférence et de soumission qu'on donne à ceux-ci conviennent à celles-là. »

Pendant leur enfance, les filles doivent être caressées, non les garçons, « parce que cela rapetisse leur esprit et leur énerve le caractère ». Dans les écoles, « l'on placera dans la même salle d'éducation publique non seulement les sujets d'âge différent, mais de caractère opposé », afin de les accoutumer à soutenir les diverses humeurs des autres. Leurs études : « Tous les ouvrages d'aiguille : elles n'auront pas d'autre occupation jusqu'à l'âge de douze ans accomplis. » Des « inspectrices de conduite » exerceront sur elles un droit de surveillance et d'information : « Elles décideront, avec le grand Comité des vingt-quatre Anciennes de chaque paroisse, quelles seront celles des filles à qui l'on pourra apprendre soit à lire, soit à écrire; cette dangereuse permission devant être aussi difficilement accordée au second sexe qu'elle sera d'obligation étroite pour le premier. »

Il y aura un tribunal des mœurs, où l'on tiendra un registre officiel : « On y inscrira les fautes de conduite, les indécences, la négligence dans le travail, le défaut de propreté, les querelles, le manque d'obéissance aux parents, en un mot tout le mal que pourront faire les filles, sur une colonne; et sur l'autre tout le bien. » Des prix et des châtiments seront distribués aux jours de fêtes, selon l'état de ce registre; il sera communiqué aux parents qui ont des fils à marier. Quand une fille se mariera, sa dévotion à l'homme devra être sans défaillance. Le fard ne sera permis à une épouse qu'après dix ans de mariage, et après avoir eu cinq enfants; elle ne pourra porter de bijoux que si son mari l'y autorise. L'ivresse est punie de mort chez la femme; celle-ci encourt des peines sévères pour « d'indécents éclats de rire » ou des jurements. Il lui est interdit de chanter une chanson grivoise, de se mêler à un attroupement, de parler à un passant dans la rue. Une femme qui a reçu un baiser « entendra à genoux la sentence qui la condamnera à ne sortir qu'avec l'habit des vieilles, ou à rester chez elle ». L'épouse adultère, ou seulement soupçonnée de l'être, « sera battue des verges par deux femmes qui auront cette commission, condamnée à l'habit des vieilles comme la précédente, rasée et, si son mari le veut, enfermée au pain et à l'eau ». La femme séparée de son mari, si c'est par sa faute à lui, portera le deuil; si c'est par sa faute à elle, sera chassée de toutes les réunions. On exigera d'elle une incessante abnégation : « La femme vertueuse dont le mari aura de la jalousie sera obligée de rompre avec tous les hommes, même ses plus proches, si son mari l'exige ou paraît le désirer; autrement elle sera regardée comme criminelle et punie comme telle. » Ce n'est qu'à partir de cinquante ans, quand on ne l'appellera plus *Madame* mais *Mamère,* que l'on tolérera quelque initiative de la femme. Ce triste programme montre à quel degré d'insanité peut aller le culte de la vertu, dans un code révolutionnaire puritain. Il suffit de comparer *les Gynographes* avec n'importe quel livre de Fourier pour mesurer l'abîme qui sépare les deux auteurs : Restif veut libérer l'homme en lui asservissant la femme encore davantage, Fourier veut libérer la femme de telle façon que la libération de l'homme s'ensuivra.

L'Andrographe (1782), projet de règlement « pour opérer une réforme générale des mœurs et, par elle, le bonheur du genre humain », aménage la société en fonction d'un partage égalitaire des biens. Partisan du communisme, Restif veut même que les repas soient pris en commun dans de grands réfectoires; mais il n'abolit pas les classes, il les modifie et il les augmente. *L'Andrographe* revient longuement sur la question du mariage, allant jusqu'à préciser les genres d'unions convenant aux « difformes » (bossus, boiteux, borgnes, etc.). Tel est le souci d'équité de Restif qu'il apparie le laideron avec celui qui n'est pas en mesure d'apprécier la beauté physique : « Les aveugles auront les filles les plus laides, qui n'auront pu trouver de maris. » L'homme se mariera à vingt-cinq ans, la fille à quinze ans. Le jour du mariage, le chef du Comité des Vieillards leur fera un discours, où il sera notamment stipulé : « Tout mari pusillanime, convaincu de s'être laissé lâchement dominer par sa femme, maîtriser et conduire par elle, soit par faiblesse, soit par amour, sera blâmé publiquement une première fois ; en cas de continuation, rejeté dans la dernière classe des hommes ; et, enfin, s'il est incorrigible, obligé de paraître dans les assemblées du bourg et de la ville avec une petite quenouille et un petit fuseau à son chapeau. » Les maris seront pendant dix ans « nouveaux mariés », et cette condition sera signalée par leurs vêtements : « Les nouveaux mariés porteront un habit de matelot, avec une petite veste par-dessus, de toile de soie en été, suivant les circonstances, et toujours en laine en hiver, avec les marques distinctives, prescrites par l'article 31 ; leurs cheveux coupés très rond, avec un petit chapeau arrondi. » Durant ces dix ans, l'époux et l'épouse n'habiteront pas ensemble et obéiront à ce règlement extraordinaire :

« Les nouveaux époux ne verront dans la journée leurs femmes qu'à travers le grillage qui sépare les hommes des femmes, dans la salle commune des repas et des divertissements publics. Chaque soir, le garçon s'en retournera chez ses parents, et ceux de l'épouse emmène-ront leur fille chez eux, où elle demeurera comme avant son mariage ; mais elle couchera seule, et si son mari peut pénétrer jusqu'à elle par adresse, à la bonne heure ; cependant, il ne sera jamais favorisé par les parents qui, par là, se rendraient répréhensibles. Un mari ne pourra être vu sans déshonneur, et sans s'exposer à être blâmé, avec son épouse, en quelque lieu que ce soit, jusqu'à l'âge de trente-cinq ans : mais tout ce qu'il fera en secret, et sans être aucunement découvert, quoique les suites le trahissent, sera louable ; et ce sera un grand mérite d'avoir eu plusieurs enfants de son épouse, sans jamais avoir été aperçu des parents, ou vu avec sa femme en particulier. Ce mérite porté au dernier point d'exactitude, opérera un avancement d'un degré dans une classe supérieure ; et s'il était joint à une autre cause d'avancement, ce mari aurait le pas avant ses égaux en mérite.

« S'il arrivait qu'un nouvel époux, au mépris de ce règlement sage, prétendît en agir librement avec son épouse, suivant l'abus actuel, il sera *transporté*, c'est-à-dire envoyé dans les colonies, pour jusqu'à l'âge de trente-cinq ans, auquel il sera obligé de revenir dans sa patrie, pour y être placé dans la dernière classe. On lui remettra pour lors sa femme, et il suivra le sort ordinaire.

« Mais si un jeune mari employait des moyens spirituels et neufs, pour passer avec son épouse des moments heureux, il en sera loué, quels qu'ils soient ; pourvu qu'il n'emploie aucune violence, ou le feu, tant pour surprendre les parents de sa femme, que pour se cacher aux yeux, et n'être découvert par qui que ce soit. La loi sera qu'en pareil cas, la jeune épouse ne pourra esquiver l'abordage, ni contribuer à faire échouer son mari : si la chose arrivait, elle serait punie comme félonne par le Comité des Anciennes. »

Ensuite, les « nouveaux mariés » seront pendant quinze ans appelés « jeunes hommes »; ils auront le droit de porter l'habit à la française, de retirer leur femme de chez leurs parents et de vivre en ménage avec elle et leurs enfants.

Le Thesmographe (1782), proposant « une réforme générale des lois », et distinguant cinq ordres dans la société (la noblesse, la bourgeoisie, le clergé, les paysans et... les femmes, toutes les femmes, de quelque condition qu'elles soient), a la même extravagance despotique [1]. L'examen des *Idées singulières* ne permet pas de placer Restif au nombre des grands réformateurs sociaux; ses principes sont discordants, se contredisent d'un livre à l'autre, alors que Fourier étendait et approfondissait logiquement les siens. Il reste que ces *Graphes* complètent sa physionomie déjà si caractéristique. On voit dès lors quel système sous-tend ses agissements et ses fictions. On comprend que sa rage d'amour trouvait autant d'issue par son cerveau que par son sexe.

Bien mieux que ses projets de réformes, tout ce que Restif a écrit comme « indagateur [2] » apporte du nouveau sur l'amour. Ainsi *le Palais-Royal* (1790), « une galerie de tableaux gaiement tristes », révèle sa conception de la prostitution plus éloquemment que *le Pornographe*. Il met en scène un certain Aquilin-des-Escopettes (un des noms d'emprunt de Restif, qui s'appelle aussi dans ses romans Dulis, Dormans, Xiflame), visitant à Paris le Palais-Royal, lieu célèbre de prostitution dans toute l'Europe, et demandant à chaque fille une demi-heure de conversation pour lui faire raconter son histoire. Il commence par les filles de l'Allée-des-Soupirs, qui sont trente-deux : Filumène, Boutonderose, Fayelle, Bienfaite, Chouchou, etc. Chacune lui raconte généralement non pas sa propre histoire mais celle de ses

1. *Le Nouvel Émile ou l'Éducation pratique* (1771), bien que son faux titre porte : *Idées singulières - l'Éducographe*, n'est pas compté par Restif dans la liste de ses *Graphes*. C'est qu'il en a écrit seulement l'épître à la jeunesse et la bordure romanesque; le reste est attribué à Ginguené.
2. Ce néologisme de Restif désigne celui qui, comme un chien de chasse sur les traces du gibier, suit la piste d'une fille. Il prétend dans les *Nuits de Paris* (t. IV, p. 1096) qu'il a beaucoup de mérite à être indagateur, étant donné sa sauvagerie qui le fait hésiter à frapper à la porte d'une maison où il est attendu.

compagnes ; si bien qu'on a vite l'impression qu'Aquilin-des-Escopettes est le jouet de leur mythomanie. La maquerelle Cunégonde se moque visiblement de lui en l'entretenant de ses Ressembleuses ; cette « matrule », ancienne comédienne, a entrepris de « vendre aux amants l'image vivante de leur maîtresse ; à certaines gens l'effigie des plus grandes et des plus belles dames de la cour ; aux amants survivants, la résurrection de leurs belles ». Elle forme donc ses filles, grâce à l'art de la *phisionominie,* pour qu'elles ressemblent à des femmes connues. Il s'agit, en utilisant les services d'une cameriste, d'obtenir un moulage de la dame à qui il faut ressembler, avec une pâte ductile : « Cette pâte durcit toujours. Dès qu'elle l'est suffisamment pour ne plus mollir, on l'applique sur le visage d'une fille, choisie de la même chevelure que celle qu'on veut imiter, et on la lie fortement. Aussitôt le maître ou la maîtresse de phisionominie s'exerce à lui faire imiter la manière, l'air de la personne calquée, en lui faisant les mines, et lui montrant la manière de contracter les fibres du visage... On la fait ainsi travailler pendant plusieurs mois... On ne lui ôte le masque, qui a la bouche, les narines et les yeux percés, que lorsqu'il ne la gêne plus depuis quelque temps, quelque mouvement qu'elle fasse, et la ressemblance est frappante... » Il y a peut-être eu des Ressembleuses au Palais-Royal, mais sûrement pas selon de tels artifices. Plus vraisemblables sont les manèges collectifs pour exciter le client :

« On les nomme les Houris. Sofie est brune, Angélique est blonde, Adèle est rouge et Zéfire cendrée. Lorsque vous entrez, on vous livre à Sofie qui, modestement parée, vous reçoit avec une politesse bourgeoise, et vous persuade que vous êtes avec une honnête fille. Elle aiguise les désirs, et ne les satisfait pas. Au moment où vous devenez pressant, une porte s'ouvre, vous poursuivez la belle, et vous tombez dans les bras d'Angélique, qui a beaucoup plus d'éclat.

« Vous trouvez ici une douce langueur, et tout ce qui peut flatter la vue, des pieds à la tête. Excité par tant de charmes, vous voulez jouir... Angélique se dérobe, et vous trouvez Adèle.

« Cette belle rouge ne blesse par aucun défaut de sa couleur ; elle n'a ni odeur, ni taches rousses : c'est une blancheur éblouissante ; elle est plus parfaite qu'Angélique. Vous êtes en feu. Elle disparaît, comme les deux autres, et vous trouvez Zéfire.

« C'est une céleste créature que celle-ci, et la plus belle des quatre. Ses cheveux fins, son air touchant, ses manières caressantes vous empêchent de regretter ses compagnes. Vous ne vous possédez plus, et la délicate Zéfire ne pourrait se défendre d'un homme vigoureux. Quatre nouvelles filles très jolies viennent à son secours, vous enlèvent, elle fuit, et vous vous refroidissez avec une des quatre [1]. »

Dans la deuxième partie, Aquilin-des-Escopettes visite le Cirque souterrain, avec son orchestre, ses jeux, ses cafés, ses cabinets particuliers. Une prostituée alsacienne, Maïne, lui sert de *Cicerona* et l'initie aux secrets des Sunamites, ces filles que l'on destine exclusivement aux vieillards. Elle l'abouche avec Mme Janus, qui dirige plus de quarante Restauratrices ; ces créatures sont des « prolongistes », car elles prolongent la vie et la santé des vieillards au contact de leurs chairs nues :

« Le métier de Madame Janus, ancienne femme de charge d'un médecin célèbre, est de restaurer les vieillards. Elle leur donne deux de ses élèves, qu'elle tient dans une grande maison bien aérée, au-delà du boulevard, qu'elle nourrit des aliments les plus sains, et qu'elle fortifie par un exercice journalier. Elle prend un louis par nuit. Chaque fille a six francs, et elle douze. Les premières fois, elle est là : le vieillard est mis par elle dans un bain aromatique. Elle l'essuie elle-même, avec la main, qu'elle roule sur son corps, jusqu'à ce qu'il soit d'une propreté complète. Cela fait, elle lui met une muselière solide et le couche avec les deux Sunamites, dont la peau touche exactement la sienne. Il s'entrelace dans les deux vierges (car il faut qu'elles le soient).

« Une fille ne peut servir que huit nuits de suite. On en substitue deux autres, et les deux premières se reposent, en prenant des bains les deux premiers jours, et en se divertissant les autres pendant quinze. Car il faut à un vieillard trois paires de filles.

« On a la plus grande attention à les conserver vierges, vu que cette qualité perdue, elles deviendraient nuisibles, surtout pendant la grossesse. Si un vieillard jouissait d'une fille, il se ferait beaucoup de mal ! et en outre, il perdrait une somme déposée dès le premier jour. Une fille sert depuis sa nubilité déclarée jusqu'à trois ans au-delà. Plus tard, elle dominerait le vieillard, et repousserait ses effluences, sans *influer* sur lui si elle était neuve ; et si c'était une de ses anciennes Sunamites, elle lui réinfluerait les humeurs *peccantes* qu'il lui aurait influées. Une fille peut servir un an au plus, en l'employant tous les jours [2]... »

---

1. *Le Palais-Royal*, à Paris, au Palais-Royal, d'abord ; puis, partout ; même chez Guillot, libraire, rue des Bernardins, 1790, t. I., p. 18-20.
2. *Ibid.*, t. II, p. 31-33.

Les Sunamites se subdivisent en Berceuses, Chanteuses, Converseuses, selon qu'elles étreignent leur client, lui chantent des chansons ou lui font la conversation. Aquilin-des-Escopettes intervient auprès d'un vieillard *restauré,* qui lui dit : « Je vous croyais incongruiste, monsieur! — Vous vous êtes trompé, monsieur, sur notre compte, comme beaucoup d'autres. » Et, son interlocuteur supposant qu'il profite de son enquête pour coucher avec les filles, il s'indigne : « Nous sommes Aquilin-des-Escopettes. Nous avons une douce et charmante amie, que nous adorons, et qui nous a rendu le chevalier de tout son sexe. » Le troisième volume contient les histoires de dix-neuf Converseuses, douze historiettes sur des « gentilshommes populaires » (c'est-à-dire qui se sont mariés avec des roturières), et s'achève sur *le Divorce nécessaire, prouvé par les faits,* suite d'anecdotes tendant à démontrer que « le divorce préviendrait beaucoup de crimes et d'aventures dangereuses ». Avec *le Palais-Royal,* nous avons l'exemple type du genre de livre que Restif écrivait pour « persuader le bien, en rapportant le mal ». Ici, il n'invente plus des lois, il s'écrie : « Instruisez-vous, Administrateurs, et remédiez, s'il est possible! »

Après avoir terminé *Monsieur Nicolas ou le Cœur humain dévoilé,* Restif alla inscrire sur un mur de l'île Saint-Louis, le 21 septembre 1797 : « Apprends, ô ma chère Isle! que je puis mourir : j'ai fini mon grand Ouvrage. » Pourtant, cet homme de soixante-trois ans n'avait pas dit son dernier mot. Vieux, pauvre, perclus, soigné par ses filles Agnès et Marion, il forme encore un projet ambitieux : rivaliser avec le marquis de Sade, dont il est depuis longtemps l'adversaire. En mars 1798, il publie *l'Anti-Justine ou les Délices de l'Amour,* qu'il attribue à l'avocat Linguet (qui avait été guillotiné le 27 juin 1794). « Personne n'a été plus indigné que moi des ouvrages de l'infâme de Sade », dit dans l'Avertissement le prétendu Linguet, enfermé à la Conciergerie. « Mon but est de faire un livre plus savoureux que les siens, et que les épouses pourront faire lire à leurs maris; un livre où les sens parleront au cœur; où le libertinage n'ait rien de cruel pour le sexe des grâces; où l'amour, ramené à la nature, exempt de scrupules et de préjugés, ne présente que des images riantes et voluptueuses. » Pour combattre les méfaits du sadisme, Restif glorifie l'inceste : « Je n'ai composé cet ouvrage que dans des vues utiles : l'inceste, par exemple, ne s'y trouve que pour équivaloir au goût corrompu des libertins. »

Le seul intérêt de *l'Anti-Justine* est d'être une seconde version de *Monsieur Nicolas :* version abrégée, exclusivement obscène, où sont condensés les fantasmes de l'auteur et présentés d'une manière fabuleuse les protagonistes de sa vie. Le narrateur, Cupidonnet, né dans un village près de Reims, avoue qu'il avait dès l'enfance « un faible pour les jolis pieds et les jolies chaussures », et raconte comment il s'est initié à l'amour en famille : en voyant sa sœur Genovefette essayer des souliers neufs, il eut une violente érection. La petite fille alla le rejoindre au jardin : « L'ayant abordée, je lui pressai la taille sans parler ; je lui touchai le pied, les cuisses, un chose superbe et joli s'il en fut jamais ! Genovefette ne disait mot ; je la fis mettre à quatre pattes, c'est-à-dire sur les mains et sur les genoux, et, à l'imitation des chiens, je la voulais caresser ainsi, en hennequinant et saccadant de toutes mes forces comme fait le chien, en lui comprimant fortement les aines de mes deux mains. »

Sa deuxième initiatrice fut sa sœur Madeleine, après son mariage avec Bourgelat : « Depuis plus de deux ans, j'en étais réduit à patiner et gamahucher ma sœur Babiche avec quelques-unes de nos cousines germaines. Je demandai un rendez-vous nocturne à la nouvelle Bourgelat : elle me l'accorda pour le soir même. » Mais, par suite d'une méprise, il trouve dans son lit sa mère au lieu de sa sœur, et prend un tel plaisir sur elle, sans la réveiller, qu'il s'évanouit. Un autre rendez-vous avec Madeleine est également contrarié : « Nous avions été entendus d'une grosse tétonnière, notre moissonneuse, qui dormait dans la grange. Comme Mme Bourgelat devait venir dans mon lit, Mammelasse, qui m'aimait et d'ailleurs n'était pas méchante, se contenta de dire à mon frère de fermer la nuit la porte de sa chambre. Il le fit... mais jugez de mon étonnement quand, au lieu de tétons ronds et délicats, je patinai un chose à crins de cheval et deux gros ballons bien gonflés. Elle se le mit, je poussai, et j'eus assez de plaisir, mais je fus encore prêt à m'évanouir ! » Après ces divers incidents, le héros vient à bout de son dessein primitif : « Enfin je le mis à Madeleine dans le grenier à foin. J'allais comme un fou, mais au troisième coup qu'elle donna... je m'évanouis ! » A de tels détails, on n'a plus aucun doute : Cupidonnet est bien la réplique de Monsieur Nicolas.

Le reste n'est pas moins explicite. Cupidonnet épousera Conquette-Ellès, dont il aura deux filles, Conquette-Ingénue et Conquette-Victoire, qu'il traitera en amant. Conquette-Ingénue, mariée avec le débauché Vitnègre, s'en plaint à son père à qui elle raconte « quelques infamies récentes du monstre » ; elle s'en console avec un jeune homme et avec Cupidonnet. Dans la seconde partie, Conquette-Ingénue est vendue par son mari à Fysistère, un personnage fantastique qui a une queue velue au bas du dos, comme un animal féroce. Le roman est inachevé et s'arrête à la page 252 sur le premier mot d'une phrase. Il est à noter que *l'Anti-Justine,* destiné à opposer au sadisme des images riantes, contient néanmoins des scènes d'amour criminel ; on y trouve même la description d'un fauteuil mécanique, immobilisant la femme qui s'assoit dessus et permettant de la violer commodément. Il semble que Restif, en certains endroits, ait voulu entrer en compétition avec Sade jusqu'à le pasticher. Il a détaillé aussi trente-huit sujets d'estampes pour illustrer *l'Anti-Justine;* mais seuls deux dessins à l'encre de Chine, figurant les exploits du moine Fout-à-mort, se trouvent dans l'exemplaire le plus complet de la Bibliothèque nationale.

A cette époque, Restif aux abois participa à un concours pour devenir professeur d'histoire à l'École centrale de l'Allier ; il gagna le concours, mais, le temps qu'on décide de sa nomination, un admirateur lui procura une place au ministère de la police générale. En mai 1798, il occupa le poste de sous-chef au bureau des « Lettres interceptées », et il y restera jusqu'en juin 1802, où il sera radié par Fouché. Il fréquentait le salon de Fanny de Beauharnais, tante de la femme de Bonaparte, et y lisait le soir quelques-unes de ses productions. Il était aussi un habitué du café Manoury ; c'est là qu'il donna rendez-vous à Humboldt, que Goethe avait chargé de lui fournir des renseignements sur l'auteur de *Monsieur Nicolas.*

Ses dernières œuvres sont encore les reflets de sa sexualité insatiable. *Les Nouvelles Contemporaines* (1802) présentent une série de portraits de femmes, le nom de chacune servant de titre. Dans *Bosculone-Genovèfe Argenton,* il dit : « Je ne parlerai jamais des rosières : c'est une institution que je méprise. Elle n'est propre qu'à porter au village le trouble, l'hypocrisie, l'esprit de dissipation, et à détruire la vertu qu'elle prétend couronner. » Ses héroïnes sont des anti-rosières : elles sont vertueuses de la plus étrange manière. *Adélaïde Martin* est une pucelle de quinze ans qui épouse le jeune Ramon ; durant sa nuit de noces, elle se fait assister par Mme Martin, si bien que Ramon, au lieu de déflorer la fille, se satisfait avec la mère et l'engrosse ; Adélaïde, pour sauver les apparences, fera croire que l'enfant est d'elle. Dans *Amable Gauthier,* le vieillard Lebreton se marie avec une fillette de douze ans (âge légal) ; il ne peut que la caresser du bout des lèvres : « Deux organes agirent, la bouche amoureuse de Titon et l'organe le plus sensible d'Aurore. » Elle y prend plaisir jusqu'au jour où elle surprend un couple se compénétrant ; elle demande à son vieux mari d'agir de même : « Elle le tua en peu de temps, en voulant lui faire faire le jeune homme. » D'où vient la vertu de cette anti-rosière ? C'est que le vieillard est mort en se croyant aimé d'une jeune caillette, sans même soupçonner qu'elle avait pris un amant.

Enfin, Restif a écrit, dans sa vieillesse, *les Posthumes* (1802), qui sont le premier roman de science-fiction érotique, bien plus remarquable que ce qu'imaginera après lui Bradbury, avec l'appoint d'une cosmogonie sexuelle. *Les Posthumes,* ce sont les lettres qu'un homme proche de sa fin envoie à sa femme, pour la consoler de sa disparition par des récits prouvant l'immortalité. On peut négliger le début, l'histoire d'Yfflasie et de Clarendon, ces amants anglais qui, tués par la chute d'une poutre pendant leur embrassement, se retrouvent sur un nuage, ont une conversation d'outre-tombe avec Louis XIV et sont employés, dans la République des Ames, comme bergers d'un troupeau de Désirs. Le sujet principal du livre, c'est la longue histoire du duc Multipliandre, qui est une figure dans le genre de Superman. Le duc Multipliandre possède le secret d'introduire son âme dans le corps de l'homme ou de l'animal qu'il veut être, en laissant pendant ce temps-là son propre corps dans un endroit sûr. Il jouit ainsi de toutes les filles qui lui plaisent, en se mettant dans le corps de leur amant ou de leur mari. Il dérobe aussi à Cagliostro le secret de la « gelée de régénération » qui donne la jeunesse éternelle. Il en fait l'essai sur une vieille servante, qui devient aussitôt une jeune fille ravissante et lui offre sa virginité. Grâce à sa gelée, Multipliandre entreprend des cures merveilleuses qui ajoutent à ses succès. En outre, il s'est fabriqué des ailes, avec lesquelles « non seulement il volait à vol de perdrix, mais à vol de mouche, qui est encore plus parfait ». Il s'en sert pour effectuer un grand voyage interplanétaire. Il commence par la Lune, où il trouve des habitants arriérés, les Rondins, qui ont la forme de sphères. De là, il passe sur Mars, où règne un être nommé le Nususumu, qui ressemble à l'hippopotame : « Cet animal l'aborda en faisant la roue, se jeta sur lui, et lui dit : *Mumuarumu*. C'est-à-dire, en martien : " Je veux te posséder. " C'est que le pauvre duc avait justement pris le corps de la Nususumu qui plaisait davantage à l'hippopotame. Aussi fut-il possédé. Il ressentit même tout ce que pouvait, en cette importante occasion, ressentir une Dame Martienne amphibie... » Sur Jupiter, il n'y a que des êtres en forme de baquets carrés : « Messieurs les Baquets de Jupiter ne pensent qu'à deux choses, à paître et à se reproduire. Leur langue n'a que deux mots, manger (*pupu*) et faire... cela (*coco*). » Saturne est un désert, mais dans ses satellites il observe des habitants en forme d'huître, de poisson-rampant, et un être plus évolué, le Oui-Oui, tenant du singe et du chien. Il visite une comète, où vivent des Puces cométales qui ont « cent fois plus d'esprit que nos grands hommes », cultivent la poésie lettriste et disent à leurs compagnes : « *Amagilego! Svni allia pwouhéh sgynllu bouun euintage.* Ce qui veut

dire : « Belle Dame! accordez-moi la possession des ravissants appas
que j'aperçois sur la superficie de votre appétissante et provocante
Personne! » Sur Vénus, il rencontre les Sors, qui ressemblent à des
orangs-outans sans poil, aux cheveux rouge sang, et ont une civilisation
parfaite. Sur Mercure, il fréquente les Oa, qui ont sept sens, quatre
mains, deux visages, « l'un noir, placé comme à nous, l'autre aux
fesses; avec cette différence que ce qui est en relief au visage ordinaire
est un creux au postérieur. Mais l'un et l'autre ont des yeux, des
oreilles, des narines, et surtout une bouche ». Les mœurs sexuelles des
Oa sont très animées : « Tandis que les deux visages d'en haut se
caressent noblement, et que l'esprit, d'accord avec le cœur, leur fait
dire des choses charmantes, souvent les deux postérieurs se disent des
choses très obscènes ou se grondent et se jettent au nez des choses fort
désobligeantes. Mais les deux têtes supérieures, pourvu que le plaisir
vienne, ne font qu'en rire. » Sur la planète Argus, Multipliandre fait
connaissance avec les I; ils ont quatre têtes, deux corps soudés dos à
dos, un œil au bout de leurs quarante doigts et de leurs quarante
orteils. Les voluptés que lui donnent les Mi (femelles des I) épuisent
Multipliandre au point qu'il s'enfuit sur la planète Hiérax. Ici vivent les
H, qui sont formés seulement d'une tête et de deux ailes, et dont le
langage ne comporte qu'une lettre, qui suffit à tout : « La copulation
ne se fait qu'en idée, et elle n'en est que plus voluptueuse : deux H têtes
se lient par le bas face à face; leurs lèvres collées les unes sur les autres,
elles volent ainsi, leurs ailes unies paraissant n'être que celles d'un seul
individu, et les deux êtres jouissant par leurs imaginations unies comme
leurs bouches... C'est à la langue qu'est le sexe, et c'est par là que se
fait une émission, divine par ses délices. » Enfin, après un séjour sur le
Soleil, où il se lie avec une Mite solaire, Multipliandre revient sur la
Terre. Ce n'est pas tout. Ayant acquis l'immortalité et le don de
voyance, il raconte au narrateur ce que sera sa vie future, pendant une
durée de quinze mille ans. Il instituera la polygamie en France,
épousera douze femmes, dont il aura une progéniture innombrable. Il
réformera les espèces animales, créera de nouveaux arbres, dont les
fruits auront le goût du blanc de poulet. Il deviendra un patriarche,
maître de la Terre où les hommes auront disparu, remplacés par
différentes races d'anges. Ceux-ci se battront et le chasseront; il se
réfugiera au pôle Nord, avec Zizi, une jeune « angesse », et tout
recommencera pour lui. On peut retrouver, dans ces symboles, tout
l'inconscient de Restif. Il y a, dans cette ultime explosion d'imagination
d'un vieillard qui a tant travaillé et aimé, je ne sais quoi qui émeut
encore.

Après *les Posthumes*, à soixante-huit ans, Restif continua à créer, hébergé rue de la Bûcherie par sa fille cadette Marion, veuve et mère de trois enfants en bas âge. A la fin de son dernier volume, il avait publié la liste et le plan de vingt-huit ouvrages qu'il comptait écrire avant de mourir : « Ouvrages que se propose de publier N. E. Restif, s'il vit assez longtemps pour les achever. » L'amour en était toujours le sujet : *les Mille et une manières de plaire aux filles, le Livre des sots ou Tours de passe-passe des épouses de Paris,* etc. Il eut le temps d'en terminer au moins deux, *les Mille et une métamorphoses* et *l'Enclos et les Oiseaux,* qu'il n'eut pas la possibilité de faire imprimer et qui se sont perdus. Il avait eu l'idée de composer des *Revies,* c'est-à-dire des Mémoires améliorés, où il revivrait en imagination tous les événements de son passé en leur donnant un dénouement heureux. Dans les *Revies* qui nous ont été conservées, il transforme deux épisodes de ses débuts amoureux. La première Revie, *Mme Hennebenne,* met en scène « la grosse dame Hennebenne, femme aimable, à gorge immense, blanche et ferme », qui fit son initiation sexuelle quand il était adolescent. « C'était une commère qui aimait à dévorer les *innocences.* Elle me croyait la mienne. Elle se figurait un indicible plaisir à me l'ôter, à l'engloutir dans son humide fournaise. » N'ayant pas d'enfant, elle voulut adopter le jeune Restif, mais son frère, l'abbé Thomas, s'y opposa : « Ce fut la jalousie qui empêcha l'abbé Thomas d'accepter : je suis l'aîné du deuxième lit, et il ne voulait pas que je devinsse plus riche que lui et les autres enfants du premier lit. » Il imagine donc dans cette Revie qu'il a réellement été adopté par Mme Hennebenne; elle meurt noyée, en lui laissant un héritage, et il épouse sa nièce Elizenne Ouizille. Dans la deuxième Revie, *Jeannette Rousseau,* il épouse à Auxerre la petite paysanne à qui il n'a jamais osé parlé; il est devenu M. de Courgis, du nom d'une terre qu'il a achetée. Il déflore la mariée en présence de ses parents : « Au retour, M. de Courgis qui, depuis sa demande, faisait parer la touchante Rousseau à sa fantaisie, la renversa sur le pied du lit devant ses deux mères qui, vu sa jeunesse à lui et l'inexpérience de la nouvelle épouse, intromirent le membre générateur dans la conque étroite et virginale de Jeannette. Ce fut la mère du jeune homme qui prit le sceptre de l'amour et Mme Rousseau qui, du doigt, le guida dans la conque de sa fille... Les deux époux perdirent connaissance, à l'instant de la volupté suprême, et les deux mères attendries versèrent des larmes de tendresse. » Il fait mieux, il veut « la *mariter* devant tout le monde ». Le lit nuptial est placé sur une estrade, et les invités de la noce, rangés tout autour derrière des vitrages, regardent le couple répéter trois fois de suite ses effusions.

L'Enclos et les Oiseaux comportait un grand nombre de Revies, intercalées dans une intrigue où un jeune homme, devenu immortel après avoir absorbé une drogue, le *spermaton*, vivait avec ses trois cent soixante-six épouses dans un enclos desservi par des aigles apprivoisés. Pierre Louÿs découvrit chez un marchand d'autographes cinquante-deux pages de *l'Enclos et les Oiseaux*, contenant un fragment de la neuvième Revie : *Cécile Lecomte*. Restif suppose qu'à vingt-trois ans, bigame, ayant cinquante mille livres de rente, il achète son village natal pour l'offrir à son père, et part à la conquête de Paris après avoir doté ses concubines [1]. Maurice Heine vit également chez un collectionneur la vingt-troisième Revie où Restif recommence, d'une manière plus voluptueuse, ses amours avec Filette [2]. Il est regrettable que, malgré les appels des « restiviens », on n'ait pu reconstituer l'ensemble de *l'Enclos et les Oiseaux*, autobiographie fantastique où le désir d'un homme, surmontant les faits accomplis, se créa une autre réalité.

Lorsqu'il mourut, le 3 février 1806, l'Institut, qui avait refusé de le recevoir parmi ses membres, envoya une députation à son convoi, et Fontanes, président du Corps législatif, tint un des cordons du poêle. Mais le *Journal de Paris,* le 9 février, lui consacra une nécrologie injurieuse à laquelle ses filles répondirent à la même place, le 15 février, par un « hommage public à la mémoire du plus digne des pères ». Par la suite, il sera salué comme un précurseur par les tenants du naturalisme, mais ce n'est pas là son meilleur apport. En définitive, du monument de divagations édifié par ce visionnaire de l'amour, quelques œuvres se détachent, qui garderont longtemps leur importance : *Monsieur Nicolas,* à cause du réalisme de la confession, de la chaleur des passions évoquées ; *le Palais-Royal,* document sur la prostitution, par un enquêteur qui prit ses désirs pour des réalités ; un choix des *Contemporaines* illustrant la conception de la femme-sylphide ; et *les Posthumes,* parce qu'ils essaient de situer le sexe dans le cosmos.

---

1. Pierre Louÿs, « Un roman inédit de Restif », *Revue des livres anciens,* fasc. I, 1913.
2. Maurice Heine, « La vieillesse de Restif de La Bretonne », *Hippocrate,* septembre 1934.

2

Andrea de Nerciat
et le libertinage chevaleresque

> Le parfait amour est une chimère. Il n'y a de réel que
> l'amitié, qui est de tous les temps, et le désir, qui est
> du moment.
>   ANDREA DE NERCIAT

Andrea de Nerciat est probablement le romancier français le plus curieux du XVIIIᵉ siècle, mais son nom ne sera pas inscrit de sitôt dans les manuels scolaires; c'est qu'il a excellé dans un genre longtemps décrié, le genre érotique. Loin de moi l'idée d'entreprendre l'éloge de la littérature érotique, lorsqu'elle n'a aucun style et ne porte pas un témoignage incontestable sur la vie des instincts ou les dessous de la société. Je veux simplement faire observer deux choses sur ces sortes d'ouvrages. D'abord, qu'ils ne sont pas nécessairement dus, comme on a feint de le croire, à des besogneux ou à des fripons. Le plus souvent, ce sont des humanistes et des lettrés qui se sont divertis à les écrire, soit pour imiter le franc-parler des anciens, soit pour montrer que l'étude ne les avait pas rendus inaptes aux plaisirs des sens. Le livre le plus licencieux du XVIᵉ siècle, *le Moyen de parvenir*, qui est même foncièrement ordurier, est du chanoine Béroalde de Verville, également poète, mathématicien et alchimiste. Le grand érotique du siècle suivant, les *Dialogues de Luisa Sigea,* est de Nicolas Chorier, conseiller au parlement de Grenoble, auteur par ailleurs d'une *Philosophie de l'honnête homme;* ceux qui ont douté de cette attribution (bien que Chorier s'en fasse lui-même l'écho dans ses *Mémoires*) ont avancé à sa place les noms de célèbres érudits de son époque. John Cleland, qui écrivit les *Mémoires de Fanny Hill,* fut consul à Smyrne, puis aux Indes, et s'est occupé à la fin de sa vie de sérieux travaux de philologie. Mirabeau, dont on peut tout penser, sauf qu'il fut un esprit médiocre, a produit l'*Erotika Biblion, le Rideau levé* et *Ma conversion,* sans parler de ses contes et de ses *Lettres à Sophie,* qu'on n'osa jamais publier intégralement à cause de leur crudité (comme si les lecteurs et les lectrices étaient en dehors de l'humanité, incapables de comprendre le cri du désir humain). Il est admis, car tout le laisse supposer, que *Thérèse philosophe* est du marquis d'Argens, économiste distingué. Le savant archéologue Vivant-Denon, à qui Napoléon confia la direction du Louvre, non content d'avoir écrit *Point de lendemain,* a dessiné et gravé une série de figures pornographiques. Forberg, vénérable conservateur de la bibliothèque de Cobourg, a déployé une érudition prodigieuse pour rédiger le *De figuris veneris,* manuel d'érotologie classique ; il avoue candidement, dans sa préface, qu'en les plaisirs qu'il décrit il n'a pas même fait son apprentissage : « Nous sommes plongés tout entier dans les livres, déclare-t-il, nous ne sortons pas des livres ; à peine fréquentons-nous les hommes. » On apprend officieusement, dès qu'on est potache, que Musset a fait *Gamiani,* Théophile Gautier les *Lettres à la présidente,* la comtesse de Manoury, amie du poète belge Théodore Hannon, *le Roman de Violette* (qu'on fit passer par mystification pour une œuvre posthume d'Alexandre Dumas père). Les écrits de jeunesse de Pierre Louÿs (*Trois filles de leur mère, Petites scènes amoureuses, Histoire du roi Gonzalve et des douze princesses,* etc.) sont d'une si violente obscénité qu'on les publia d'abord en fac-similé d'après les autographes, afin que nul de ses admirateurs ne songeât à contester, devant son écriture, qu'il en fût l'auteur. Après lui, un académicien renommé par une œuvre romanesque abondante, à présent un peu démodée, Pierre Mac Orlan, n'intéressera peut-être la postérité qu'à cause de ses romans sous le manteau, dont le meilleur est *Mademoiselle de Mustelle et ses amies* [1]. On pourrait étendre indéfiniment cette liste, où l'on verrait les productions les plus débridées associées aux noms les plus respectables. En second lieu, il est à remarquer qu'il est nécessaire, pour une parfaite hygiène de l'esprit, d'avoir une appréciation juste de la part d'animalité qu'il y a dans l'amour. En ce domaine, il est aussi déplacé de prendre des airs libidineux que de faire des grimaces vertueuses ; seuls des cuistres

1. Les romans érotiques de Pierre Mac Orlan m'ont été prêtés autrefois par un de ses amis. Sous son vrai nom de Pierre Dumarchey, il a écrit un roman masochiste, *la Comtesse au fouet* (1908), dont le héros est un « homme-chien ». Ensuite viennent *Georget* (1909), initiation sexuelle d'un adolescent « par une grande dame de Kergaz », sous le pseudonyme du chevalier X ; et sous celui de Pierre du Bourdel, deux œuvres remarquables, *Aventures amoureuses de Mlle de Sommeranges* (1910), histoire d'une jeune aristocrate sous la Révolution française, *Mademoiselle de Mustelle et ses amies* (1911), où des petites filles perverses dans un château se jouent des invités de leurs parents. Enfin, il signa Sadinet *Petites cousines* (1919), dans le genre du précédent ouvrage. Il est regrettable que les biographes de Mac Orlan ne mentionnent pas son œuvre érotique ; puisqu'il a eu le goût de l'écrire, on doit en tenir compte.

puritains ou des impuissants hypocrites croient obligatoire de se voiler la face. Le véritable lettré n'attache à ces livres ni plus ni moins d'importance qu'ils en ont, et leur fait accueil dans sa bibliothèque quand ils sont vraiment originaux, pour avoir une information complète sur l'homme.

Le chevalier de Nerciat fut, quant à lui, un personnage spirituel, cultivé, sachant plusieurs langues, passionné de musique, mais ce n'est pas là ce qui le caractérise : sa physionomie générale est celle d'un aventurier mondain cosmopolite. André Robert Andrea de Nerciat naquit à Dijon, le 17 avril 1739, dans une famille de magistrats de Bourgogne; son père était avocat au Parlement, et ses lointains ancêtres appartenaient à la noblesse napolitaine. Le jeune homme fit de bonnes études et, après avoir voyagé en Italie et en Allemagne pour s'instruire, il s'engagea dans l'armée et servit d'abord comme capitaine d'infanterie au Danemark. C'est là, pour tromper la monotonie de la vie de garnison, qu'il rédigea sa première œuvre littéraire : un court roman perdu, dont il tira une comédie, *Dorimon ou le Marquis de Clarville*. Il dit en effet, dans l'Avertissement de cette pièce : « J'étais en pays étranger et les drames n'étaient encore à la mode nulle part, quand j'inventai la fable du marquis de Clarville; je n'en fis d'abord qu'une nouvelle, un roman. De retour en France, je vis *Eugénie, le Père de famille, le Philosophe sans le savoir :* ces pièces me firent le plus grand plaisir; et croyant mon sujet susceptible de devenir au théâtre quelque chose d'à peu près aussi intéressant, je lui donnai la forme dramatique. »

Quand il revint du Danemark en France, il fut attaché à Versailles à la Maison du roi, dans la compagnie des gendarmes de la garde. Il mena, durant ce temps, une vie brillante et dissipée, fréquentant alternativement les bons et les mauvais lieux, consacrant une partie de ses loisirs à écrire des poésies, des contes libertins, des ariettes qu'il mettait lui-même en musique. Il composa aussi plusieurs quatuors pour instruments à cordes; son vœu le plus cher était de devenir capable de créer des opéras comme Grétry, ou tout au moins Philidor. La littérature n'était chez lui que le pis-aller d'un musicien insatisfait. Il fit représenter le 18 décembre 1775, au théâtre de Versailles, *Dorimon ou le Marquis de Clarville,* qui n'eut aucun succès; mais en revanche, cette même année, il publia sous l'anonymat son roman *Félicia ou mes Fredaines,* qui fut réédité indéfiniment et lui désigna sa voie. Une réforme, en décembre 1775, qui réduisit la compagnie des gendarmes et des chevau-légers, le rendit à la vie civile, avec une pension et le grade de lieutenant-colonel. Il recommença à voyager, en Suisse, en

Allemagne, en Belgique où il se lia avec le prince de Ligne, à qui il
dédia ses *Contes nouveaux* en vers, imprimés à Liège en 1777. Dans le
prologue, il disait qu'il avait renoncé à être « prêtre de Vénus », à
« brûler encens à Paphos, à Cythère ». Les termes en sont si ambigus
qu'on peut aussi bien croire qu'il avait une déception amoureuse, ou
qu'il ne se jugeait plus, à trente-six ans, en état de faire des prouesses
galantes : « Adieu Vénus, adieu, adieu charmant amour / Je suis de
trop à votre aimable cour. »

En février 1780, Nerciat s'installa à Cassel, en qualité de conseiller et
de sous-bibliothécaire du landgrave de Hesse-Cassel. C'était la capitale
d'un royaume d'opérette, gouverné par un seigneur fantasque, et où un
Français ami de Voltaire, le marquis de Luchet, était alors tout-
puissant, servant en quelque sorte de ministre des Arts et Lettres.
Nerciat venait de terminer un opéra-comique, *Constance ou l'Heureuse
Témérité* (dont la partition manuscrite, qu'il offrit au duc de
Wurtemberg, est conservée à la bibliothèque de Stuttgart); il eut la joie
de le voir joué au théâtre de Cassel devant la cour, qui applaudit sa
musique autant que son livret. Il vécut là des jours animés par les
disputes qu'il avait pour défendre la musique italienne contre un
admirateur de Gluck, et par les polémiques que lui valurent les bévues
qu'il commit avec Luchet dans la classification de la bibliothèque du
Muséum. En juin 1782, il abandonna son poste pour entrer au service
du prince de Hesse-Rothenburg comme *Baudirector,* intendant des
bâtiments; rien ne dit qu'il fût compétent en architecture. Entre-temps,
il s'était marié, mais sa femme mourut après lui avoir donné, le 9 octobre 1782, un fils, Auguste. Nerciat retourna à Paris en 1783, se
remaria la même année avec Angélique Condamin de Chaussan, dont il
eut un second fils, Louis-Philippe. Il rentra dans l'armée royale, eut un
rôle assez mystérieux d'agent secret; en 1787, faisant partie des officiers
que le roi chargea de soutenir la révolte des patriotes hollandais contre
le stathouder, il se rendit sous un déguisement à Utrecht; il fut ensuite
décoré de la croix de Saint-Louis. Pendant la Révolution, on croit qu'il
continua cette activité d'espion pour le compte de la République; mais
il détestait le nouveau régime. Équivoquant sur son nom, il se donnait
pour un baron italien. Sous le Directoire, comme en témoigne une
lettre du 19 mai 1797 de Sabatier de Castres à Bonaparte, il était dans
la police et avait pour fonction de surveiller Joséphine de Beauharnais.
Envoyé à Naples, il en profita pour changer de camp; il gagna la
confiance de la reine Marie-Caroline, qui le délégua en mission auprès
du pape. Nerciat se trouvait à Rome en février 1798, quand les troupes
françaises commandées par le général Berthier envahirent la ville. Il fut

emprisonné au château Saint-Ange pour trahison, et ne fut libéré qu'au début de 1800 ; il mourut à la fin de janvier, d'une maladie contractée dans son cachot. Telles sont les grandes lignes de sa vie, sur laquelle on possède peu de renseignements, juste assez pour savoir qu'il fut un être aimable, frivole, impulsif, ne tenant pas en place, sans méchanceté, mais avec une grande légèreté de caractère, qui est d'ailleurs la marque des petits-maîtres de son temps ; bref, un chérubin plein de vivacité, qui eut beaucoup de mal à vieillir et à s'accommoder des événements graves [1].

Ce qui nous importe, c'est que dans toutes ses tribulations, il resta un fin observateur des mœurs. Il faut retenir, de son œuvre, trois livres supérieurs : *Félicia ou mes Fredaines* (1775), *les Aphrodites* (1793) et *le Diable au corps* (1803), dont un extrait seulement parut de son vivant. Andrea de Nerciat nous offre, dans ces trois livres, un tableau complet et détaillé du vice au xviiie siècle, et les traits étonnants qu'il en rapporte, la manière incisive dont il déploie des scènes hardies, l'éclat de ses portraits et de ses dialogues donnent un accent incomparable à son témoignage sur l'époque trouble qui précéda la Révolution. C'est le chevalier de Nerciat, avant tous les autres, qui est le parfait représentant de la conception libertine des rapports amoureux ; car, tandis que Sade, par exemple, prenait le libertinage comme principe d'un système délirant, Nerciat prétendait le représenter dans son aspect véridique immédiat, tel qu'il peut s'accomplir réellement en toute gratuité, ne l'exagérant que pour le rendre plus romanesque. Les héros de Sade sont des entités concrètes de la liberté pure. L'univers de Nerciat est l'expression du maximum de fantaisie sexuelle réalisable avec le minimum de préjudices pour chacun. Son apport est capital dans l'histoire de l'amour, parce qu'il délimite exactement les formes de la sensualité sans restriction, et qu'il substitue à la recherche du bonheur, estimé trop illusoire, la recherche du plaisir, qui est un bien palpable. Ce qui fait l'originalité de Nerciat et son charme, c'est son amoralité ingénue : elle est irréductible. J'entends par là qu'à la

1. Les rares critiques qui ont parlé de Nerciat au xxe siècle ont tous suivi l'excellente étude qu'Apollinaire lui a consacrée, en tête d'un choix de ses textes (*l'Œuvre du chevalier Andrea de Nerciat*, Paris, Bibliothèque des Curieux, 1909). Émile Henriot n'a même fait qu'affadir et rapetisser tout ce que dit Apollinaire. Un libraire érudit, fournisseur des grands bibliophiles, m'a parlé d'une biographie *manuscrite* de Nerciat, due à un général en retraite, qui a passé dans une vente vers 1950 ; mais je n'ai trouvé trace nulle part de ce document, qui ne serait peut-être pas resté inédit s'il contenait des appréciations saillantes ou des faits nouveaux.

différence des autres auteurs libertins, qui justifient toujours leurs écrits d'intentions morales peu évidentes, il ne prétend qu'à jouer avec des images qui le ravissent, sans se donner les airs d'un censeur. Il écrit des plaisirs de la chair, parce qu'il juge ces matières enchanteresses, et tout à fait dignes de la plume d'un homme de goût. Nerciat est le romancier du caprice, tel qu'il fut valorisé par ses contemporains, de l'action spontanée qui satisfait une tentation inconséquente, dans une improvisation fougueuse. Ainsi, ses personnages ne soulignent même pas leurs actes de cette très libre morale du plaisir mise à l'honneur par les matérialistes, ou s'ils le font, c'est dans une pirouette qui ne saurait nous abuser. L'antinomie sociale entre l'amour et l'aventure, que les romans courtois tentèrent de pallier, est résolue par Nerciat à l'amiable en ce sens que, pour ses héros, la volupté est la seule véritable aventure, le champ des risques éblouissants de la sensation.

Félicia ou mes Fredaines est l'histoire, racontée par elle-même, d'une femme facile; elle n'est pas intéressée, car elle a de la fortune; elle cherche seulement à profiter de la vie selon son tempérament. Félicia est une orpheline adoptée par un peintre célèbre, Sylvino, qui lui fait donner une éducation accomplie. Ce Sylvino vit à Paris avec sa femme Sylvina, qui lui est infidèle; il le sait, mais il se contente d'en rire; il a lui-même des maîtresses sans qu'elle se fâche. Ce couple, étant jeune, se fait passer en public pour l'oncle et la tante de la fillette, qui se divertit du spectacle de leur intimité : « Sylvina, quoique un peu bornée et médiocrement instruite, ne laissait pas d'ajouter à l'agrément de la maison. Elle était gaie, toujours égale. Elle avait une de ces physionomies singulières qui plaisent, pour ainsi dire, malgré qu'on en ait, qui importunent, qui allument à tous moments des passions nouvelles et, bien plus, ressuscitent celles que la jouissance peut avoir éteintes. Son mari lui-même avait quelquefois pour elle des retours étonnants. Alors elle se réservait entièrement pour lui; c'étaient là des procédés! Mais ses bouffées d'amour s'évanouissaient bien vite, et chacun de son côté se désennuyait de la monotonie de ces retraites conjugales par de piquantes infidélités. » Sylvina a pour amants Lambert, l'ami de la maison, et Monseigneur, un évêque « qui n'était connu dans son diocèse que de ses fermiers, mais qui l'était à Paris de toutes les jolies femmes et de quelques-unes très particulièrement ». Ce climat insouciant influe sur l'héroïne, qui avoue d'ailleurs : « J'eus de tout temps le bon esprit d'abhorrer les passions langoureuses, leurs productions et leur langage. » A quatorze ans, elle est en quête d'initiation; elle aimerait bien recevoir de Sylvino « la *première leçon* du plaisir de l'amour », mais il s'y refuse par délicatesse. Son maître de danse, le petit Belval, égare un jour sa main sur elle : « Je ne m'étais pas attendue à cette licence; il parcourait sans obstacle ce dont encore jamais main d'homme n'avait approché... Je me préparais à quereller; mais la bouche de l'adroit libertin mura brusquement la mienne... une langue! un doigt!... L'ivresse d'une sensation inconnue s'empara de tous mes sens... Dieu! quel instant! Et de quel autre il allait être suivi, si la sonnette de ma tante!... Belval, à l'instant debout et rajusté, fut obligé de me pousser plusieurs fois pour me rappeler à moi-même. » Voici ensuite que Mme d'Orville, une relation du couple, amène le jeune amant pour qui elle se ruine, le chevalier d'Aiglemont, « Un Adonis de dix-neuf ans, dont les traits étaient parfaits, la physionomie noble, le regard vif et doux, et dont le teint aurait fait honneur à la plus jolie femme. » Sylvina et Félicia se disputent aussitôt d'Aiglemont, qui courtise la première, mais qui se cache dans une armoire de la chambre de la seconde, pour passer la nuit avec elle. C'est ainsi que Félicia perdra sa virginité, ce qui lui sera du reste plutôt pénible; elle a là-dessus une réflexion peu banale, montrant combien Nerciat connaissait les femmes :

« Eh! des faiseurs d'épithalames, qui n'ont jamais donné les premières leçons du plaisir, chanteront avec enthousiasme les ravissements d'une première jouissance! Une pauvre fille mariée sans amour, impitoyablement labourée par un automate, qui s'est fait un point d'honneur à remplir un cruel devoir, sera persiflée le lendemain par des parents imbéciles! Ah! si tous ces gens savaient ce qu'on souffre... (tant pis du moins pour le couple entre qui les choses se passent autrement), si l'on savait, dis-je... on ne se permettrait pas assurément toutes ces mauvaises plaisanteries, tous ces compliments ridicules! Certes, le jour de la mort d'un pucelage, on ne peut encore faire à celle qui l'a perdu que des compliments de condoléance [1]. »

Le lendemain, Sylvina enlève d'Aiglemont à Félicia; celle-ci se console avec Monseigneur qui, en homme expérimenté, lui fait complètement oublier le souvenir douloureux de sa défloration.

Cependant, Sylvino part pour un long voyage à travers l'Europe, après avoir conseillé à Félicia : « Tu seras adorée des hommes. Il y en a beaucoup d'aimables, mais fais ton possible pour n'avoir de la passion pour aucun. Le parfait amour est une chimère. Il n'y a de réel que l'amitié, qui est de tous les temps, et le désir qui est du moment... Le

---

1. L'édition de *Félicia* que Nerciat jugeait la plus correcte est celle de 1778, imprimée en Allemagne et illustrée de douze gravures.

désir est comme un fruit qu'il faut cueillir lorsqu'il est à son point de maturité. Une fois tombé de l'arbre, on ne l'y rattache plus. Défends-toi des sentiments violents : ils rendent à coup sûr malheureux... Fais de bons choix, ne t'engage jamais au point d'avoir plus de peines que de plaisirs... » Félicia, qui a les meilleures dispositions pour être volage, prend alors pour devise : « court amour et longue amitié » ; et comme, durant l'absence de son mari, Sylvina se déchaînera, elle rivalisera avec elle. Il y aura désormais, entre la jeune fille et la jeune femme, une compétition pour avoir chacune la première, en priorité, tout bel homme passant à leur portée ; elles emploieront à cela des ruses, des coquetteries, dont Félicia souligne la perfidie : « Je ne crains point d'avouer mes petitesses ; les femmes s'y reconnaîtront : les hommes ne me sauront pas mauvais gré d'une façon de penser qui prouve quelle importance nous voulons bien attacher à leur conquête. »

Elles vont avec d'Aiglemont en province, dans le diocèse de Monseigneur, où Félicia doit chanter au cours d'un concert. Ils sont logés dans la maison d'un vieux président protecteur des arts, et sont mis en présence de gens ridicules : « A notre aspect, Mme la Présidente fut assez heureuse pour mettre un moment debout ses trois quintaux de graisse ; puis elle retomba lourdement dans sa bergère. Une grande demoiselle, que le président nomma " ma fille Éléonore ", nous fit un compliment précieux. » Ils vont s'égayer aux dépens de cette compagnie. Le chevalier d'Aiglemont, faisant semblant d'être somnambule, se couche dans le lit de la dédaigneuse Éléonore, qui n'en est pas trop mécontente. Félicia attire dans les bras de sa soubrette Thérèse le dévot Caffardot, à qui elle vole sa culotte durant leurs ébats, l'obligeant à sortir de la maison en montrant son derrière. Le trio habite ensuite chez une jeune veuve, Mme Dupré, et se trouve mêlé à une troupe de comédiens italiens revenant d'Angleterre ; tandis que d'Aiglemont s'adjuge les sœurs Camilla et Argentine Fiorelli, Sylvina accorde ses faveurs à Geronimo Fiorelli, qui lui est aussitôt volé par Félicia. Un épisode drôle de ce séjour est une orgie grotesque, avec des officiers, des comédiens, des femmes mariées, qui est certainement une scène vue et notée par Nerciat durant une garnison. Une gaieté immense circule à travers ces événements, comme si l'auteur tendait à suggérer que le plaisir d'amour est folâtre, s'associe volontiers au jeu et à la farce. « D'Aiglemont était un espiègle, mais il avait le cœur excellent », dit-il ; son héroïne a aussi cette espièglerie, sans aucune noirceur.

Félicia et Sylvina quittent en berline le diocèse de Monseigneur ; leur voiture est attaquée par une demi-douzaine de soldats ivres, qui s'enfuient devant l'intervention d'un beau jeune homme : il se nomme Monrose, il est échappé d'un collège où le principal, le régent et un condisciple le tyrannisaient, parce qu'il se refusait à leurs ardeurs homosexuelles. Cette fois, Félicia devance Sylvina dans la conquête de Monrose ; il est vierge, il a des défaillances dont elle vient à bout à force de caresses, en s'enchantant de ce rôle d'initiatrice : « J'éprouvais les plus délicieuses sensations et m'étonnais de la prodigieuse distance qu'il y a du bonheur d'un homme qui change une fille en femme à celui d'une femme qui reçoit les prémices d'un candidat d'amour. » Elle connaît avec lui de douces heures, mais il lui fait — avec la plus grande innocence — de telles infidélités qu'elle lui rend la pareille avec un riche Anglais excentrique, Sir Sydney, qui habite au bord de la Seine une étrange maison truquée, avec un labyrinthe dans son jardin. Il peut observer tout ce qui se passe dans les chambres de ses invités, tels milord Kensington et sa maîtresse Soligny ; entre autres spectacles, Félicia verra ainsi Monrose et la Soligny danser nus une allemande endiablée. A la fin, les surprises se multiplient : Félicia retrouve sa mère, Zeïla, qu'on croyait morte, et découvre du même coup que Monrose est son frère. Sylvina, enlaidie par une maladie, devient aussi prude qu'elle avait été galante. Tout le monde se marie, Zeïla avec Sir Sydney, Félicia avec un comte de bonne composition : « Nous nous épousâmes pour la forme seulement ; aucun des deux n'en désirait davantage. » Seul Monrose reste célibataire et s'engage dans l'armée afin de courir les aventures [1]. L'intrigue se déroule ainsi, au gré d'épisodes insolites et voluptueux, peuplée de personnages savoureux, faisant valoir le charme des passades et ressortir ce type de femme vraiment séduisant. Félicia n'est certes pas capable de grandes actions par passion, mais c'est une amie sincère, et la plus sémillante compagne de table et de lit ; cela a son prix. Elle dit elle-même : « Vaut-il mieux avoir une grande et belle passion, au risque de tout le bien et le mal

---

1. Émile Henriot, dans *les Livres du second rayon* (Paris, Grasset, 1948), a consacré une étude à Nerciat en le tenant exclusivement pour l'auteur de *Félicia*, le reste de son œuvre n'étant qu'un « voluptueux fatras ». Tout en reconnaissant au romancier, qu'il compare à Fragonard, « un remarquable don de l'invention amoureuse », Henriot porte ce jugement ahurissant sur *Félicia* : « Si l'on pouvait y supprimer cent pages superflues, il suffirait d'y enlever encore une dizaine de passages un peu lestes, quelques scènes d'ailleurs trop plaquées, pour en faire un roman charmant. » Rien de moins ! Que dire de ce critique qui agite avec délices les ciseaux du censeur ? Lisez Nerciat en entier ou ne le lisez pas. Ceux que les textes trop hardis intimident n'ont pas à se mêler d'étudier les auteurs libertins, ni même certains auteurs religieux qui, tel Léon Bloy, usent d'expressions énergiques.

qui peuvent en résulter, que plusieurs goûts agréables qui, rapportant
chacun une certaine dose de plaisir, composent une somme de
bonheur? Je laisse à décider à d'autres cette importante question.
Quant à moi, je prétends qu'on joue plus agréablement quand on n'a
pas tout son argent sur une carte. Au surplus, qui réussit a bien fait.
J'ai été heureuse par la multiplication des petites aventures; tant pis
pour moi si les grandes ont des délices extraordinaires que je n'ai pas
eu le bonheur de connaître. Quand on est bien, on peut se passer du
mieux. Cela me paraît sage. »

On retrouve cet art de vivre dans *Monrose ou le Libertin par fatalité*
(1792), qui est la suite de *Félicia;* c'est encore elle qui parle, dix ans
après ses précédentes confidences, rectifiant d'abord des erreurs
généalogiques qu'elle impute à son premier éditeur : Zeïla est sa sœur,
non sa mère; et Monrose n'est pas son frère, mais son neveu. Elle se
fait précisément l'historienne de Monrose qui, revenu d'Amérique où il
s'est couvert de gloire, maintenant colonel et chevalier de Saint-Louis,
lui raconte ses bonnes fortunes; la plus étonnante est celle où il doit
partager Mme de Moisimont avec un hermaphrodite [1]. Ces récits sont
entrecoupés par une action dont le cadre est une résidence de
campagne, rassemblant des hôtes pittoresques, la baronne de Liesse-
ville, Mme de Flakbach, l'abbé de Saint-Lubin, Floricourt, Senneville,
qui passent leur temps à chasser, jouer la comédie et organiser des
orgies. Pour conclure, on pousse Monrose à épouser Charlotte Sydney;
celle-ci hésite, parce qu'elle a eu un enfant naturel avec d'Aiglemont,
qui est là avec sa femme Flore. D'Aiglemont la convainc en lui faisant
découvrir sa propre femme et Monrose enlacés dans un boudoir; il
l'engage à se dire qu'en amour nul n'appartient à personne, chacun
n'obéit qu'à des convenances passagères : « Cette folie fut le coup de
marteau sous lequel devait se briser le dur noyau du préjugé de
Charlotte, l'amande n'en était point amère, c'était la *tolérance* sous un
bon épiderme du *goût du plaisir*. » Nerciat sait admirablement varier
les événements et les tons dans ses romans; il s'en explique à la fin de
Monrose : « Ce mélange singulier de vertu, de faiblesse, de sentiment,
de caprice, ces brusques transitions de la tristesse au plaisir, du plaisir
au remords, du courroux à l'attendrissement, tout cela est de nature à
vous ballotter peut-être désagréablement, si vous avez l'habitude et le
goût de ces scènes uniformes où chaque acteur conserve son premier

1. C'est à propos de cet épisode que Charles Monselet affirme, dans *les
Amours du temps passé* (Paris, 1875) : « Il faut remarquer dans *Monrose* un
individu italien qui pourrait bien avoir servi de modèle à Balzac pour son ou
sa Zambinella, dans le petit roman de *Sarrazine*. »

masque d'un bout à l'autre de son rôle. La plupart de mes personnages sont à moitié purs, à moitié atteints d'une corruption dont il est bien difficile de se garantir au sein des capitales, quand on y apporte des passions et d'assez grands moyens de les satisfaire. De là, tant de disparate. L'histoire de mes acteurs est celle des trois quarts des mondains de tous les pays d'Europe. »

Avec *les Aphrodites, fragments thali-priapiques pour servir à l'histoire du plaisir,* le ton est beaucoup plus corsé. C'est une fresque très vivante, composée d'une suite de tableaux où un récit descriptif s'incorpore, d'une façon originale, à des dialogues de théâtre; dans des notes en bas de page, l'auteur commente avec esprit l'action, la psychologie des personnages ou les mœurs du temps. Ce livre décrit les pratiques d'une société secrète de débauche, dont les membres se font appeler Aphrodites ou Morosophes. Il paraît que cette société a réellement existé, dirigée par un certain marquis de Persan, et que son lieu de réunion se trouvait dans la forêt de Montmorency [1]. Cela n'est pas pour nous étonner, car il s'est formé au XVIIIᵉ siècle plusieurs associations ayant pour but le plaisir amoureux. Certaines étaient anonymes, comme le club que mentionne Métra dans sa *Correspondance secrète,* constitué par douze femmes de qualité, s'assemblant trois fois par semaine chez l'une d'entre elles, désignée pour présidente; chaque homme désirant être admis dans leur cercle devait « remplir les douze travaux d'Hercule, c'est-à-dire obtenir les faveurs de toutes ces belles ». Le nouvelliste ajoute : « On prétend que cette institution contribuera beaucoup à rendre par émulation quelque énergie à nos galants efféminés. » D'autres associations eurent un titre et un rituel imités de la franc-maçonnerie : par exemple, l'Ordre de la Félicité, vers 1745, prenait ses symboles dans la marine. Les membres étaient censés entreprendre ensemble une navigation vers l'île de la Félicité, c'est-à-dire Cythère; il y avait quatre grades, ceux de mousse, de patron, de patron salé et de chef d'escadre. La femme devait jurer « de ne jamais recevoir un vaisseau étranger dans son port tant qu'un vaisseau de l'Ordre y était à l'ancre ». Dans une autre confrérie, les Chevaliers et les Nymphes de la Rose, fondée en 1778 par M. de Chamont, les membres s'appelaient frère et sœur et, au cours de la séance de réception, les aspirants étaient introduits dans une salle, le Temple de l'Amour, par un couple allégorique, le Chevalier Sentiment et la

---

1. Il est parlé de l'association des Aphrodites dans une lettre du marquis de Château-Giron à M. de Schonen, et dans *l'Histoire de Paris* de Dulaure, t. V, p. 277.

Nymphe Discrétion; en 1780, l'admission de la Guimard dans ce groupe donna lieu à une fête magnifique. Cependant, il s'agissait plutôt là d'amusements civils que de libertinage systématique[1].

Il est donc vraisemblable que Nerciat ait eu un modèle dans la réalité; de toute façon, c'est un metteur en scène incomparable, qui sait donner l'illusion de la vérité. Les Aphrodites comptent environ deux cents adeptes des deux sexes, appelés les Intimes, auxquels s'ajoutent des individus non initiés, dits les Auxiliaires. Les uns prennent des noms de guerre empruntés au règne minéral, les autres au règne végétal; tel est surnommé le Chrysolite, telle femme la Fougère, pour la raison que donne Nerciat : « Les véritables Aphrodites, en assez petit nombre, tiraient tous leurs noms du règne minéral, tandis que les affiliés, c'est-à-dire des membres beaucoup plus nombreux qu'on admettait aux pratiques sans qu'on leur donnât la parfaite connaissance des mystères et sans qu'ils prêtassent le grand serment, tiraient leur nom du règne végétal. » Leur champ d'action est une propriété en dehors de Paris, entourée de murailles élevées, gardée par deux portiers dont l'un est aveugle, l'autre sourd-muet. A l'intérieur, au milieu du parc, se dresse un bâtiment splendide, baptisé l'Hospice, dont l'administration est confiée à une appétissante matrone, Mme Durut, qu'assistent deux jolies filles, Célestine et Fringante. Le service est fait par des soubrettes et des valets de première jeunesse, les Camillons et les Camillonnes. Toutes les perversions sont admises en ce lieu et favorisées avec le plus grand luxe de raffinement, selon le jour de la semaine. Ainsi, le jeudi était réservé aux amateurs de « l'arrière-Vénus », comme on disait alors; une note de Nerciat le précise : « Chez les Aphrodites, on nomme Jeudis ces messieurs qui, tout au moins partagés entre l'œillet et la boutonnière, avaient pour jour de solennité le jeudi, en l'honneur de Jupiter, le Villette de l'Olympe, comme tout le monde sait. Les femmes qui avaient la complaisance de se prêter au goût de messieurs les Jeudis sont connues sous le nom de Jannettes (de Janus), à cause de leur double manière de faire des heureux. Les amateurs de ces sortes de femmes se nommaient, en conséquence, Janicoles. Les Andrins, en petit nombre, étaient ceux qui, ne faisant cas d'aucun charme féminin, ne fêtaient que des Ganymèdes. » Pour subvenir à tous les frais, les hommes doivent payer d'importantes cotisations; les femmes en sont exemptes. Dans ce cadre, et selon ce règlement, Nerciat met en action

---

1. Voir à ce sujet Arthur Dinaux, *les Sociétés badines, bachiques, littéraires et chantantes*, Paris, 1867, et Jean Hervez, *les Sociétés d'amour au XVIIIe siècle*, Paris, H. Daragon, 1906.

toutes sortes de grandes dames, d'abbés, de militaires, de seigneurs étrangers, appartenant à la secte; il en est de bizarres, comme ce baronnet qui se fait accompagner partout du portrait en cire de sa défunte maîtresse, grandeur nature. Tous s'accouplent éperdument, au gré de postures et de combinaisons pareilles à des figures de menuet. Rien n'est plus merveilleux que de voir avec quelle politesse cérémonieuse, quelle conversation fine et maniérée, ces êtres passent à tout instant les bornes de l'impudeur. En veut-on un exemple? Mme Durut se rend dans l'appartement réservé au prince Edmond, qui a soudain le caprice de la caresser; elle répond ardemment à ses initiatives; après une scène vive et sensuelle, les deux partenaires se rhabillent. Vont-ils se quitter banalement ou gauchement, une fois leur exaltation animale tombée? Non, ils font aussitôt preuve d'une grâce infinie :

LA DURUT *trouve bon de dire après l'affaire :* Pardon, cher prince, si j'ai dormi si longtemps... mais c'est que je faisais un bien beau rêve...
LE PRINCE : Je ne veux pas que tu prennes ainsi la chose, et pour que tu n'oublies point que notre nouvelle liaison est une réalité, fais-moi le plaisir de garder cette montre; à chaque fois que les aiguilles y marqueront cette même heure, tu m'obligeras de te dire : « A pareil moment, un homme qui se croit connaisseur me jurait que jamais il n'avait eu plus de plaisir qu'avec moi. »
LA DURUT, *prenant la montre :* J'ajouterai : et jamais Durut n'avait été plus heureuse...

Voilà pourquoi il faut aimer Nerciat; ce mélange constant du délire sexuel et du savoir-vivre le plus délicat, déjà fort peu ordinaire dans la vie, est unique dans la littérature.

La Mettrie, qui fut le médecin de Frédéric II de Prusse, conseillait dans son *Discours sur le bonheur :* « Ne songe qu'à ton corps. Ce que tu as d'âme ne mérite pas en effet d'en être distingué... Vautre-toi comme les porcs et tu seras heureux à leur manière. » Nerciat n'est nullement en accord avec l'illustre philosophe matérialiste; il permet à ses personnages de tout faire, à condition de ne jamais ressembler à des porcs. Une autre scène des *Aphrodites* montre comment un gentilhomme accoste la soubrette Célestine, ainsi décrite par Nerciat : « A peine vingt ans, grande et belle blonde au plus frais embonpoint, richement pourvue de toutes les rondeurs et potelures que peuvent désirer tous les genres d'amateurs. Célestine a de grands yeux bleus plus animés que ne le sont habituellement ceux de cette couleur, et qui semblent demander à tout le monde l'amoureux merci. Sa bouche riante, ses lèvres légèrement humides ont le mouvement habituel du baiser. Cette fille est, parmi les femmes, ce qu'est, parmi les fruits, une belle poire de doyenné, tendre et fondante. » Célestine apporte le petit déjeuner au comte, ci-devant qui a un siège à l'Assemblée constituante; celui-ci l'entreprend en ces termes :

LE COMTE, *allant au-devant :* Quoi! C'est vous-même, belle Célestine, qui prenez la peine...

CÉLESTINE : Pourquoi pas, monsieur le comte? On a toujours plaisir à servir quelqu'un d'aimable.

LE COMTE, *avec un mouvement modeste :* Ah! ce joli compliment met le comble à vos attentions. (*Il la débarrasse du plateau.*) Si vous vouliez, charmante Célestine, que ce déjeuner devînt délicieux pour moi, vous mouilleriez ce verre de vos lèvres de rose, et, buvant après vous, je croirais recevoir un baiser.

CÉLESTINE : Voilà qui est d'une galanterie bien quintessenciée! Pourquoi demander de ma part un baiser par ricochet, quand je puis vous en donner plutôt deux qu'un directement?

Et sur cet élégant badinage commence un épisode extrêmement voluptueux. On remarquera que Nerciat arrête toujours avec à-propos le dialogue au moment où il risque de s'égarer dans une minauderie ou une déclamation. Dans un chapitre particulièrement cocasse, *l'Œil du maître,* Mme Durut et Célestine épluchent ensemble les comptes de l'Hospice; tout en se signalant les cotisations en retard, elles discutent d'un ton libre et enjoué des manies de leurs habitués. Célestine évoque le « satyriasis incurable » du commandeur de Palaigu; bien qu'il soit « un peu faisandé », elle a voulu tâter de son savoir-faire, et s'en est bien trouvée : « Depuis ce temps, je distingue fort monsieur le commandeur, et me sers même volontiers de lui, quand je suis assez en gaieté pour faire la chouette. » (Faire la chouette, en langage libertin, se disait d'une femme qui passait toute la nuit dans une fête, sans dormir.) Célestine avoue dans ce dialogue sa précocité : « A neuf ans, le petit cousin Georges bandait à merveille, et moi, qui n'en avais que huit, je m'amusais fort bien de sa petite broquette, que je ne suis pas même trop sûre de ne pas m'être mise une ou deux fois. Nous faisions du moins de bon courage tout ce qu'il fallait pour cela. » Elle conseille à Mme Durut de se faire *glottiner,* à l'occasion, par l'abbé Suçonnet : « C'est le nom qu'il lui a plu de donner à sa manœuvre favorite. Monsieur Suçonnet, qui est un docteur, prétend que rien n'est plus significatif, et qu'il convient absolument d'emprunter du grec le nom d'une volupté dont les Grecs nous ont transmis l'usage. » Les déportements de Mme de Braiseval, qui emploie l'argent que lui donne un vieil oncle pour rémunérer les services d'un sauteur de chez Nicolet, enchantent Mme Durut : « N'ai-je pas fourni à cette Messaline jusqu'à trois cents Suisses en un jour ! Elle ne défout pas ! » Quant à la vicomtesse de Chatouilly, elle s'occupe « pendant des matinées entières à se faire dorloter, manioter, tripoter, baisoter, suçoter, branloter, à six francs par heure pour chaque individu » ; elle s'entoure d'une « marmaille mâle et femelle » chargée de l'émoustiller, après quoi « elle congédie la marionnette, et fait entrer le premier venu de ses gens (qui sont tous des colosses) ». Ici, Célestine ne peut pas contenir son enthousiasme :

CÉLESTINE : ... A ce grand genre, je parierais que cette femme est du plus haut vol ?

MME DURUT : Oh ! je t'en réponds !

CÉLESTINE : Cela parle de soi-même : qu'une petite bourgeoise se détraque, je la vois se permettre tout platement de faire cocu son imbécile d'époux avec un, deux ou six voisins de sa sorte, à travers des peurs et des périls inexprimables, et puis c'est toujours à recommencer. Mais vive la qualité ! C'est dans cet ordre que les belles imaginations déploient toutes leurs ressources. Que j'aime ces ambitieux tempéraments qui savent tout accaparer, tout s'approprier, qui font contribuer à servir leurs insatiables désirs tous les âges, toutes les conditions. Que j'aime ces femmes brûlantes qui...

MME DURUT, *lui riant au nez :* Que le diable t'emporte avec ta bouffée d'éloquence ! Veux-tu te donner ici les airs d'une motionnaire du Palais-Royal, ou te crois-tu à la tribune d'un bordel ?

Mme Durut représente en ce roman le bon sens du libertinage, bon sens paradoxal qui estime le fou plutôt que le sage ; elle séparera deux habitués qui vont se battre en duel pour la duchesse de l'Enginière, en leur disant : « Tout irait si bien, si l'on voulait ne mettre que de la folie à ce qui est uniquement affaire de plaisir. » Du reste, les Morosophes, comme l'indique Nerciat, de deux mots grecs dont l'un signifie folie et l'autre sagesse, « sont des gens dont la sagesse est d'être fous à leur manière : *Insanire juvat* ».

Quiconque n'a pas lu *les Aphrodites* ne peut se flatter de connaître les mœurs du XVIIIe siècle : on en apprend tous les détails intimes, même les plus menus, comme le fait qu'on rédigeait les invitations galantes sur des cartes, « en très petits caractères, tracés avec des plumes de corbeaux ». Il y a assurément dans *les Aphrodites,* par des allusions incessantes aux hommes et aux événements du jour, une satire indirecte des réalités contemporaines, si peu pédante et si légère qu'elle ne fait qu'ajouter aux trouvailles du romancier le charme de la couleur locale. Il y a surtout la description d'une société idéale d'aristocrates du plaisir, justifiant l'admiration de Baudelaire qui, après une lecture de Nerciat, écrivit : « La Révolution a été faite par des voluptueux... Les livres libertins commentent et expliquent la Révolution. » Nerciat fait de la noblesse une qualité du corps et de l'esprit, et il n'hésite pas à montrer des valets plus galants et plus spirituels que leurs maîtres. Il pense que les conventions adoptées par l'association de ses personnages mènent à la joie de vivre, et il est à peine ironique quand il vante « le lubrique système et les capricieuses habitudes des Aphrodites, gens fort répréhensibles peut-être, mais qui du moins ne sont pas dangereux, et qui, fort contents de leur Constitution, ne songent nullement à constituer l'univers ».

Dans *le Diable au corps* (qu'un juge averti, Louis Perceau, nommait « le meilleur roman érotique français »), on trouve également un « roman dramatique » rivalisant avec le style brillant et la cascade d'épisodes luxurieux des *Aphrodites*. La première édition complète de ce livre est de 1803, bien qu'il ait été écrit avant 1775. Nerciat feint de présenter le manuscrit d'un « docteur en phallurgie », le Dr Cazzone, « membre extraordinaire de la joyeuse Faculté phallo-coiro-pygo-glottonomique », qui décrit la *dolce vita* parisienne sous le règne de Louis XVI [1]. Nerciat croit nécessaire de nous avertir : « La compagnie dont il s'agit ici peut être la *joyeuse;* mais elle n'est certainement pas la *bonne.* » Autour de la marquise et de sa suivante Philippine, toute une faune interlope se déploie, depuis le Tréfoncier, prélat allemand, jusqu'au vicomte de Molengin qui console les femmes qu'il rate en leur chantant des airs d'opéra. Tous ces personnages sont animés d'une incessante frénésie voluptueuse, mais aucun ne se ressemble : chacun est saisi selon son agrément, son ridicule ou son vice particulier, avec un sens supérieur de la caricature. Dans certains tableaux, on a l'impression de marionnettes échappées à leur montreur, emportées par un ouragan qui leur fait prendre les attitudes les plus folles. La meneuse de jeu est ici la marquise, superbe brune qui ose tout, en s'écriant : « Nargue des préjugés et donnons-nous-en tant et plus! »

1. La première partie de ce livre fut dérobée à Nerciat, et publiée sous ce titre : *les Écarts du tempérament ou le Catéchisme de Figaro, esquisse dramatique* (Londres, 1785). Nerciat protesta contre cette brochure médiocre : « Je ne conçois pas trop bien quelle avait pu être la spéculation des éditeurs, mais il est clair qu'ils n'ont pas su lire ou qu'ils se sont fait une tâche de tout gâter. Pas le moindre écart, pas la moindre addition, le moindre retranchement qui ne soit un contresens, une platitude, ou du moins une faute contre le goût, sans parler des innombrables difformités typographiques. »

Elle avoue à Philippine, après une nuit passée avec un Tire-sept : « Il faut convenir que de longtemps je n'avais été si bien tapée. Mon grivois n'a pas les allures bien galantes, il n'est pas très voluptueux, sa manière est un peu bourgeoise, mais tudieu! c'est un gars expérimenté, léger, adroit, point incommode, sans sueur, sans odeur, brûlant... » Pourtant, la créature la plus étonnante du *Diable au corps* est la comtesse de Mottenfeu, « laideron piquante, nez en l'air, blond ardent », la plus extravagante héroïne sortie de la cervelle d'un romancier.

Il y eut, à l'époque de la Régence, bien des femmes folles de leur corps, dont les chroniques rapportent le sans-façon. Mme de Tencin, pour séduire le Régent, se met nue sur un piédestal, à la place d'une statue devant laquelle il doit passer pour aller se coucher. Mme de Prie reçoit d'Argenson, qu'elle connaît à peine, à sa toilette, et se met devant lui sur son bidet pour procéder à ses ablutions intimes. Mme de Pramenoux, au cours d'une soirée, fait le testament des parties de son corps, léguant son endroit mignon à M. de Senneterre, pour le faire changer de goût, sa fourrure à M. Dolgorouki, ambassadeur du tsar, pour se tenir chaud en son pays, ses deux tétons à M. d'Entragues pour faire une figure ou case au biribi, etc. Mme de Polignac, qui aime à s'encanailler, s'enivre dans les cabarets un jour à Triel, et se couche sur l'herbe, offerte à tout venant [1]. Née après elles, la comtesse du *Diable au corps* les résume toutes, en les surpassant. Elle s'exprime aussi crûment qu'elle agit, et veut communiquer à tous sa pétulance. Elle déclare : « Chacun, voyez-vous, a sa manière d'être. Tous les sens, j'en suis sûre, ont chez moi des fils qui aboutissent à la région du plaisir amoureux. Entends-je de la bonne musique? Je désire. Vois-je un tableau galant? Mon sang s'agite. Touché-je une peau humaine, mâle ou femelle? Je suis en feu. L'odeur même d'une rose, d'un œillet me fait pâmer de plaisir. Ai-je bu? Je suis dévorée; je convoite tout ce qui peut me tomber sous la patte, et le foutre est pour lors la seule eau que je sache mettre dans mon vin. » Reconnaissant dans Belamour, le coiffeur de la marquise, son ancien domestique Cascaret, elle veut savoir s'il a eu ses faveurs; il s'en défend fermement, bien que ses relations avec la marquise soient des plus intimes, et que la comtesse le presse de questions insidieuses :

LA COMTESSE :... Je viens de vous deviner. Vous avez la marquise? Ou vous êtes amoureux d'elle, et faites ici le petit Caton, avec moi, comme

1. On trouvera ces anecdotes et bien d'autres dans *Journal et Mémoires* de Mathieu Marais, ainsi que dans les *Mémoires* du marquis d'Argenson.

si elle était là pour vous juger, et triompher de votre indifférence à mon égard?

BELAMOUR : Quel étrange discours! Moi, l'amant...

LA COMTESSE, *impatiemment :* L'amant, l'amant! Vieux style : on n'a plus d'amant.

BELAMOUR : Le complaisant (ce qu'il vous plaira) de ma respectable maîtresse!...

LA COMTESSE, *avec hauteur :* N'avez-vous pas été le mien!

BELAMOUR : Mais, vous aviez à peine quinze ans alors : nous étions des enfants sans frein, sans connaissance de nos devoirs, sans notions de la distance de nos états et de la dangereuse conséquence dont pouvaient être nos folies... Nous étions égarés, corrompus par votre diable de frère qui avait la rage de vous livrer à moi, qui soufflait le feu de notre tempérament naissant; qui jetait l'un dans les bras de l'autre, et venait s'y jeter ensuite, qui jouissait de nos jouissances, et qui, ne connaissant ni les barrières du sexe, ni celle du sang, voulait, en un mot, que tous trois nous ne fassions qu'un... Notre existence était alors un délire...

LA COMTESSE, *soupirant :* Ah oui, Cascaret, celui du parfait bonheur... Tu viens d'en retracer si vivement l'image; viens donc, maudit philosophe, m'en donner aussi, du moins un moment, la réalité; viens. (*Elle ouvre les bras et prend la posture la plus indicative.*)

BELAMOUR, *levant les yeux au ciel :* Que voulez-vous de moi, femme trop dangereuse...

LA COMTESSE, *piquée et changeant d'attitude :* L'apostrophe est honnête! (*Belamour soupire avec bruit.*) Mon Dieu, Monsieur, point tant d'histrionnage : ne dirait-on pas, avec ces bras exhaussés, et ces gros soupirs, un père noble dans quelqu'un de nos drames larmoyants!

Dans ses commentaires sur cette rencontre, Nerciat, toujours imbu de son souci des belles manières, félicite son héros de garder le secret sur sa liaison : « Cette opiniâtreté de la part de Belamour à cacher qu'il est bien avec la marquise, paraîtra sans doute ridicule à nos roués, qui, loin de taire leurs bonnes fortunes réelles, se vantent assez volontiers de celles qu'ils n'ont pas; mais il est bon de dire à ces messieurs que l'homme qui désire le plus les femmes, et qui en est le mieux traité, est nécessairement le plus discret, parce qu'il compte pour tout le plaisir de les avoir. » Et il loue également la comtesse de ne pas médire de son amie absente, et de la vanter au contraire à l'homme qu'elle voudrait elle-même reconquérir : « Ô femmes! soi-disant vertueuses, qui ne parlez guère du prochain sâns le déchirer, recevez d'une catin cette franche leçon, qui signale un cœur excellent, en faveur duquel

on peut excuser bien des faiblesses. Oui, médisante et souvent calomniatrice *honesta!* Votre barbare austérité ne vaut pas le charitable
relâchement de la comtesse! » Finalement, elle donne à Belamour, au
cas où il serait amoureux sans espoir, les conseils qu'on était en
mesure d'attendre de sa tête brûlée :

LA COMTESSE : ... Ne soupire point : la marquise est sensible : elle a le
plus excellent cœur... mais elle déteste les gens à *langueurs, à soupirs :*
tu n'es pas un homme d'une tournure ordinaire : il est permis à un
grivois tel que toi de s'émanciper un peu... (*Elle lui prend la main.*)
Viole, mon ami. Oui, dès que tu en trouveras l'occasion, viole, viole, et
reviole jusqu'à ce qu'on n'ait même pas la force de feindre le moindre
ressentiment de cette témérité.

BELAMOUR : J'admire en vérité, Madame, comment votre imagination
s'échauffe à tracer le plan d'une entreprise qui n'a pu seulement me
venir en idée. Je sais trop ce que je dois à ma maîtresse et à
moi-même.

LA COMTESSE : Eh bien, sois une bête si tu veux. Je te dis, moi, qu'on
doit à toute jolie femme de *l'avoir,* de gré, de force ou par adresse; elle
doit à son tour d'en être enchantée quand l'objet en vaut, comme toi, la
peine...

Toute cette longue scène entre la rousse libertine et le jeune coiffeur
embarrassé, à qui elle rappelle qu'elle lui fit don d'un « échantillon de
[sa] dorure » (c'est-à-dire d'une touffe de poils pubiens), lorsqu'il était
un petit serviteur de sa famille, mériterait d'être entièrement citée, tant
elle donne d'informations curieuses sur le parler et la conduite de
certaines femmes de l'Ancien Régime. Les frères Goncourt nous ont
dit, d'après des documents précis, qu'elles se jetaient souvent à la tête
d'un coiffeur, d'un danseur [1]; ils ne pouvaient évidemment pas
raconter comment cela se passait; Nerciat nous le fait savoir, en
témoin oculaire irrécusable, et nous laisse un peu sidérés du manège,
quand la comtesse se décide à attaquer :

LA COMTESSE : Monsieur Belamour.

BELAMOUR : Madame la comtesse?

LA COMTESSE : Nous sommes seuls. Je ne sais comment vous me
trouvez; mais je sais, moi, que je vous trouve toujours assez beau
garçon pour que je ne me prive pas du plaisir de vous r'avoir.

BELAMOUR : Vous n'y pensez pas, Madame! Et cet amour que vous me
supposez...

---

1. Edmond et Jules de Goncourt, *La Femme au* XVIIIᵉ *siècle*, Paris,
Charpentier, 1882.

LA COMTESSE : Je suis bien la très humble servante de cet amour-là, mais...

BELAMOUR, *interrompant :* Notez bien que je n'accorde pas qu'il existe.

LA COMTESSE : Tant mieux : moins d'obstacles à ma joyeuse fantaisie. Venez?

BELAMOUR, *s'approchant :* Que souhaitez-vous, Madame?

LA COMTESSE, *gaiement :* Il faut avoir la complaisance de me le mettre, mon ami. C'est parler sans énigme?

BELAMOUR : Rien de plus clair, assurément.

LA COMTESSE, *avec tendresse :* Viens donc, Cascaret, viens recevoir, viens fêter encore ce joli con doré, qui reçut si souvent tes éloges et tes caresses... (*Elle le met au jour.*) Le vois-tu? Donne-moi ta main. Reconnais qu'il brûle toujours de ce feu dévorant qui (disais-tu) te faisait toujours craindre que ton boute-joie n'en sortît grillé, malgré la douche intarissable dont je l'inondais du moment de l'approche jusqu'à celui de la retraite. (*Belamour ne pouvant, sans insulte, se refuser à l'invitation de la comtesse, donne complaisamment une main qu'elle place sur le cratère du petit volcan. Elle ajoute :*) Tout cela te paraît un peu changé, n'est-ce pas? Il n'y avait pas alors cette épaisse garniture...

BELAMOUR, *le maniant :* Chaque âge a ses beautés, Madame.

LA COMTESSE, *comme à part :* Il sait vivre du moins. (*A lui :*) La couleur même a varié? Je suis pourtant fâchée qu'elle surpasse encore celle des cheveux. Tous les hommes n'aiment pas cette nuance.

BELAMOUR : Tant pis pour eux : je suis plus juste.

Un des morceaux de bravoure du *Diable au corps* est une fête dans un pavillon près de Choisy, organisée par « l'illustre maman Couplet », appareilleuse analogue à la Gourdan et à Justine Paris. Le programme est le suivant : « Vingt cavaliers, vingt dames; deux à deux, quatre à quatre, en nombre pair, comme au château de Cutendre. Promenade en attendant que tout le monde soit réuni; concert ensuite et feu d'artifice; souper exquis et magnifique; toute la nuit, danse, jeux et folies; au point du jour, chacun à petit bruit défilera... » La description des invités de cette fête libertine a une variété, un relief que les plus grands caricaturistes pourraient envier : le roide palatin Morawiski; le comte Chiavaculi, « auquel il manque la moitié de chaque jambe »; lady Où veut-on, qui « veille, boit, jure, se bat au besoin avec ses amants et ses domestiques »; le baron Immer-Steiff, « gros et gras Bavarois, bon buveur, bon fouteur »; Mme de Condouillet, qui « fait l'étroite et prétend n'admettre aucun homme de forte proportion à l'abordage »; le marquis Dietrini, « beau, jeune et riche, Florentin, serviteur des dames *a posteriori* sans cependant les négliger sur le pied courant »; Mlle de Nimmernein, qui « est douce comme un agneau, se pâme dès qu'on la touche, se laisse violer tant qu'on veut »; le vidame de Pillemotte, « un Gascon des mieux faits, des plus amusants, des plus vains et des plus gueux »; sans parler du vicomte de Phallardi, de M. de Boutafond, du chevalier de Pinefière, de Mme des Clapiers, de Mlle des Écarts, de la baronne Matevits et des autres. Lorsqu'on explique à la comtesse de Mottenfeu : « Le *fin mot* de la partie est que chaque dame sera *toute à tous;* chaque homme, *tout à toutes* », elle éclate de joie : « *Toute à tous!* J'aime ce noble cri de guerre! Ah oui! J'y serai fidèle! Qu'un affreux prodige mure chez moi toutes les portes du plaisir si je déroge à la loi... »

Cette philosophie, qui est celle de l'époque, suppose des êtres assez policés pour n'en pas abuser et ne pas la faire tourner en excès brutaux et grossiers; il appartient à Nerciat de l'avoir répartie entre des personnages amusants, qui ne veulent de mal à personne, et qui nous démontrent ce que serait la volupté si on la considérait comme un jeu idéal de société.

En dehors de ces ouvrages de génie, Nerciat en a produit de plus légers, où seul le tour inimitable de son style relève les incidents rapportés. *La Matinée libertine ou les Moments bien employés* (1787) est un récit sous forme de dialogues, que plagia Mérard de Saint-Just, et dont l'attribution est restée longtemps indécise [1]. Les *Contes saugrenus* (1787) sont six contes destinés à commenter six gravures assez fines; il ne faut pas les confondre avec ses *Contes nouveaux,* douze contes en vers, plus l'épître, le prologue et trois pièces en annexe [2]. *Le Doctorat impromptu* (1788) est la mieux venue de ces productions de seconde main; ce sont deux lettres d'Érosie à son amie Juliette, où elle lui

---

1. Vital-Puissant, dans sa *Bibliographie anecdotique et raisonnée de tous les ouvrages d'Andrea de Nerciat* (Londres, 1876), écrit : « Cet ouvrage [...] a été faussement attribué à Nerciat. Il appartient à Mérard de Saint-Just; ce sont les canevas des scènes de *la Petite Maison* de cet auteur, proverbe qui se trouve sous sa forme définitive au tome Ier des *Œuvres de la marquise de Palmarèze* (Kehl, 1789). » Mais Vital-Puissant, éditeur belge de Nerciat, ne fait pas autorité sur lui.

2. Ad. van Bever a raison d'écrire : « Les contes en vers d'Andrea de Nerciat [...] sont, il faut l'avouer, un des ouvrages les plus faibles de notre auteur. Composés antérieurement à l'année où ils parurent, ils ne retiennent l'attention que grâce à l'accent de vérité de quelques-unes des anecdotes qu'ils consignent. Une légère gaze les recouvre mais sans rien laisser deviner d'impertinent ni de trop libre. C'est une débauche d'esprit, où les sens et l'imagination entrent pour peu de chose » (*les Conteurs libertins du* XVIIIe *siècle,* 2e série, Paris, E. Sansot, 1905).

raconte comment elle a failli à son vœu de ne plus se laisser toucher par aucun homme. Le hasard d'un voyage à Fontainebleau l'ayant mise en rapport avec le jeune vicomte de Solange et son précepteur l'abbé Cudard, elle est amenée à céder à l'un, puis à l'autre, et conclut : « Baste! Il faut se consoler de tout ici-bas. Oui, je veux rire de mon aventure au lieu de m'en affliger; et si ma bégueule de raison veut m'ennuyer de ses reproches, que me répondra-t-elle quand je lui répliquerai : *Sottise, à la bonne heure, mais j'ai eu bien du plaisir.* » Commentant une conjoncture où les personnages perdent la tête si bien qu'ils se livrent à quelques incongruités, Nerciat dit judicieusement : « On conviendra sans doute qu'en fait d'*érotisme*, les bornes entre le bon et le mauvais goût ne sont point encore fixées. » *Mon noviciat ou les Joies de Lolotte* (1792) présente une héroïne qui fait son apprentissage dans le libertinage : mais Lolotte n'a pas la grâce de Félicia, et sa servante Félicité a un caractère cynique qu'on ne trouve pas chez les autres soubrettes de Nerciat, Philippine ou Célestine. Il y a dans ce roman, quand Félicité recommande à Lolotte de faire l'amour de préférence avec des domestiques, un ton qui rappelle Sade : « Le domestique, presque toujours bien de figure, seigneur de sa personne, enorgueilli de l'attention qu'on peut lui témoigner, vaut bien mieux, est plus sûr et expose, soit pendant, soit après une liaison, à bien moins de disgrâces. » De même, la Delbène dit à ses amies, dans la *Juliette* de Sade : « Faites-vous satisfaire plutôt par des gens à gages que par un amant; les premiers vous serviront bien et secrètement; les autres tireront vanité de vous et vous déshonoreront, sans vous donner du plaisir. » On voit que les auteurs libertins, en dépit de leurs différences marquées, avaient un fonds commun de maximes.

Nerciat, avec son don du dialogue, devait être tenté par le théâtre. Au cours d'un séjour en Bohême, en 1787, il fit imprimer à Prague deux comédies-proverbes, *les Rendez-vous nocturnes ou l'Aventure comique,* et *les Amants singuliers ou le Mariage par stratagème.* Mais ces comédies, signalées sur des catalogues anciens, sont actuellement introuvables; nul n'en a parlé et aucun indice ne laisse présumer qu'elles aient été représentées; en attendant le hasard qui les exhumera d'une bibliothèque, on en est réduit, pour juger de Nerciat dramaturge, à sa première pièce, *Dorimon ou le Marquis de Clarville* [1]. Elle suffit à

---

1. *Clarville,* et non *Clairville,* comme le disent par inadvertance le Catalogue de la Bibliothèque nationale et l'*Essai bibliographique sur les œuvres d'Andrea de Nerciat* d'Apollinaire. J'ai vérifié l'orthographe de ce nom sur un exemplaire de l'édition originale (Strasbourg, 1778).

nous prouver qu'il n'était auteur dramatique que dans ses romans; autant dans un ouvrage de lecture il a l'art des répliques fulgurantes, autant dans un ouvrage de scène il est déclamatoire et faussement sensible, à la mode du temps. Dans le château de M. de Saint-Hilaire, on transporte un jeune inconnu blessé dans la forêt voisine, Dorimon; le maître de céans en fait son ami, sa fille Laure s'en éprend, et dit dans un monologue : « J'aime! J'aime un étranger, à qui, depuis trois mois qu'il vit avec nous, il n'est pas échappé une démarche, un mot, un regard... cependant chéri de mon père... de ma part bien traité... trop bien peut-être... ne parlerait-il pas si son cœur... Mais il est honteux pour moi de penser qu'une passion aveugle peut me faire commettre à chaque instant des imprudences... » Si Dorimon ne se déclare pas, c'est qu'il se cache sous un faux nom; il est en réalité le marquis de Clarville et il a tué en duel le suborneur de sa sœur. Il décide de partir plutôt que d'avouer qu'il est un meurtrier. Il marmonne fiévreusement : « La rage du sort doit être assouvie... Mes malheurs sont au comble... Je vais m'arracher de ces lieux!... fuir tout ce qui m'est cher!... Mon ami, mon bienfaiteur! vous me croirez ingrat! votre cœur en sera déchiré... et toi! toi, le plus bel ornement de l'univers! Je ne te verrai plus! adorable Laure!... » Le deuxième acte s'achève sur un évanouissement; le quatrième comporte une tentative de suicide; les personnages ont des sanglots, des tirades hachées, ou se jettent brusquement à genoux devant le père débonnaire. Ne nous moquons pas : même Beaumarchais a sacrifié à ce genre de comédies, qui fit le succès de Baculard d'Arnaud. Enfin, on apprend que l'homme laissé pour mort dans le duel n'est autre que le fils de M. de Saint-Hilaire; il a survécu au coup d'épée et il consent à épouser la sœur du marquis de Clarville, qui a le mot de la fin : « Les passions peuvent égarer un homme d'honneur; mais rendu à ses devoirs, il se tient sur ses gardes et n'en est que plus vertueux. »

On comprend que Nerciat se soit dégoûté de « la Muse amphibie » et qu'il ait défini le théâtre : « un genre pour lequel je n'ai plus moi-même d'enthousiasme, et qui est nul pour la réputation, à moins qu'on ne donne des chefs-d'œuvre. »

Andrea de Nerciat est, indépendamment de la nature exclusive de ses sujets, un grand romancier, par sa puissance d'évocation des situations humaines et par l'étonnante gamme d'expressions de son langage. Il s'est inventé, pour parler de la sexualité, une langue bien à lui, pleine de désignations nouvelles fondées sur des étymologies audacieuses, à tel point qu'Alfred Delvau dut consacrer en 1876 la moitié de son *Dictionnaire érotique moderne* rien qu'aux termes créés par Nerciat.

Dans un style précieux, qui rappelle Marivaux et Crébillon fils, avec le sel supplémentaire de l'argot des boudoirs, il nous a laissé le document le plus libre sur la vie mondaine d'un temps troublé, et l'histoire la plus complète des effets du désir à l'état pur.

3

Le marquis de Sade et la tragédie du plaisir

> L'homme est né pour jouir, et ce n'est que par ses débauches qu'il connaît les plus doux plaisirs de la vie : il n'y a que les sots qui se contiennent. SADE

Le marquis de Sade, après avoir passé dans son temps pour un monstre, et ensuite pour un fou dangereux, dont les critiques ne parlaient pas sans se croire obligés à d'ineptes précautions oratoires, a trouvé aujourd'hui, parmi l'élite intellectuelle, sa véritable place : ce sera l'honneur d'un petit nombre de poètes, de philosophes et de médecins du XXe siècle d'avoir contribué à la lui donner. On s'est enfin avisé que prendre la défense de Sade, ce n'était pas faire l'éloge du sadisme, mais transférer la mémoire d'un homme du domaine de la chronique judiciaire à celui de l'histoire universelle de la pensée. On a compris que ce qu'on lui reprochait, c'était surtout les crimes des autres, c'est-à-dire de tous ceux qui ont commis des atrocités sous l'empire du vice qu'il a si magistralement dénoncé. On a dès lors salué en lui le génial écrivain qui atteignit le point limite du scandale, par des écrits d'une violence indépassable, le perspicace analyste du Mal, le libre penseur pessimiste révolté contre tout. Trop longtemps, on a voulu croire qu'il souhaitait l'application des théories exposées dans ses livres, sans voir que, partant d'une conviction légitime sur l'injustice du monde et la mauvaise nature de l'homme, elles en outrent à dessein le développement, afin de lui donner un aspect critique d'autant plus saisissant. Pour exprimer suggestivement sa pensée, il faut toujours la dépasser. L'œuvre de Sade, conçue en majeure partie pour épouvanter le lecteur, pour provoquer en lui des réactions extrêmes, est ainsi l'échantillon le plus pur de cette « littérature sublime qui ne chante le désespoir que pour opprimer le lecteur et lui faire désirer le bien comme remède » dont parle Lautréamont dans sa lettre à l'éditeur Verbreckhoeven. Le marquis de Sade a décrit l'univers de la liberté absolue, et en a fait incarner les principes à ses héros qui foulent aux pieds tous les préjugés, toutes les conventions de la vie en société, même les plus spontanées, pour rendre raison à leurs instincts, non pas d'une manière bestiale, mais en arguant d'une logique écrasante, et en portant tous leurs soins à en régler par la connaissance le déchaînement. Si cet univers est horrible, c'est à cause du pessimisme extraordinaire de Sade : entièrement persuadé que ce qui prédomine en la plupart des êtres, c'est l'instinct de destruction, il a compté avec cet instinct au point de présenter des héros s'attachant à sa satisfaction comme à une jouissance primordiale. Les héros de Sade ne sont d'ailleurs pas des hommes, ce sont des dieux (« Tu es un dieu pour moi », dit expressément Juliette à Saint-Fond), du moins au sens où l'entendait Nietzsche quand il écrivait : « Un dieu qui viendrait sur la terre n'y devrait faire que des injustices; le divin ne serait pas de prendre la punition mais la faute sur ses épaules » (*Ecce Homo*). Ses héros prennent sur leurs épaules, pour fonder leur déité, tous les crimes dont l'humanité se montre prodigue. Ils expérimentent, au-delà de toute borne ou mesure, l'état où un individu pourrait tout se permettre, comme pour nous prouver que, dans l'univers, l'impossible du mieux est le possible du pire.

Il est évident qu'il fallut à Sade un tempérament exceptionnel pour assumer une telle expérience littéraire. Sa personne nous est beaucoup plus compréhensible, depuis la publication de ses inédits, notamment des lettres révélées par Gilbert Lély, dont la minutieuse et fervente *Vie du marquis de Sade* est devenue un document de première main. Ces lettres d'un ton unique, où l'on voit Sade, tour à tour, faire des confidences ou des scènes de jalousie à sa femme, houspiller son notaire, plaisanter familièrement avec son valet La Jeunesse, le montrent toutes sous le jour d'un très grand seigneur, coléreux, imaginatif, cynique, plein d'intolérance irréligieuse et d'humour sarcastique, gardant en toutes circonstances l'orgueil de sa noblesse native. Les moindres manquements à sa qualité lui donnent des accès d'impatience ou d'indignation superbe. Du fond de sa prison, il se soucie constamment de son château de La Coste, et il regrette un jour que ses enfants n'aient pas « l'énergie des Sade » et ne se préoccupent pas, comme il le faisait, de visiter les pauvres sur ses terres pour s'enquérir de leurs besoins. On s'aperçoit dans cette correspondance combien il a souffert physiquement et moralement de sa longue détention arbitraire. D'après le compte de Maurice Heine [1], il a passé

1. Cf. « Brouillon de Maurice Heine récapitulant le temps passé en captivité par D. A. F. de Sade », dans *Néon,* n° 3, mai 1948.

vingt-huit ans et trois mois de sa vie en prison, sans avoir commis des
délits proportionnés à un tel châtiment. Sa liberté de langage le
desservit plus que ses actes, qui auraient été absous s'il avait feint le
repentir, consenti à l'hypocrisie; mais il a eu la prétention suprême
d'être accepté tel qu'il était, et c'est ce que ne lui pardonnèrent ni sa
famille bien-pensante, ni les régimes absolutistes de la royauté, de la
Révolution et de l'Empire. Il fut si loin d'être un bourreau de femmes
que celles qu'il eut pour maîtresses — telles Mlle Colet et la
Beauvoisin, petites actrices, ou telle sa belle-sœur Anne-Prospère de
Launay, qui fit une fugue avec lui en Italie — n'eurent pas à se
plaindre de ses procédés. Bien mieux, certaines se dévouèrent pour lui,
comme son épouse Renée de Montreuil, qui fit tout son possible pour
adoucir son sort, et comme, à la fin de sa vie, cette Marie-Constance
Quesnet, surnommée par lui *la Sensible,* qui obtiendra d'habiter à ses
côtés, lorsqu'il sera relégué à Charenton, condamné à « végéter parmi
les fols », selon son expression amère. Les fautes de Sade, qui perdirent
sa réputation, ce furent quelques parties de débauche avec des
prostituées, accompagnées de flagellation active et passive, et d'une
mise en scène impressionnante; la science, depuis longtemps, nous a
appris à justifier ces perversions. Sade a lui-même raisonné lucidement
sur son cas, qui était la recherche d'un impossible plaisir. Dans une
lettre d'une sincérité pathétique, il commente à sa femme, à mots
couverts, son problème physiologique : après lui avoir avoué le nombre
de *manilles* — de manipulations onanistes — auxquelles l'astreint sa vie
recluse, il lui rappelle que l'acte sexuel ne se termine pour lui que dans
une crise faite de spasmes, convulsions et douleurs, et quelquefois ne se
termine pas du tout : « Ce n'est pas que l'arc ne soit très tendu, mais la
flèche ne veut pas partir... Quand elle fait tant que de fendre les airs —
c'est véritablement une attaque d'épilepsie... tu en as vu des échantillons à La Coste — ça n'a que doublé, aussi juges-en... Il n'y a personne
au monde qui éprouve ce que j'éprouve dans cette crise. » Et il
explique avec précision : « J'ai voulu analyser la cause de cette
syncope, et je crois l'avoir trouvée dans l'*extrême épaisseur* — comme
si on voulait faire sortir de la crème par le goulot très étroit d'un
flacon. Cette épaisseur gonfle les vaisseaux et les déchire [1]. » C'était
pour compenser cette douleur, vive à crier, qu'il était obligé de se créer
des images de martyre, de se servir à l'occasion d'un martinet contre lui
ou sa partenaire. On comprend dès lors qu'il n'ait cessé de clamer qu'il
était injustement persécuté, que la prison ne faisait qu'augmenter ses

1. *Monsieur le 6,* Paris, Julliard, 1954.

malheurs sans remédier à son anatomie : « Il y a de certains systèmes qui tiennent trop à l'existence, surtout quand on les a sucés avec le lait, pour qu'il soit jamais possible d'y renoncer. Il en est de même des habitudes : quand elles sont aussi prodigieusement liées au physique d'un être, dix mille ans de prison et cinq cents livres de chaînes ne feraient que de leur donner plus de force [1]. »

La question de savoir si Sade était sadique, si, jouissant d'une pleine impunité, il eût commis les meurtres d'un Gilles de Retz, obscurcit la compréhension de son œuvre. Il me semble qu'il s'est démasqué quand il dit, à propos d'un de ses personnages : « L'impuissance donne toujours un peu de cette sorte d'humeur qu'on appelle taquinisme en libertinage [2]. » Sade n'était pas sadique, mais taquiniste. Le taquinisme est une forme très atténuée du sadisme ; il ne va pas jusqu'aux brutalités sauvages, il se contente de mettre le partenaire amoureux dans l'embarras, de le contrarier physiquement ou verbalement, par besoin d'excitation génésique. Les sévices du taquinisme sont les gifles, les pinçons, les fessées, les insultes et les propos obscènes. La femme est taquiniste lorsqu'elle est frustrée sexuellement : elle mord, griffe, injurie ou traîne une méchante humeur toute la journée. Le mari taquiniste est celui qui tourmente sa femme soit en lui racontant cyniquement ses bonnes fortunes, soit en l'accablant sans raison de sa jalousie, soit en l'humiliant de mille autres façons. Quelquefois, le taquiniste est moins sadique que masochiste, et souhaite secrètement s'attirer une rebuffade. Il y a dans le taquinisme une espèce de défi, l'espoir d'obtenir de l'autre une réaction qu'il ne fournit pas spontanément. La différence entre taquinisme et sadisme n'a pas été nommément définie par les psychologues ; nous allons donc examiner à cette lumière la conduite de Sade, et nous verrons qu'elle n'est exceptionnelle qu'en fonction du relief de son individualité.

Le taquinisme de Sade est le résultat de son sentiment de supériorité. Né le 2 juin 1740 dans le superbe hôtel de Condé, il est fier de sa noblesse, au point qu'il crible de coups son camarade de jeu, le prince Louis Joseph de Bourbon, parce qu'il s'est dit d'un rang supérieur au sien [3]. Plus tard, sentant la vanité des privilèges de la naissance, il est plutôt fier d'être libertin, voyant dans le libertinage une preuve de haute intelligence et de dynamisme subversif : « La volupté n'admet aucune chaîne, elle ne jouit jamais mieux que quand elle les rompt

1. *L'Aigle, Mademoiselle*, Paris, Artigues, 1949.
2. *Les 120 Journées de Sodome*, Bruxelles, Pauvert, 1948.
3. C'est ce qui ressort d'une confidence indirecte qu'il fait dans *Aline et Valcour*.

toutes; or, plus un être a d'esprit, plus il brise de freins : donc, l'homme d'esprit sera toujours plus propre qu'un autre aux plaisirs du libertinage [1]. » A vingt-trois ans, capitaine de cavalerie, il est déjà joueur, prodigue et débauché, fréquente les mauvais lieux, tient des propos « inconvenants ». Son père, excédé, veut le marier. La première liaison connue de Sade, avec Laure de Lauris, châtelaine de Vacquey-ras, montre en lui un amant bouillant, lyrique, jaloux; ce fut elle qui prit l'initiative de la rupture. Une lettre de Sade à Avignon, le 6 avril 1763, laisse croire qu'elle lui a donné une maladie [2]. On le marie le 17 mai 1763 à l'église Saint-Roch avec Renée de Montreuil, qui lui offre d'abord peu d'attrait : « Il la trouve trop froide et trop dévote pour lui », dira son oncle, l'abbé de Sade. Dès le mois suivant, Sade loue à Paris une petite maison où il invite des prostituées; le 29 octobre 1763, sur l'ordre du roi, il est arrêté. Son père en dit les raisons : « Débauche outrée qu'on y allait faire froidement, tout seul, impiété horrible dont les filles ont cru être obligées de faire leur déposition [3]. » Le taquinisme s'est donc borné ici à dire des blasphèmes pour pimenter la situation. Le disciple des encyclopédistes a fait l'esprit fort, afin de se soulager de la bigoterie de sa femme, de scandaliser des poules mouillées (il y a réussi) et de s'encourager à la philosophie matérialiste, comme son Dolmancé : « Un de mes grands plaisirs est de jurer Dieu quand je bande. Il me semble que mon esprit, alors mille fois plus exalté, abhorre et méprise bien mieux cette dégoûtante chimère [4]. »

Libéré du donjon de Vincennes deux semaines après, ce jeune homme blond et poupin, aux yeux bleus, reprend sa vie libertine. Le 15 juillet 1764, il est présenté à Mlle Colet, actrice de la Comédie-Italienne, à qui il donnera vingt-cinq louis par mois. Il s'aperçoit qu'il est sa dupe et va chez la Brissault, proxénète à qui l'inspecteur Marais déconseille d'envoyer des filles à son domicile. Il partage en 1765, avec deux autres seigneurs, les faveurs de la Beauvoisin qu'il emmène séjourner en été à son château de La Coste, l'affichant comme une parente de sa femme : « Je doute qu'il aime celle-ci avec plus de vivacité qu'il a aimé l'autre, c'était une frénésie », écrira sa belle-mère, la présidente de Montreuil. En janvier 1766, ayant rompu avec la Beauvoisin, il la remplace par la Dorville pour la somme de dix louis

---

1. *Juliette*, dans *Œuvres complètes du marquis de Sade*, Paris, Cercle du livre précieux, 1964.
2. Gilbert Lély pense qu'il s'agit peut-être d'une gonorrhée (*Vie du marquis de Sade*, Paris, Gallimard, 1958, t. I., p. 78).
3. Lettre du comte de Sade à l'abbé de Sade, 16 novembre 1763.
1. *La Philosophie dans le boudoir*, Paris, Pauvert, 1953.

par mois. En février 1768, il fait venir dans sa petite maison d'Arcueil quatre filles qu'il fustige; il leur offre ensuite à dîner et leur fait remettre à chacune un louis. Cette séance a dû être précédée de quelques autres, selon le rapport du lieutenant de prévôté Benoît Gersant, disant que « depuis quinze mois qu'il vient à sa maison d'Arcueil, il y cause beaucoup de scandale, y amenant jour et nuit des personnes de l'autre sexe avec qui il est en commerce de débauche, que d'ailleurs il est connu pour homme très violent ayant insulté et frappé différentes personnes ».

Le 3 avril 1768, il aborde dans la rue une mendiante de trente-six ans, Rose Keller, lui promet un écu pour venir faire sa chambre. Il la conduit en fiacre à Arcueil, la fait attendre une heure, puis l'introduit dans un cabinet et lui demande de quitter ses vêtements; comme elle résiste, il menace de la tuer et de l'enterrer dans son jardin. Il l'attache à plat ventre sur le lit, la fouette avec un martinet de cordes à nœuds jusqu'à ce qu'il atteigne l'orgasme, qu'il exprime par des cris « très hauts et très effrayants ». Il détache sa victime, lui donne de quoi soigner ses écorchures, la fait se rhabiller et manger. Il l'enferme dans une chambre pour qu'elle se repose, mais, ne se fiant pas à lui, elle s'enfuit par la fenêtre et va tout raconter au voisinage. Nouvelle arrestation de Sade, qui restera séquestré jusqu'en novembre. On remarquera que le taquinisme est devenu création de l'effroi; Sade jouit de faire peur à une femme, qu'il ne maltraite que légèrement, en la conditionnant par des menaces de mort. Tout cela ne l'empêche pas d'avoir des rapports ordinaires avec son épouse, à qui il fait trois enfants (deux garçons et une fille) entre 1767 et 1771.

Le 27 juin 1772, allant toucher des fonds à Marseille et descendu à l'hôtel des Treize-Cantons, Sade en profite encore pour « s'amuser avec des filles ». Son laquais Latour lui racole quatre filles de dix-huit à vingt-trois ans qu'il rejoint dans l'appartement de l'une d'elles. Il les fouette l'une après l'autre, après leur avoir donné des bonbons à la cantharide et à l'anis. (Le maréchal de Richelieu avait mis à la mode ces pastilles aphrodisiaques, dites « pastilles à la Richelieu », que tout libertin digne de ce nom portait sur lui dans un drageoir.) Sade leur demande ensuite de le fouetter lui-même avec un martinet aux lanières garnies d'épingles recourbées et, comme elles n'osent pas, il se fait fesser avec un balai de bruyère et inscrit sur la cheminée, de son canif, le nombre des coups distribués à chaque fois [1]. Son laquais est présent,

---

1. Sénac de Meilhan avait la manie complémentaire de Sade. Le comte de Tilly partagea en 1790 avec lui une maîtresse, femme d'un imprimeur d'Aix-

avec qui il inverse les rôles, s'en faisant appeler *Lafleur,* le nommant *monsieur le marquis.* Il propose à chacune de pratiquer la sodomie avec lui-même ou avec Latour; ce dernier jouit devant lui de Rose Coste. Les filles prétendirent qu'il flatta de la main son domestique, et s'en fit sodomiser pendant qu'il étreignait Mariette Borelly; cela n'est pas improbable. Le lendemain, Sade a un rapport seul à seule avec une cinquième prostituée, à qui il fait prendre des bonbons aphrodisiaques, et demande « de jouir d'elle par derrière et de plusieurs autres manières toutes plus horribles » (selon sa déposition). Ce sont les vomissements occasionnés chez deux filles par l'ingestion des bonbons qui déclenchèrent les poursuites contre Sade. Pourtant, il n'avait songé à empoisonner personne; il espérait les faire participer à une scène de libertinage par excitation et non par complaisance tarifée. Il s'agissait d'une pure séance de taquinisme, tout à fait *banale* dans les annales du XVIIIe siècle.

Pendant que Sade et Latour sont brûlés en effigie à Aix, le marquis vit réfugié en Italie, sous le nom du comte de Mazan, avec sa belle-sœur la chanoinesse Anne-Prospère de Launay, qu'il fait passer pour sa femme. Arrêté le 27 octobre 1772 à Chambéry, enfermé au fort de Miolans, il s'en évade le 30 avril 1773 et, après s'être caché quelque temps, revient au château de La Coste où il recrute pour ses plaisirs des jeunes personnes, dont la danseuse Du Plan, Rosette, Adélaïde qui, avec l'officieuse Nanon et sa nièce, et plusieurs cuisinières, constitueront son harem. Nanon accouchera d'une fille que l'on dira du marquis. En janvier 1775, un nouveau scandale de flagellation éclatera, aggravé par le fait que deux mineures en ont pâti et que l'épouse de Sade en a été complice. En juillet 1775, il s'enfuira en Italie avec son valet La Jeunesse. Mais, à son retour, le château de La Coste sera encore le théâtre d'incidents libertins. En décembre 1776, il engage quatre domestiques, deux hommes et deux femmes, va le soir dans la chambre de chacun d'eux pour tenter de les séduire. Trois s'en iront, l'autre, une fille de cuisine, d'une vertu moins farouche, restera. Au bruit de cette affaire, le père d'une paysanne que Sade a à son service, Catherine Trillet, tire un coup de pistolet sur lui (15 janvier 1777), croyant délivrer sa fille qui, se trouvant fort bien au château de La

---

la-Chapelle, qui lui raconta que Sénac avait exigé « des horreurs » d'elle : « Il s'était jeté à ses genoux, lui avait offert tout ce qu'il possédait au monde pour prix de sa complaisance de le châtier; il avait surtout imploré comme le *nec plus ultra* du bonheur... *un coup de couteau!* » (*Mémoires du comte Alexandre de Tilly pour servir à l'histoire des mœurs à la fin du XVIIIe siècle,* Paris, 1828).

Coste, essaiera en vain de le raisonner. Victime de la rumeur qui grossit ses faits et gestes, de l'animosité de sa belle-mère qui veut qu'il soit emprisonné, Sade est derechef arrêté le 13 février 1777; c'est le commencement d'une détention de treize ans à Vincennes, à la Bastille et à Charenton, coupée d'une évasion qui lui assurera trente-neuf jours de liberté.

A ceux qui estimeraient que la manie de Sade le désignait à l'internement, je signale que cette manie était assez répandue à son époque. « Fouetter ses maîtresses et les battre à coups de verges est un raffinement de débauche dont il y a de nombreux exemples », écrivait déjà Madame, duchesse d'Orléans, le 3 avril 1721. Le général Amédée Doppet, dans son *Traité du fouet et de ses effets sur le physique de l'amour* (1788), dit qu'il n'était pas un « temple de Vénus » à Paris dont la directrice ne proposât des instruments frappants pour *donner du plaisir :* « Elle vous montrera d'abord une petite poignée de verges qui est toujours attachée par un ruban des plus à la mode ; elle passera ensuite au *martinet* dont le bout de chaque cordon est garni d'une pointe d'or ou d'argent, et dont le manche, qui est de bois de rose, est entouré d'une garniture élégante et recherchée. » Le général Doppet assista, « dans un des sérails de la rue Saint-Honoré », à une scène où « quatre vieillards à grande perruque » jouaient au « jeu du *maître d'école* » avec une fille demi-nue qui les corrigea tour à tour à coups de verges : « Les patients baisaient les fesses de la maîtresse, pendant que son beau bras se fatiguait sur leur cuir impudique. » Celle qui lui révèle ce spectacle lui assure qu'il s'en passe bien d'autres tous les jours : « Nous avons, me dit-elle, la pratique des êtres les plus importants de Paris ; elle ajouta qu'elles avaient entre elles l'honneur de donner le fouet à tout ce qu'il y avait de mieux dans le clergé, la robe et la finance. » Et l'année où Doppet fait ces révélations, Sade croupit à la Bastille ! Il n'aura donc pas tort d'affirmer qu'il est injustement séquestré, tandis que des gens en place se livrent sans être punis à des délits analogues.

Pendant sa longue détention, Sade satisfait son taquinisme dans sa correspondance avec sa femme et avec sa jeune gouvernante Marie-Dorothée de Rousset. Il met une ironie acerbe à les tourner sur le gril de sa concupiscence. Mlle de Rousset est l'objet d'un badinage érotique auquel elle répond sur le même ton, car elle est d'humeur enjouée. Il lui écrit ainsi, en mai 1783 : « Adieu bel ange, pensés quelquefois à moi, quand vous êtes entre deux draps, les cuisses ouvertes, et la main droite occupée à... chercher vos puces. Souvenés vous que dans ce cas-là il faut que l'autre agisse aussi, sans cela on n'a que la moitié du plaisir [1]. » A force de l'aiguillonner, leurs rapports s'aigriront et s'interrompront. Quant à sa femme, elle est en butte à ses sarcasmes incessants, entrecoupés de subits accès de confiance. Il bafoue sa dévotion, la poursuit de sa jalousie, l'accusant de le tromper avec son secrétaire Lefèvre et de pratiquer le saphisme avec Mme de Villette. Ce taquinisme a pour but d'activer les démarches qu'elle fait en sa faveur; il n'aboutit qu'à décourager sa bonne volonté, si bien qu'à sa sortie de Charenton, le 2 avril 1790, sa femme, en retraite au couvent de Saint-Aure, refuse de le voir et obtient leur séparation.

Pendant les quelques années de la Révolution où il est libre, aucun esclandre ne marque que Sade ait encore fouetté des filles. Il est d'abord logé chez « une dame charmante », la présidente de Fleurieu. Il écrit des pièces de théâtre qu'il propose à la Comédie-Française; un soir, une petite actrice, qui désire un rôle, se glisse dans sa chambre et s'offre à lui : s'il lui avait fait subir un mauvais traitement, cela se serait su. Marie-Constance Quesnet, jeune comédienne abandonnée de son mari avec un enfant, deviendra sa compagne fidèle, et il lui dédiera la deuxième version (érotique) de *Justine*. Ce détail nous indique comment s'est transformé son taquinisme : il a trouvé une satisfaction définitive dans l'imaginaire. Sade n'a plus besoin de flagellation parce qu'il a pris l'habitude de jouer mentalement avec les choses interdites de l'amour. Il peut taquiner une femme mieux qu'en la fessant : en lui faisant lire des pages de sa main qui la troublent. « Les plaisirs de l'imagination », dont il parle avec ferveur, ont acquis tant d'éclat qu'il n'a plus à user du martinet : « Toute la terre est à nous dans ces instants délicieux; pas une seule créature ne nous résiste; tout présente à nos sens émus la sorte de plaisir dont notre bouillante imagination la croit susceptible : on dévaste le monde... on le repeuple d'objets nouveaux, que l'on immole encore [2]... » Marie-Constance se prête à cette humeur; il la consulte sur ses écrits, il décore leur logement d'une tapisserie aux sujets tirés de ses romans et de plâtres licencieux.

Quand il sera arrêté, le 6 mars 1801, ce sera cette fois comme auteur. Incarcéré à Sainte-Pélagie, accusé par le préfet Dubois de « séduire et corrompre les jeunes gens que de malheureuses circonstances faisaient enfermer à Sainte-Pélagie et que le hasard faisait placer dans le même corridor que lui », il est transféré dans la maison de santé de Charenton. Grâce à son ascendant sur le directeur, M. de Coulmier,

1. *Correspondance*, dans *Œuvres complètes du marquis de Sade*, Paris, Cercle du livre précieux, 1964, t. XII.
2. *Juliette*, t. VIII et IX.

qui lui confie l'organisation des spectacles, il peut se promener dans le parc, aller dans les chambres des autres internés. Son influence devient telle que les autorités s'en indignent et veulent l'expédier en 1808 au fort de Ham. Il réservera dès lors son taquinisme à plier à ses vues les acteurs bénévoles des pièces qu'il met en scène. Sade est resté libertin jusqu'en ses derniers moments, et on le voit à Charenton, âgé de soixante-treize ans, avoir une liaison avec une fille de dix-sept ans, Magdeleine Leclerc, dont la mère travaille à l'hospice et sert d'entremetteuse. Magdeleine lui rend visite dans sa chambre et lui concède des séances d'une à deux heures. Il se plaint parfois de sa froideur et de son insouciance dans le plaisir, se montre jaloux de ce qu'elle fait quand elle va au bal. On se doute que le vieux marquis obèse, impotent, n'était plus capable d'agir en amoureux fringant ; mais son imagination féconde trouva de quoi alimenter des « petits jeux ». Il fait lire à sa jeune amie *le Portier des chartreux,* afin de l'exciter. Il écrit le 27 novembre 1814, à la quatre-vingt-seizième visite de Magdeleine : « Elle parut fort sensible à mes douleurs que je [lui] détaillai ; elle n'avait été à aucun bal et promit de n'aller à aucun, parla du temps futur, dit quelle aurait dix-huit ans le 19 du mois prochain, se prêta comme à l'ordinaire à nos petits jeux, promit de revenir dimanche ou lundi prochain, me remercia de ce que je faisais pour elle et fit bien voir qu'elle ne trompait ni n'avait envie de tromper [1]. » Comme il mourut le 2 décembre suivant, on peut dire qu'il lui a été donné de finir sur une satisfaction sexuelle.

Le trait dominant de sa personnalité, ce fut donc sa haine de la contrainte, « son caractère ennemi de toute soumission », comme dit une note de police du 8 septembre 1804. C'est pourquoi il fut dépaysé dans les limites conventionnelles de l'expression. Son esprit puissant était trop à l'étroit dans la littérature avouable : *Aline et Valcour, les Crimes de l'amour* sont à peine supérieurs à ses médiocres pièces de théâtre. Lorsqu'on a approfondi les curiosités méconnues du XVIIIe siècle, on sait qu'un tel bagage ne l'aurait guère distingué de la production de son temps. Tandis que dans ses quatre romans frénétiques, *les 120 Journées de Sodome, Justine, Juliette, la Philosophie dans le boudoir,* on voit flamboyer les qualités qui composent le génie littéraire : audace intellectuelle, imagination brillante, culture étendue et variée, accent d'écriture reconnaissable entre mille.

Parce qu'il pratique constamment l'outrance, on croit que Sade s'écarte de la réalité ou la déforme à son gré. Au contraire, il s'y réfère

1. Marquis de Sade, *Journal inédit,* Paris, Gallimard, 1970.

et ne fait que l'exagérer; il surenchérit jusqu'à l'invraisemblable à partir de faits vrais. Il est parfaitement informé des débauches qui ont eu lieu en France depuis la Régence; il a lu les écrits du temps qui les révèlent, comme *la Police de Paris dévoilée* de Pierre Manuel. Il a fréquenté des filles habituées aux soirées des traitants et appris d'elles des anecdotes secrètes. Il sait jusqu'à quel degré de raffinement le vice a été porté dans Paris. Client du bordel de la Brissault, il connaît par ouï-dire ceux de ses concurrentes. L'établissement de Mme Gourdan, rue des Deux-Portes, comprenait le Sérail, la Piscine, le Cabinet de toilette, la Salle de bal (où se déguisaient ceux et celles qui désiraient l'incognito), l'Infirmerie (dont les tableaux érotiques, les aphrodisiaques, les miroirs, le lit de satin noir, étaient mis au service des tempéraments épuisés), la Chambre de la Question (destinée aux voyeurs), le Salon de Vulcain (pour y accomplir des parodies de viol [1]). Si Sade a voulu louer une « petite maison », c'est qu'avant lui la plupart des seigneurs en avaient une pour abriter leurs orgies : le prince de Soubise rue de la Victoire, le prince de Conti à la Barrière-Blanche et à Pantin, le baron de la Haye rue Plumet, etc. Il s'y passait parfois des scènes odieuses. Au cours d'un souper chez Mme de la Prie, dans une petite maison près de Vaugirard, le comte de Charolais enivra une jeune veuve, Mme de Saint-Sulpice, la déshabilla, lui appliqua un pétard enflammé sur le sexe, en disant : « Il faut que le petit Bichon mange aussi. » On enveloppa ensuite dans un drap la malheureuse, affreusement brûlée, et on la renvoya chez elle en fiacre [2]. Charolais, dont les cruautés furent nombreuses, mourut pair de France en 1760, quand Sade avait vingt ans, sans jamais avoir été inquiété. Quant aux femmes, certaines étaient aussi effrontées dans la réalité que dans les fictions de Sade. Elles prenaient sans hésiter les initiatives sexuelles [3]. Elles se faisaient gloire de leur mauvaise réputation. Mmes de Polignac et de Sabran, se querellant avec deux duchesses à l'Hôtel de Ville, et s'entendant dire : « Si nous ne sommes pas d'aussi bonnes maisons que vous, au moins nous ne sommes pas des putains comme vous »,

1. La description en a été faite par Pidansat de Mairobert dans *l'Espion anglais, ou Correspondance secrète entre milord All'eye et milord All'ear*, Londres, 1779, nouvelle édition, t. II, p. 352-366.
2. Boisjourdain, *Mélanges historiques, satiriques et anecdotiques*, Paris, 1807, t. II, p. 10.
3. « La demoiselle Baize éprouvait un caprice pour Clairval. Elle a été lui demander à coucher comme on demande à dîner. Il lui *prouva* que l'amour, qui ne meurt jamais de besoin, peut mourir d'indigestion » (*la Police de Paris dévoilée*, par Pierre Manuel, un des administrateurs de 1789. A Paris, chez J.-B. Garnery, 1795).

répondaient : « Oui, nous sommes des putains, et nous voulons l'être, car cela nous divertit [1]. » De même, Mme de Saint-Ange, dans *la Philosophie dans le boudoir,* s'enorgueillira du titre de putain : « Loin de m'en formaliser, je m'en amuse. Il y a mieux : j'aime qu'on me nomme ainsi quand on me fout ; cette injure m'échauffe la tête. »

Dans *Juliette,* Sade mêle d'ailleurs à ses personnages imaginaires des personnages réels, le cardinal de Bernis, le roi Léopold Ier de Toscane, le pape Pie VI, le prince de Francavilla, Caroline de Naples et son époux Ferdinand IV, à qui il attribue des orgies de pure invention. C'est le procédé des satires révolutionnaires contre les mœurs de la noblesse et du clergé. Tout n'est pas inique dans ces calomnies ; seulement la charge est énorme. Léopold Ier de Toscane, frère de Marie-Antoinette, aimait les femmes et l'argent : Sade en fait un amateur de décapitations, se plaisant à avorter ses maîtresses enceintes. Le prince de Francavilla donna en 1770 un bal champêtre décrit par Casanova : Sade le transforme en bacchanale où entrent en action des machines munies de phallus. Les historiens ont été sévères pour Caroline de Naples, débauchée, lesbienne, dont le ministre Acton gérait les plaisirs, et pour Ferdinand IV, qui s'amusait à torturer les animaux [2]. Sade leur fait commettre des horreurs inimaginables dans les ruines d'Herculanum et de Pompéi, ou dans la maison de tortures, à Salerne, du confesseur royal Vespoli. L'histoire fournit à Sade un canevas noir qu'il revêt d'éclatantes broderies.

Iwan Bloch, dans *le Marquis de Sade et son temps* (1901), a eu le mérite de montrer que ses personnages avaient des répondants historiques. Mais ses suppositions ne sont pas toutes recevables. Il dit par exemple que l'ogre Minski, dans *Juliette,* a été inspiré à Sade par l'anthropophage Blaise Ferrare, surnommé Seyé, qui tuait et mangeait des femmes en 1780 dans les Pyrénées. Je crois personnellement que Minski, le géant moscovite, est une idéalisation du tsar Pierre Ier, dont Sade se rappelle la taille gigantesque, les violences, les orgies. J'en veux pour preuve un rapprochement curieux. Pierre Ier se faisait accompagner de *denchtchiks,* jeunes paysans élevés au grade d'officiers : « Il les forçait à lui servir d'oreillers. » Dans ses voyages, il dormait après son dîner sur le pont d'un vaisseau, le plancher d'une cabane : « Le denchtchik était alors obligé de se coucher le premier, de prêter à son maître, pour oreiller, son ventre ou son estomac, de rester sans

1. *Lettres de Madame, duchesse d'Orléans,* 14 mai 1722.
2. Cf. Albert Gagnière, *la Reine Marie-Caroline de Naples, d'après des documents nouveaux,* Paris, Ollendorff, 1886.

mouvement, de ne pas faire le moindre bruit, d'être responsable du besoin irrésistible de tousser ou d'éternuer; car le réveil du czar était terrible quand il n'était pas spontané [1]. » Minski, dans son palais, se sert des femmes pour un usage analogue :

« Mais le local et les accessoires de la pièce où nous entrâmes méritent quelques descriptions.

— Les meubles que vous voyez ici, nous dit notre hôte, sont vivants; tous vont marcher au moindre signe.

Minski fait ce signe, et la table s'avance; elle était dans un coin de la salle, elle vient se placer au milieu; cinq fauteuils se rangent également autour; deux lustres descendent du plafond, et planent au milieu de la table.

— Cette mécanique est simple, dit le géant, en nous faisant observer de près la composition de ces meubles. Vous voyez que cette table, ces lustres, ces fauteuils, ne sont composés que de groupes de filles artistement arrangés; mes plats vont se placer tout chauds sur les reins de ces créatures; mes bougies sont enfoncées dans leurs cons; et mon derrière, ainsi que les vôtres, en se nichant dans ces fauteuils, vont être appuyés sur les doux visages ou les blancs tétons de ces demoiselles; c'est pour cela que je vous prie, mesdames, et vous messieurs, de vous déculotter, afin que, d'après les paroles de l'écriture, *la chair puisse se reposer sur la chair.*

— Minski, observai-je à notre Moscovite, le rôle de ces filles est fatigant, surtout si vous êtes longtemps à table.

— Le pis-aller, dit Minski, est qu'il en crève quelques-unes, et ces pertes sont trop faciles à réparer pour que je puisse m'en occuper un instant [2]. »

Entre les *hommes-oreillers* de Pierre le Grand et les *femmes-meubles* de Minski, la différence est à l'avantage du romancier qui pousse l'arbitraire jusqu'au fantastique. Du reste, Pierre Ier n'est qu'un vulgaire despote usant d'une prérogative institutionnelle; Minski a l'horrible grandeur du libertin s'accordant tous les droits de sa propre autorité.

Les principaux exécutants de la Terreur ont également fourni des modèles à Sade. Sa réaction aux massacres du 3 septembre 1792, quand il est secrétaire de la section des Piques, est pleine de sensibilité :

---

1. Pierre-Charles Lévesque, *Histoire de Russie,* Paris, de Bure l'aîné, 1782, t. V, p. 150.
2. *Juliette.*

« Dix mille prisonniers ont péri dans la journée du 3 septembre. Rien n'égale l'horreur des massacres qui se sont commis [1]. » Devenu juge, puis président de cette section, c'est sa modération, son refus d'autoriser des sanctions inhumaines qui le rendent suspect aux forcenés qui l'entourent, le font arrêter le 8 décembre 1793. A la prison de Picpus, il voit enterrer dans le jardin, qui est le cimetière des guillotinés, mille huit cents victimes en trente-cinq jours; lui-même n'est sauvé de l'échafaud que par la chute de Robespierre. Tout cela alimente ses observations sur la férocité naturelle de l'homme. Si l'Ancien Régime comptait des scélérats comme le comte de Charolais, le système révolutionnaire connaît des monstres comme Jean-Baptiste Carrier, l'inventeur des « déportations verticales » (noyades massives de population à Nantes) et peut-être des « mariages républicains » (consistant à mettre nus un jeune homme et une jeune fille, à les attacher ensemble et à les jeter ainsi dans la Loire). Carrier, les soirs de grandes exécutions, se livrait à des orgies avec ses acolytes et les filles que rassemblait pour lui sa maîtresse, la Caron. Sade n'a pas suivi le procès Carrier, mais il a certainement lu le pamphlet de Gracchus Babeuf, *On veut sauver Carrier,* où celui-ci dénombre ses crimes, d'après les dépositions des témoins : « Fallait-il que Carrier couchât avec 3 belles femmes et les fît noyer ensuite? Fallait-il noyer ou fusiller encore 500 enfants dont le plus âgé n'avait pas 14 ans et que Carrier appelait des " vipères qu'il fallait étouffer "? Fallait-il noyer 30 à 40 femmes enceintes de 8 mois et 8 mois et demi et offrir aux yeux effrayés des cadavres d'enfants encore palpitants et *jettés* dans des baquets remplis d'excréments? Fallait-il, après une fusillade de femmes, faire un tas de leurs cadavres et par une plaisanterie révoltante appeler cela une montagne? Fallait-il arracher le fruit à des femmes prêtes d'accoucher, le porter au bout d'une longue bayonnette et le jeter ensuite à l'eau [2]? » Carrier aurait dit aux soldats de la compagnie Marat que chacun d'eux « devait se rendre capable de boire un verre

1. Lettre à Gaufridy, le 6 septembre 1792.
2. Maurice de Fleury, dans *les Grands Terroristes : Carrier à Nantes* (Paris, Plon, 1897), essaie de faire la clarté sur les véritables responsabilités de Carrier. Il met en doute les « mariages républicains », qui n'ont jamais été prouvés, mais il consacre un chapitre aux orgies suivant les massacres. Il rapporte aussi les crimes de ses hommes, comme le batelier Perdreau qui précipita à l'eau de sept cents à huit cents personnes en une séance, frappant sur la tête ceux qui ne se noyaient pas assez vite : « Nous avons de grands bâtons avec lesquels nous les assommons » (p. 149). On voit que Sade était justifié de penser du mal des hommes, qu'ils appartiennent à une classe ou à une autre.

de sang ». et à une société populaire, à Nantes, « qu'il fallait jouer à la boule avec la tête de tous les Nantais ». Il y a une analogie saisissante entre Belmor, héros sadien qui développe le projet de tuer tous les prêtres de France, et Carrier qui, après avoir fait noyer quatre-vingt-dix prêtres à Nantes, déclara : « Jamais je n'ai tant ri, ni éprouvé plus de plaisir qu'en leur voyant faire leur grimace pour mourir![1] »

Quel est le rapport *exact* de Sade avec les personnages qu'il a inventés? Tel est le point qu'il convient d'élucider pour apprécier son système. Ceux qui l'ont condamné ont pensé qu'il s'identifiait à eux et les proposait en exemples admirables. Ses apologistes, au contraire, l'ont cru entièrement objectif. Ce qui est certain, c'est que ses héros lui furent *nécessaires*. Les romans qu'il écrit ont moins l'ambition littéraire pour mobile qu'un double but pratique immédiat : calmer l'échauffement de ses sens et le venger de ses persécuteurs. Plusieurs intentions — et non pas une seule — se sont confondues vraisemblablement pour donner naissance à son œuvre.

D'abord, les tortionnaires qu'il représente sont des portraits exaltés de ses juges. Il écrit à son amie d'enfance, Mlle de Rousset : « De quel front ceux qui sont à la tête de ce gouvernement oseraient-ils punir des vices, oseraient-ils exiger des vertus, quand ils donnent eux-mêmes l'exemple de toutes les dépravations? » Et à sa femme : « Oui, je suis libertin, je l'avoue; j'ai conçu tout ce qu'on peut concevoir dans ce genre-là, mais je n'ai sûrement pas fait tout ce que j'ai conçu et ne le ferai sûrement jamais. Je suis un libertin, mais je ne suis pas un *criminel* ni un *meurtrier,* et puisqu'on me force à placer mon apologie à côté de ma justification, je dirai qu'il serait peut-être possible que ceux qui me condamnent aussi injustement que je le suis ne fussent pas à même de contrebalancer leurs infamies par des bonnes actions aussi avérées que celles que je peux opposer à mes erreurs. » Il veut montrer ses ennemis dépravés et cruels avec impunité, s'acharnant par mauvais plaisir sur des innocents. Sont-ils bien fondés à lui reprocher ses actes, ces traîtres qui sont capables de pires vilenies? Ainsi, dans *Justine* (dont la première version date de l'époque où il souffre des yeux et où il se plaint le plus des vexations de ses geôliers), l'héroïne vertueuse est violée, molestée, avilie, emprisonnée sur de fausses accusations, enfin brimée par la société entière. Dans le récit allégorique des *120 Journées de Sodome,* il montre la Noblesse, le Clergé, la Justice et la Bourgeoisie (incarnés par le duc de Blangis, l'évêque de X..., le président Curval et le financier Durcet) alliés crapuleusement pour supplicier, dans le

1. Maurice de Fleury, *op. cit.,* p. 455.

château de Silling, un lot d'innocentes créatures arrachées à leur famille par rapt ou corruption. Qui pourrait nier que le portrait du président de Curval, par exemple, soit méprisant et accusateur : « Le président de Curval était le doyen de la société, âgé de près de 60 ans, et singulièrement usé par la débauche, il n'offrait presque plus qu'un squelette, il était grand, sec, mince, des yeux éteints, une bouche livide et malsaine, le menton élevé, le nez long. Couvert de poil comme un satyre, un dos plat, des fesses molles et tombantes, qui ressemblaient plutôt à deux sales torchons flottant sur le haut de ses cuisses, la peau en était tellement flétrie à force de coups de fouet qu'on la tortillait autour des doigts sans qu'il le sentît... » Considéré sous ce point de vue, Sade est un rude combattant ; il arrache brutalement à la méchanceté humaine son masque de faux-semblants. Quand Roland, dans *Justine*, ricane : « Je me sers de la femme comme d'un pot de chambre », ou quand Curval avoue : « J'ai cent fois donné ma voix quand j'étais au Parlement pour faire pendre des malheureux que je savais bien être innocents et je ne me suis jamais livré à cette petite injustice-là sans éprouver au-dedans de moi-même un chatouillement voluptueux », on voit bien que Sade met à nu devant nous l'inconscient d'individus trop réels.

Ensuite, il veut prouver que ce qu'il a fait n'est rien en rapport de ce qu'il aurait pu faire. Il composera ses romans, où il nous donne le spectacle d'une grande imagination vicieuse en pleine effervescence, pour démontrer qu'il est capable d'inventer des choses plus terribles que celles qu'on lui reproche. On trouvera en filigrane dans son œuvre ce raisonnement : « Au lieu de m'accuser de quelques écarts de conduite, vous devriez me louer de ce que, capable de concevoir l'extraordinaire, je ne m'en suis toujours tenu dans ma vie qu'à de petites complications perverses. »

Enfin, ses héros criminels sont ses justiciers : ils le défendent de la perfidie des gens vertueux qui lui font du mal sous prétexte de son bien, non seulement en les torturant, mais en anéantissant par la dialectique tous les arguments de la vertu. Sa méthode théorique est la réfutation : il ne songe pas tant à développer une vraie éthique qu'à établir consciencieusement l'envers du christianisme. Sa morale consiste à dire *noir* partout où la morale officielle dit *blanc*. Est-il une chose interdite par celle-ci, ses héros en prennent la défense ; une valeur qu'elle prône, ils crachent dessus. Souvent l'enfant, comme l'a indiqué Melanie Klein, lutte contre le monde extérieur en inventant des animaux féroces imaginaires, supposés à son service, et qui sont ses propres projections corporelles, ayant charge de le défendre. Le duc de

Blangis, Saint-Fond, Dolmancé, Clairwil, Noirceuil, ce sont pour Sade ses tigres de garde. Son œuvre joue, sur tous les plans, la tragédie du vengeur.

Ainsi, par la force des choses, l'attitude de Sade envers ses personnages fut ambivalente; il les admirait autant qu'il les mettait en accusation, et c'est en tenant compte de cette ambivalence qu'on peut évaluer sa philosophie de solitaire hautain et désespéré. Cette philosophie n'est pas à proprement parler une théorie du libertinage, mais un surhumanisme de la vie sexuelle; il ne s'est jamais soucié de décrire le désir dans ses aspects flatteurs et praticables. Il fait valoir, comme dans un mythe solaire, des actions surnaturelles, qui sont l'amplification de tentations réelles, laissées heureusement embryonnaires dans la réalité, faute d'énergie et de moyens. Ses héros organisent tous leurs actes en vue de la jouissance, en vue de la rendre la plus forte et la plus singulière possible; ils n'ont en tête que leur sexe, avec tant de lucide créance qu'ils en usent comme du prodigieux levier qu'Archimède ne sut pressentir. L'amour étant considéré par eux comme une convention nuisible, ils ne perdent pas une occasion de l'attaquer avec rage, mais cette violence s'accomplit à l'encontre de cette plate morale de viveurs, compromis de bonhomie cynique, de blasement réel ou affecté et de scepticisme anodin, elle est pour sa part emportée et d'une implacabilité déchirante. Rien de plus imprécatoire que le discours de Belmor, à la tribune de la Société des amis du crime, sur la nécessité de ne pas aimer. C'est cette négation forcenée de l'amour, issue d'une exigence exaspérée, qui est à la base de tous les excès étudiés dans ses romans.

Cependant, on trouve grossis sous une formidable loupe, dans ce surhumanisme, les traits caractéristiques de l'amour pervers. Voici le signalement du libertin parfait, tel que le définit Sade :

1. Il est « athée jusqu'au fanatisme », c'est-à-dire que non seulement il ne croit à rien, mais encore il se plaît à bafouer toutes les croyances religieuses, en allant jusqu'au blasphème et au sacrilège. Sans parler des bordées de jurons qu'il lâche à tout propos, son impiété se manifeste par toutes sortes de délits brutaux.

2. Il ne cherche pas le plaisir, mais la jouissance, c'est-à-dire un état de gloire de la sensibilité, où le plaisir s'allie à la douleur pour embraser l'être entier. Il n'est satisfait que par une commotion violente, d'abord celle qu'il fait éprouver à sa partenaire : « Je ne me soucie pas trop de voir les impressions du plaisir sur le visage d'une femme, elles sont si douteuses; je préfère celles de la douleur, on s'y trompe moins », dit Saint-Fond. Et corrélativement, celle qu'il éprouve lui-même, car le libertin de Sade se fait battre, meurtrir et dégrader avec

délectation par ses complices, en prétendant : « Celui qui veut connaître toute la force, toute la magie des plaisirs de la lubricité doit se bien convaincre que ce n'est qu'en recevant ou produisant sur le système nerveux le plus grand ébranlement possible, qu'il réussira à se procurer une ivresse telle qu'il la lui faut pour bien jouir [1]. »

3. Il est surexcité par les choses sales : la coprophagie, si excessive dans la mythologie de Sade — ses héros, on le sait, sont grands mangeurs d'excréments —, exprime symboliquement cette tendance. « Tu viens de faire des saletés, dit le duc à Curval qui rentra le premier. — Quelques-unes, dit le président, c'est le bonheur de la vie, et, pour moi, je n'estime la volupté qu'en ce qu'elle a de plus sale et de plus dégoûtant [2]. »

4. Il veut rester totalement lucide dans la débauche, conclut toujours ses orgies par des entretiens philosophiques avec les participants et n'a que mépris pour les êtres qui ne savent pas raisonner sur leurs passions. Ainsi la Delbène, dans *Juliette,* disant à la compagnie : « Vous m'avez fait mourir de volupté, asseyons-nous et dissertons. Ce n'est pas tout que d'éprouver des sensations, il faut encore les analyser. Il est quelquefois aussi doux d'en savoir parler que d'en jouir et, quand on ne peut plus celui-ci, il est divin de se rejeter sur l'autre. »

5. Les femmes qui l'attirent ne sont pas nécessairement belles et complaisantes ; au contraire, il désire plus volontiers des créatures laides et malpropres, et il éprouve une jubilation profonde à abuser d'une femme qui le hait : « Par un effet encore très bizarre du libertinage, il arrive souvent qu'une femme qui a nos défauts nous plaît bien moins dans nos plaisirs qu'une qui n'a que des vertus, l'une nous ressemble, nous ne la scandalisons pas, l'autre s'effraye, et voilà un attrait bien certain de plus [3]. »

6. Il pratique avec la même conviction toutes les perversions, par curiosité et par principe, car il estime que tous les procédés de jouissance sont licites, que rien n'est contre nature, et qu'il est entièrement arbitraire de ressentir en ce domaine honte ou dégoût. Les « historiennes » des *120 Journées* décrivent à leurs maîtres six cents anomalies sexuelles, du genre de celles qu'on appelait, dans les maisons closes de l'époque, « les petites cérémonies » ; et sans cesse les quatre débauchés interrompent le récit pour essayer les écarts qu'on vient de leur dépeindre. Il faut d'ailleurs distinguer, dans cette collection de manies et de névroses, celles qui relèvent d'une information vraie et

1. *Juliette.*
2. *Les 120 Journées de Sodome.*
3. *Ibid.*

constituent le premier essai de sexologie pathologique : l'homme qui se fait enfermer dans un cercueil par une prostituée, celui qui désire qu'une fille fasse la morte sur un lit de satin noir, celui qui veut manger une omelette sur le corps d'une femme nue attachée à une table, etc. Les autres anecdotes, formant un crescendo démentiel, sont des inventions, des surenchères d'horreur.

7. Il a le goût de la provocation, du scandale, ne cesse de braver les lois et ne recule devant aucun crime, en prétextant que les collectivités, avec leurs guerres, leurs révolutions, leur inquisition d'État, font plus de victimes que les particuliers, sous des motifs moins justifiables.

8. Il a l'obsession de tenter l'impossible dans le vice, s'exalte à évoquer des envies extraordinaires, des prouesses irréalisables : « Combien de fois, sacredieu, n'ai-je pas désiré qu'on pût attaquer le soleil, en priver l'univers, ou s'en servir pour embraser le monde; ce serait des crimes cela », vocifère le président de Curval.

Naturellement, un tel être, qui considère sa partenaire d'un instant comme son esclave, ne s'abaisse pas à préférer une femme à une autre. Celles qu'il condescend à prendre pour alliées doivent l'égaler en luxure, en cynisme, en véhémence, en férocité. Dans *Juliette* Sade a défini en son héroïne et ses amies successives — la Delbène, Clairwil, Olympe Borghèse, la sorcière Durand, la reine Caroline — tous les défauts — c'est-à-dire les qualités — qu'une femme devait avoir pour être une libertine, à la hauteur de ses personnages masculins. En plus des différents traits précités, qui valent aussi pour elle, sa libertine a une passion effrénée pour les femmes, et éprouve le besoin de tuer l'homme avec qui elle vient de s'accoupler. Conséquemment, elle n'a pas d'amant en titre, préférant des complices occasionnels. Elle a une telle horreur des enfants que, non contente de se faire avorter, elle vilipende tous les aspects de la maternité. Mme de Saint-Ange dit à Eugénie : « Ne crains point l'infanticide; ce crime est imaginaire; nous sommes toujours les maîtresses de ce que nous portons dans notre sein, et nous ne faisons pas plus de mal à détruire cette espèce de matière qu'à purger l'autre, par des médicaments, quand nous en éprouvons le besoin [1]. »

Juliette, élevée au couvent de Panthémont, est prise en main par la supérieure, Mme Delbène, qui a trente ans. Elle commence par la faire déshabiller devant elle : « La pudeur est une chimère; unique résultat des mœurs et de l'éducation, c'est ce qu'on appelle un mode d'habitude; la nature ayant créé l'homme et la femme nus, il est

---

1. *La Philosophie dans le boudoir.*

impossible qu'elle leur ait donné en même temps de la honte ou de
l'aversion pour paraître tels. » La Delbène, avec « une physionomie
douce et céleste, blonde, de grands yeux bleus pleins du plus tendre
intérêt, et la taille des Grâces », est aussi savante que jolie, « ayant lu
tous les philosophes, ayant prodigieusement réfléchi ». Après quelques
travaux pratiques, elle lui explique le premier article de sa morale :
braver l'opinion publique. « Tu n'imagines pas à quel point, ma chère,
je me moque de tout ce qu'on peut dire de moi. » Elle analyse la
conscience, « cette espèce de voix intérieure qui s'élève en nous à
l'infraction d'une chose défendue, de quelque nature qu'elle puisse
être ». On peut se former, avec des principes adéquats, un sens intime
qui proteste contre les occasions perdues de mal faire : « De là naît
cette autre sorte de conscience qui, dans un homme au-dessus de tous
les préjugés, s'élève contre lui quand par des démarches fausses il a
pris, pour arriver au bonheur, une route contraire à celle qui devait
naturellement l'y conduire. » Elle lui apprend à étouffer les remords,
les regrets, afin que son âme « se trouve imperceptiblement accoutu-
mée à se faire des vices de toutes les vertus humaines et des vertus de
tous les crimes ». Dans un vaste discours sur Dieu, l'âme, l'au-delà, elle
réfute toutes les objections que la religion oppose au péché. Aux filles
qu'elle a rassemblées pour une orgie, elle expose des arguments contre
la virginité, la procréation, la fidélité, et « toute la théorie de
l'adultère » qui leur permettra de tromper impunément leur mari. Pour
couronnement de son enseignement, elle fait un éloge de l'infamie.
Quand Juliette, s'étonnant de sa dureté, lui demande : « Si tu étais
malheureuse, Delbène, ne serais-tu pas bien aise qu'on te soulageât ? »,
elle répond qu'elle saurait elle-même souffrir sans se plaindre et sans
implorer aucun secours : « Qui sait s'endurcir aux maux d'autrui
devient bientôt impassible aux siens propres, et il est bien plus
nécessaire de savoir souffrir soi-même avec courage, que de s'accoutumer à pleurer sur les autres. » Voilà aussi pourquoi Sade écrit des
romans terribles : pour s'aguerrir à ses souffrances en s'habituant à
considérer des souffrances plus atroces. C'est une sorte de *mithridatisa-
tion par l'imaginaire :* « Nous ne sommes jamais victimes que de deux
choses, ou des malheurs d'autrui, ou des nôtres ; commençons par nous
endurcir aux premiers, les seconds ne nous toucheront plus, et rien, de
ce moment, n'aura le droit de troubler notre tranquillité. »

Mme de Clairwil, deuxième initiatrice de Juliette, est celle dont le
portrait est le plus significatif. Sade la peint comme une femme de
trente ans (âge parfait de la libertine), élancée, brune, d'allure
satanique : « Ses yeux grands, très noirs, en imposaient plus qu'ils ne

plaisaient et, en général, l'ensemble de cette femme était plus majestueux qu'agréable. » Nul ne surpasse son intelligence et sa culture : elle a tout approfondi, « sachant parfaitement l'anglais et l'italien, jouant la comédie comme un ange, dansant comme Terpsichore, chimiste, physicienne, faisant de jolis vers, possédant bien l'histoire, le dessin, la musique, la géographie, écrivant comme Sévigné ». Elle a mis sa puissante personnalité au service du mal : « Il n'est aucune horreur, aucune exécration dont elle ne soit souillée; son crédit et ses grandes richesses l'ont toujours sauvée de l'échafaud, mais elle l'a mérité vingt fois. » Elle a un système d'immoralité fondé sur l'*apathie,* consistant à inculquer de bonne heure aux êtres les moyens de tout faire et tout supporter sans aucune émotion : « Mon âme est impassible, disait-elle; je défie aucun sentiment de l'atteindre, excepté celui du plaisir. Je suis maîtresse des affections de cette âme, de ses désirs, de ses mouvements; chez moi tout est aux ordres de ma tête... » La Clairwil, d'une méchanceté froide qui s'exalte sous l'effet de la volupté, enseigne à Juliette la flagellation active et passive : elle fustige quatre filles devant elle, la fouette à son tour, et se fait appliquer deux cents coups de verges sur le derrière. Son orgasme éclate en cris, en convulsions et en blasphèmes : « Je n'ai jamais rien vu de si beau, de si animé que cette superbe femme quand elle sortit de cette scène; si l'on eût voulu peindre la déesse même de la lubricité, il eût été impossible de chercher d'autre modèle. » La Clairwil pousse Juliette à des forfaits désintéressés et grandioses : « J'exige d'elle de faire le mal... non pas pour s'exciter à la luxure, comme je crois qu'elle le fait, mais pour le seul plaisir de le commettre [...]. Elle n'aura plus besoin de se branler pour commettre un crime; mais en commettant ce crime, elle désirera de se branler. »

Formée par de telles éducatrices, conseillée par Saint-Fond et Noirceuil, Juliette deviendra la suprême fleur carnivore de cette jungle. Elle s'engage à seize ans dans le bordel de la Duvergier, ne perd jamais une occasion de voler de l'argent ou des bijoux autour d'elle; une fois riche, elle a tout un personnel domestique fournissant à ses plaisirs. Tribade, voyeuse, incestueuse, homicide, calomniatrice, voleuse, flagellante, incendiaire, entremetteuse, elle est le réceptacle harmonieux de tous les vices. Elle dit : « J'aime à présent le mal pour lui-même; ce n'est que dans son sein que mes plaisirs s'allument, et nulle volupté n'existerait pour moi si le crime ne l'assaisonnait. » Noirceuil la présente triomphalement à Belmor, président de la Société des amis du crime : « C'est le cul le plus blanc... et l'âme la plus noire... Oh! elle est bien digne de nous! »

L'idéal de l'héroïne sadienne est la putain transcendante. La putain ordinaire est une esclave, soumise par intérêt et veulerie aux caprices lubriques des hommes. La putain transcendante est supérieure à ce qu'elle fait ; elle se plie par jeu à l'esclavage sexuel, reste capable d'en sortir pour redevenir dominatrice, son exaltation calmée. « Que le nom de putain ne vous effraye pas, bien dupe est celle qui s'en effarouche. Une putain est une créature aimable, jeune, voluptueuse, qui, sacrifiant sa réputation au bonheur des autres, rien que par cela seul mérite des éloges », conseille la Delbène à ses amies, et elle ajoute même : « J'en suis, je vous l'avoue, à désirer le sort de ces divines créatures qui satisfont au coin des rues les sales lubricités du premier passant ; elles croupissent dans l'avilissement et l'ordure ; le déshonneur est leur lot, elles ne sentent plus rien... Quel bonheur ! Et pourquoi ne travaillerions-nous pas à nous rendre toutes ainsi ? L'être le plus heureux de la terre n'est-il pas celui dans lequel les passions ont endurci le cœur..., l'ont amené au point de n'être plus sensible qu'au plaisir ? Et quel besoin a-t-il d'être ouvert à d'autre sensation que celle-là ? » Olympe Borghèse déclare de son côté : « La plus sainte des lois de mon cœur est le putanisme », et forme le vœu de se prostituer, mais non pour gagner de l'argent : « Je veux qu'on me fasse voir à des libertins bien difficiles ; je veux être obligée d'employer mille ressources pour les ranimer ; je veux être leur victime ; qu'ils fassent de moi tout ce qu'ils voudront... je souffrirai tout... même des tourments. » Il n'est pas jusqu'aux hommes qui ne voient dans la putain transcendante un modèle à imiter : ainsi le comte de Bressac, jeune sodomite, s'écrie : « Qu'il est délicieux d'être le catin de tous ceux qui veulent de vous et, portant sur ce point au dernier épisode le délire et la prostitution, d'être successivement dans le même jour la maîtresse d'un crocheteur, d'un marquis, d'un valet, d'un moine, d'en être tour à tour chéri, caressé, jalousé, menacé, battu, tantôt dans leurs bras victorieux, et tantôt victime à leurs pieds, les attendrissant par des caresses, les ranimant par des excès [1]. »

Pour montrer que les libertines, ces putains transcendantes, s'élèvent au-dessus du putanisme vulgaire, Sade utilise pleinement la démesure. Il leur fait accomplir des exploits impossibles. Les débauches de Clairwil et de Juliette sont absolument irréalisables, compte tenu de l'anatomie et de la physiologie féminines. Dans le couvent de Claude, avec soixante-quatre moines et dix novices, elles font deux cent

---

1. *Justine ou les Malheurs de la vertu*, dans *Œuvres complètes du marquis de Sade*, t. III.

cinquante-six fois l'amour de suite, en une nuit ; et le lendemain matin, elles courent encore « plus de trois cents postes, soit d'un côté, soit de l'autre ». Juliette, après avoir incendié la maison d'une famille de miséreux, en ressent un tel éréthisme qu'elle se porte aux dernières extrémités ; elle en fait deux ou trois fois plus que la nymphomane la plus endurcie n'en pourrait supporter :

« ... Je fus me jeter nue sur le sopha d'un de mes boudoirs, et j'ordonnai à Elvire de m'amener tous mes hommes, en leur recommandant de faire de moi tout ce qu'ils voudraient, pourvu qu'ils m'invectivassent et me traitassent comme une putain. Je fus maniée, pelotée, battue, souffletée ; mon con, mon cul, mon sein, ma bouche, tout servit ; je désirais d'avoir vingt autels de plus à présenter à leur offrande. Quelques-uns amenèrent des camarades que je ne connaissais pas, je ne refusai rien, je me rendis la coquine de tous, et je perdis des torrents de foutre au milieu de toutes ces luxures. Un de ces grossiers libertins... je leur avais tout permis... s'avise de dire que ce n'était pas sur des canapés qu'il voulait me foutre, mais dans la fange... Je me laisse traîner par lui sur un tas de fumier et, me prostituant là comme une truie, je l'excite à m'humilier davantage. Le vilain le fait et ne me quitte qu'après m'avoir chié sur le visage... Et j'étais heureuse ; plus je me vautrais dans l'ordure et dans l'infamie, plus ma tête s'embrasait de luxure et plus augmentait mon délire [1]... »

Les directives de ce surhumanisme sexuel, les libertins sadiens ne les gardent pas pour eux ; ils les communiquent à des élus. Comme leurs congénères de l'époque, ils se délectent à « faire une éducation » [2]. Quand Mme de Saint-Ange dit à son frère le chevalier, qu'elle a convoqué pour qu'il l'aide à initier au libertinage Eugénie : « Il s'agit d'une éducation », il la comprend à demi-mot : « Ah! friponne, comme tu vas jouir du plaisir d'éduquer cette enfant ! Quelles délices pour toi de la corrompre, d'étouffer dans ce jeune cœur toutes les semences de vertu et de religion qu'y placèrent ses institutrices ! [3] » Ils cherchent à se

1. *Juliette.*
2. Voici comment se conduisait un contemporain de Sade : « M. de Villemur, receveur-général des finances, qui aime les femmes comme les chiens, a une meute et un sérail. Son plaisir est de faire des élèves qu'il forme et qu'il place ; c'est lui qui paie les maîtres de la petite *Durieux,* de la petite *Dupin,* de la petite *Tourville ;* et tous les matins, il va voir ses enfants : on dit qu'il les *gâte.* Quand il donne à dîner, il les sert à ses convives » (Pierre Manuel, *op. cit.,* t. II).
3. *La Philosophie dans le boudoir.*

prouver leur force morale dans cette entreprise : « Il n'est point, pour un esprit libertin, de plaisir plus vif que celui de faire des prosélytes. On jouit des principes qu'on inculque, mille sentiments divers sont flattés en voyant les autres se gangrener à la corruption qui nous mine. Ah! comme on chérit cette influence obtenue sur leurs âmes, unique ouvrage de nos conseils et de nos séductions [1]. » Leur intention n'est pas de remplacer une doctrine fausse par une meilleure, mais de briser les entraves et les freins, de déchaîner autour d'eux les créatures. Le comte de Lernos pervertit par procuration les jeunes filles et les femmes mariées : « Il n'y a sorte de moyens qu'il n'invente pour les livrer à des hommes; ou il favorise leurs penchants en les unissant à l'objet de leurs vœux, ou il leur trouve des amants si elles n'en ont pas [2]. » Le sinistre Belmor, qui veut pratiquer « le meurtre moral, auquel on parvient par conseil, par écrit ou par action », calcule qu'en corrompant trois cents enfants par an il en aura corrompu neuf mille au bout de trente ans; et que si chaque enfant plus tard entreprend autant d'éducations, il peut y avoir sur deux générations neuf millions d'êtres corrompus.

Comme le cadre social n'est pas proportionné aux surhommes et aux surfemmes du libertinage, ils tendent tous à constituer la République des libertins. Si l'on pose en principe que l'amour est supprimé des rapports humains, que les individus n'ont plus de sentiments, mais seulement des désirs, quel est le type de société qui conviendrait à cet état, comment les mœurs devraient-elles désormais être réglementées? C'est sur quoi discutent fréquemment les héros de Sade, et il faut avouer que ce genre d'utopie n'est pas la partie la moins expressive de son œuvre.

La base d'une telle République, déclarent-ils, est le *despotisme de luxure,* parce que tout être en quête de jouissance est un tyran qui a envie de dominer : « Que désire-t-on quand on jouit? Que tout ce qui nous entoure ne s'occupe que de nous, ne pense qu'à nous, ne soigne que nous. Si les objets qui nous servent jouissent, les voilà dès lors bien plus sûrement occupés d'eux que de nous, et notre jouissance conséquemment dérangée. Il n'est point d'homme qui ne veuille être despote quand il bande : il semble qu'il a moins de plaisir si les autres paraissent en prendre autant que lui [3]. » Il faut ménager dans la société des institutions qui permettent aux individus d'être despotes à leur

---

1. *Juliette.*
2. *Les 120 Journées de Sodome.*
3. *La Philosophie dans le boudoir.*

guise, sinon on en fait des factieux : « Toutes les fois que vous ne donnerez pas à l'homme le moyen secret d'exhaler la dose de despotisme que la nature mit au fond de son cœur, il se rejettera pour l'exercer sur les objets qui l'entourent, il troublera le gouvernement [1]. » Ce despotisme n'est pas identifiable au despotisme politique, qui prétend soumettre tout un peuple à une doctrine rigide de l'État. Le despote sexuel veut régner temporairement sur ses victimes et consent, à titre de réciprocité, à être une victime pour un autre despote : « Nous espérons que nos lecteurs éclairés nous entendront et ne confondront point l'absurde despotisme politique avec le très luxurieux despotisme des passions de libertinage [2]. » *Le bon plaisir d'un seul a force de loi :* c'est là une règle dont Sade ne se départit jamais, et qu'il oppose au critère du plus grand nombre, qui soumet l'individu à l'intérêt général.

Les citoyens de cette République ont une philosophie proclamant le dogme de l'infaillibilité de la nature. « Rien n'est affreux en libertinage, parce que tout ce que le libertinage inspire l'est également par la nature [3] », disent-ils. La nature fait bien tout ce qu'elle fait, et annonce par des signes ce qu'elle souhaite pour l'homme. Avec un tel raisonnement, un sodomite prouvera que son goût est naturel, puisque l'orifice anal est un trou arrondi, s'adaptant mieux au membre viril que la fente vulvaire : « Quel être assez ennemi du bon sens peut imaginer qu'un trou ovale puisse avoir été créé par la nature pour des membres ronds! [4] » Permettant les tremblements de terre comme les moissons, c'est la nature qui fomente les injustices, les passions, les vices, les destructions dont elle a besoin : « Un univers totalement vertueux ne saurait subsister une minute; la main savante de la nature fait renaître l'ordre du désordre, et sans désordre elle ne parviendrait à rien : tel est l'équilibre profond qui maintient le cours des astres, qui les suspend dans les plaines de l'espace, qui les fait périodiquement mouvoir. Ce n'est qu'à force de mal qu'elle réussit à faire le bien; ce n'est qu'à force de crimes qu'elle existe, et tout serait détruit, si la vertu seule habitait sur la terre [5]. »

En invoquant ce grand principe analogue au Tao, on pulvérisera tous les préjugés que la civilisation impose à la sexualité. La chasteté? « Osons arracher le voile; le besoin de foutre n'est pas d'une moins haute importance que celui de boire et de manger, et l'on doit se permettre l'usage de l'un et de l'autre avec aussi peu de contrainte.

---

1. *La Philosophie dans le boudoir.*
2. *Ibid.* — 3. *Ibid.* — 4. *Ibid.*
5. *Juliette.*

L'origine de la pudeur ne fut, soyons-en bien sûrs, qu'un raffinement luxurieux; on était bien aise de désirer plus longtemps pour s'exciter davantage, et des sots prirent ensuite pour une vertu ce qui n'était qu'une recherche du libertinage. Il est aussi ridicule de dire que la chasteté est une vertu qu'il le serait de prétendre que c'en est une de se priver de nourriture [1]. » La procréation? « C'est à tort que l'on suppose que la propagation est une des lois de la nature, notre seul orgueil nous a fait imaginer cette sottise. La nature permet la propagation, mais il faut bien se garder de prendre sa tolérance pour un ordre. Elle n'a pas le plus petit besoin de la propagation; et la destruction totale de la race, qui deviendrait le plus grand malheur du refus de la propagation, l'affligerait si peu qu'elle n'en interromprait pas plus son cours que si l'espèce entière des lapins ou des lièvres venait à manquer sur notre globe [2]. » Les liens familiaux? « Que pouvons-nous devoir à notre père, pour s'être diverti à nous créer? Que pouvons-nous devoir à notre fils, parce qu'il nous a plu de perdre un peu de foutre au fond d'une matrice; à notre frère ou à notre sœur, parce qu'ils sont sortis du même sang? Anéantissons tous ces liens comme les autres, ils sont également méprisables [3]. »

En conséquence, dans la République des libertins, il existe un contrat sexuel permanent entre n'importe qui et la première venue : « Eh! quel mal fais-je, je vous prie, quelle offense commets-je, en disant à une belle créature, quand je la rencontre : — Prêtez-moi la partie de votre corps qui peut me satisfaire un instant, et jouissez, si cela vous plaît, de celle du mien qui peut vous être agréable? — En quoi cette créature quelconque est-elle lésée de ma proposition? En quoi le sera-t-elle en acceptant la mienne? [4] » Au contraire, créons un État où des inconnus dans la rue se tiendront librement ce langage; favorisons l'humanité par les lois que préconise Saint-Fond, régissant d'abord la mode : « J'établis des costumes d'homme et de femme qui laissent presque totalement à découvert toutes les parties de la lubricité et les fesses surtout. » Il y aura de grandes fêtes libertines et des prix seront donnés à tous ceux qui se seront distingués dans le vice. Enfin, l'enseignement scolaire sera spécialisé :

« Les principes de la simple nature remplaceront ceux de la morale et de la religion dans les écoles publiques; tout enfant de quinze ans de l'un ou l'autre sexe qui ne pourra trouver un amant sera flétri, déshonoré dans l'opinion publique et déclaré incapable, si c'est une fille d'être jamais mariée, et si c'est un garçon d'occuper aucune place;

1. *Juliette.* — 2. *Ibid.* — 3. *Ibid.* — 4. *Ibid.*

à défaut d'un amant, la jeune personne de l'un ou l'autre sexe sera du moins obligée de fournir un certificat qui prouve qu'elle s'est prostituée et qu'elle ne possède plus ses prémices [1]. »

Cette République contiendra naturellement de nombreuses maisons de prostitution — à proportion d'une pour mille habitants —, pourvues des commodités les plus raffinées. La démocratie libertine abolit le mariage — que Sade admet dans l'immédiat comme une façon d'accroître son rang mondain — et proclame le communisme des sexes; chaque femme appartiendra à tous les hommes, chaque homme à toutes les femmes. Les enfants qui naîtront de ces rapports anarchiques seront élevés à part, à la charge de l'État, et ne connaîtront pas leurs parents. Aucune liaison permanente ne sera tolérée entre deux êtres. La loi garantira le despotisme de luxure : un individu, quels que soient son âge, son sexe et sa condition, ne pourra refuser, sous peine de sanction, de satisfaire sur-le-champ les désirs d'un autre. Enfin, les femmes seront encouragées de toutes les manières à l'impudeur totale; on instituera des lupanars pour dames, où elles seront obéies dans leurs pires caprices :

« Il y aura donc des maisons destinées au libertinage des femmes, et, comme celles des hommes, sous la protection du gouvernement; là leur seront fournis tous les individus de l'un et l'autre sexe qu'elles pourront désirer, et plus elles fréquenteront ces maisons, plus elles seront estimées. Il n'y a rien de si barbare et de si ridicule que d'avoir attaché l'honneur et la vertu des femmes à la résistance qu'elles mettent à des désirs qu'elles ont reçus de la nature et qu'échauffent sans cesse ceux qui ont la barbarie de les blâmer. Dès l'âge le plus tendre, une fille dégagée des liens paternels, n'ayant plus rien à conserver pour l'hymen (absolument aboli par les sages lois que je désire), au-dessus du préjugé enchaînant autrefois son sexe, pourra donc se livrer à tout ce que lui dictera son tempérament dans les maisons établies à ce sujet; elle y sera reçue avec respect, satisfaite avec profusion, et, de retour dans la société, elle y pourra parler aussi publiquement des plaisirs qu'elle aura goûtés qu'elle le fait aujourd'hui d'un bal ou d'une promenade [2]. »

En attendant la fondation de la République des libertins, les couples mariés s'en procureront un avant-goût en adhérant à des clubs de débauche, plus ou moins clandestins, comme l'explique Clairwil à Juliette :

---

1. *La Philosophie dans le boudoir.* — 2. *Ibid.*

« Ô Juliette, comme ce n'est jamais qu'au dégoût, à l'impatience, au désespoir de n'avoir trouvé ni rapports ni convenances avec l'objet auquel l'usage nous lie, que sont dus tous les malheurs de l'hymen, il faudrait, pour y remédier, pour parer à l'affreuse contrainte qui lie éternellement deux objets qui ne se conviennent pas, il faudrait, dis-je, que tous les hommes formassent entre eux de pareils clubs. Là, cent maris, cent pères, en société avec leurs femmes ou leurs filles, se procurent tout ce qui leur manque. Je cède, en donnant mon époux à Climène, tous les attraits qui manquent au sien, et je retrouve dans celui qu'elle m'abandonne, tous les charmes que ne pouvait me procurer le mien... Ce sont, j'en conviens, quelques préjugés à combattre ; mais quand ces sociétés seraient, comme les nôtres, étayées par la philosophie, le préjugé disparaîtrait bientôt [1]... »

Les libertins ne peuvent pas toujours se maintenir en état de surexcitation érotique, ou garder leurs forces pour sa satisfaction perpétuelle. Aussi Sade attache-t-il une importance particulière au problème des excitants ; et pas seulement aux aphrodisiaques, dont le XVIIIᵉ siècle faisait tant de cas. Parfois, ses personnages sont frottés d'un baume destiné à réveiller leur vigueur défaillante ; et ils prennent par la bouche toutes sortes de confortatifs. Sade estime que le tempérament amoureux dépend surtout du régime alimentaire. L'idéal serait de manger de la chair humaine : « La meilleure de toutes les nourritures, sans doute, pour obtenir de l'abondance et de l'épaisseur dans la matière séminale [2]. » Les excréments sont aussi de prodigieux stimulants, et il les recommande fort : « Il n'est rien à quoi l'on s'accoutume aussi facilement qu'à respirer un étron ; en mange-t-on, c'est délicieux, c'est absolument la saveur piquante de l'olive. Il faut, j'en conviens, monter un peu son imagination ; mais quand elle l'est bien, je vous assure que cet épisode compose un acte de libertinage très sensuel [3]. » Tout le monde n'étant pas coprophage ou anthropophage, il décrit aussi des régimes plus accessibles. Clairwil « ne se nourrissait que de volailles et de gibier toujours désossés, et toujours apprêtés sous les formes les plus variées et les mieux déguisées [...]. Sa boisson ordinaire était de l'eau sucrée et à la glace dans toutes les saisons, dans laquelle il entrait, par pinte, vingt gouttes d'essence de citron et deux cuillerées d'eau de fleur d'oranger ; elle ne buvait jamais de vin, mais beaucoup de liqueur et de café [4] ». Le comte Gernande, dans *Justine*, fait un repas pantagruélique avant de libertiner avec sa femme et ses

1. *Juliette.*
2. *Ibid.* — 3. *Ibid.* — 4. *Ibid.*

bardaches, et les quatre hors-la-loi des *120 Journées de Sodome* mangent et boivent à l'excès. Sade a noté le menu d'un « dîner fort irritant », comportant un potage au bouillon de vingt-quatre petits moineaux, fait au riz et au safran, des truffes à la provençale, des œufs au jus, une tourte dont les boulettes sont de viande de pigeon hachée et garnie de culs d'artichauts, une compote à l'ambre, etc. [1].

Le décor a aussi une fonction excitante, qu'il ne faut pas négliger; le boudoir et le salon doivent, par leur ameublement, inviter aux ébats intimes et même les influencer. Sade préfère à tout le décor intimidant, créant l'angoisse par des détails macabres. Quand il fit venir à son château de La Coste la Du Plan, une danseuse de Marseille, il jouit d'elle dans une chambre ornée d'ossements humains. Il s'en expliqua à Gaufridy : « On en a fait la plaisanterie bonne ou mauvaise (je vous la livre) d'en décorer un cabinet; ils ont été employés authentiquement à cela et déposés dans ce jardin quand la plaisanterie ou plutôt la platitude a cessé [2]. » Les libertins de sa République évoluent dans des salles où les objets, les figurants travestis, concourent à l'ambiance de terreur panique attisant leurs désirs.

L'excitant suprême pour les citoyens de ce gouvernement libertin est la flagellation. J'ai déjà montré qu'une telle pratique était couramment usitée à Paris. Sous la Révolution, on traduisit d'ailleurs le traité *De l'utilité de la flagellation* que le médecin J. H. Meibomius avait écrit à Leyde et publié à Londres en 1665. Meibomius disait : « Il est des personnes qui ne peuvent goûter les plaisirs de l'amour si elles ne sont aiguillonnées par la fustigation. Cette cérémonie étrange les embrase des feux de la lubricité, jusques à les faire écumer, et fait dresser vers le ciel cette partie qui constitue la virilité, de manière que son oscillation suit le nombre et le son des coups appliqués, pour ainsi dire, en cadence [3]. » Après avoir rapporté maints cas d'hommes qui se faisaient fouetter avant le coït — comme Tamerlan ou le philosophe Peregrinus —, cité les avis d'auteurs latins et arabes, Meibomius concluait que la flagellation était « un remède aussi innocent que quantité d'autres employés tous les jours ». Il le conseillait aux époux « voulant savourer les voluptés d'une jouissance permise », et s'en trouvant empêchés par impuissance du mari : « Je ne le défends à personne, et ne leur envie pas ce plaisir. » Sade va plus loin que Meibomius et justifie avec une éloquence de feu cet expédient : « Le sentiment aigu de la douleur des

1. *Cahiers personnels*, dans *Œuvres complètes du marquis de Sade*, t. XV.
2. *Correspondance*, lettre du 20 avril 1775.
3. Johann Heinrich Meibomius, *De l'utilité de la flagellation en médecine et dans les plaisirs du mariage*, Paris, Mercier, 1795.

parties frappées subtilise et précipite le sang avec plus d'abondance, attire les esprits en fournissant aux parties de la génération une chaleur excessive, procure enfin à l'être libidineux qui cherche le plaisir le moyen de consommer l'acte de libertinage malgré la nature même [1]. »

La parole est également un excitant, que le libertin s'administre à toute occasion; le propos salace, le récit d'une prouesse luxurieuse lui font l'effet d'une flagellation verbale. « Il est reçu parmi les véritables libertins que les sensations communiquées par l'organe de l'ouïe sont celles qui flattent davantage et dont les impressions sont les plus vives [2]. » La lecture est aussi un moyen efficace de s'exalter, à condition que la littérature soit vraiment audacieuse. A propos de la bibliothèque du moine Claude, Sade fait des restrictions sur les livres érotiques. *L'Éducation de Laure,* attribuée à Mirabeau, lui semble trop timorée : « Les trembleurs me désespèrent, et j'aimerais cent fois mieux qu'ils n'écrivissent rien que de nous donner des moitiés d'idées. » Il s'indigne surtout des brochures obscènes de colportage : « La luxure, fille de l'opulence et de la supériorité, ne peut être traitée que par des gens d'une certaine trempe [3]. »

Tous les vices, les crimes mêmes seront admis dans la République des libertins, où l'on comprendra qu'ils sont nécessaires à l'essor de la volupté : « Ce qu'il y a de plus sale, de plus infâme et de plus défendu est ce qui irrite le mieux la tête... C'est toujours ce qui nous fait le plus délicieusement décharger [4]. » Dans son libelle *Français, encore un effort si vous voulez être républicains,* Sade abolit la peine de mort et recommande la plus grande indulgence aux forfaits majeurs, le vol, la calomnie, les délits d'impureté et le meurtre [5]. L'humanité est si diverse qu'il faudrait théoriquement autant de lois que d'individus. Chacun entend son bonheur à sa façon, et on doit en tenir compte : « Ô vous, qui vous mêlez de gouverner les hommes, gardez-vous de lier aucune créature! Laissez-la faire ses arrangements toute seule, laissez-la se chercher elle-même ce qui lui convient, et vous vous apercevrez bientôt que tout n'en ira que mieux [6]. »

1. *Juliette.*
2. *Les 120 Journées de Sodome.*
3. *Juliette.*
4. *La Philosophie dans le boudoir.*
5. Lors de son arrestation sous la Terreur, le Comité de surveillance de la Section des Piques accusa Sade d'être « ennemi par principe des sociétés républicaines, faisant continuellement dans ses conversations particulières des comparaisons tirées de l'histoire grecque et romaine pour prouver l'impossibilité d'établir un gouvernement démocratique et républicain en France ».
6. *Juliette.*

Telles sont les formes de société rêvées par le libertin ; elles dépendent d'une révolution complète dans le cœur humain et supposent au départ une obsession constante, une surestimation universelle du sexe.

Entre soixante-cinq et soixante-sept ans, Sade écrivit un grand ouvrage où il faisait la synthèse de ses théories, *les Journées de Florbelle ou la Nature dévoilée,* qu'il acheva le 29 avril 1807. Il était divisé en trois parties, et comportait une préface pour les libertins de tout sexe, une épître dédicatoire à Dieu, des dialogues entre lesquels s'intercalaient des dissertations sur la religion, un traité de morale, une érotique en onze sections intitulée *Vénus impudique ou l'Art de jouir,* un projet de trente-deux maisons de prostitution d'hommes et de femmes dans Paris, un *Traité de l'antiphysique,* un autre *Des goûts,* le tout s'enchaînant avec deux longs récits, les Mémoires de l'abbé de Modose, et les Aventures d'Émilie de Volnange. L'ensemble aurait dû faire vingt volumes imprimés. Rien que la troisième partie, l'histoire d'Émilie, comprenait soixante-douze cahiers, rédigés en treize mois et vingt jours. Malheureusement, ce monumental manuscrit fut saisi dans la chambre de Sade en juin 1807 et brûlé après sa mort sur la demande de son fils Armand. Les quelques notes qui en ont été conservées montrent qu'il faisait participer à la fiction des personnages réels : Louis XV à vingt-huit ans, Charolais, Soubise, le cardinal de Fleury. Les fêtes de Sénarpont abondaient en scènes cruelles : « Parc rempli d'enfants sur lesquels ils se jettent ; femmes qui servent de but : on tire des flèches sur elles ; chasse aux femmes. » Émilie, se promenant tantôt en homme, tantôt en femme, y était sans doute la digne émule de Juliette. On doit regretter qu'une création aussi extraordinaire, qui était la conclusion mûrement conçue de son activité paroxystique, soit passée au nombre des chefs-d'œuvre fantômes qu'on ne lira jamais, mais on ne saurait penser qu'elle contenait des arguments bien différents de ceux exposés précédemment [1].

Le dernier livre de Sade, *Histoire secrète d'Isabelle de Bavière, reine de France,* écrit du 19 mai au 24 septembre 1813, corrigé le 20 no-

---

1. La réaction contre la réclusion est une motivation essentielle de ses écrits érotiques et explique leur ton exaspéré. Cependant, si *les 120 Journées de Sodome,* qu'il annonçait comme « le récit le plus impur qui ait jamais été fait depuis que le monde existe », furent exécutées dans sa geôle de la Bastille, si *les Journées de Florbelle* naquirent à Charenton, n'oublions pas que *la Philosophie dans le boudoir* (1795), *la Nouvelle Justine, Juliette* (1797), datent de ses années de liberté sous le Directoire. Sa misanthropie était telle que, même libre, il agissait en homme traqué. Il se sentait constamment obligé de se défendre (par l'attaque) contre l'opinion.

vembre, et revu encore le 29 octobre 1814, un mois avant sa mort, n'a pas pour seul intérêt de décrire un type réel comparable à ses types romanesques. C'est là qu'on voit que Sade a été le précurseur de Sacher-Masoch, qu'il a par ailleurs devancé en analysant mieux que lui, et avec plus de variété dans les exemples, le masochisme. On sait que Sacher-Masoch, mis à part ses confessions déguisées, *Vénus aux fourrures* et *le Don Juan de Koloméa*, s'est spécialisé dans les récits pseudo-historiques, comme *la Czarine noire*, ayant pour héroïnes des femmes dont les chroniques ont signalé la cruauté. Mais ce maniaque sans envergure, cet écrivain d'expression molle dont la philosophie se ramène à la même thèse sempiternellement rabâchée, n'a jamais eu le style mâle, les scrupules de vérité de Sade qui fonda son portrait d'Isabeau sur des documents précis, et vivifia cette matière par son imagination.

En dehors des contes mineurs où il se voulait « le Boccace français », Sade aura eu le mérite d'expérimenter par la fiction ce qui pourrait en résulter des mœurs amoureuses, si les êtres réalisaient tous les fantasmes de leur inconscient. Le tableau est effrayant mais nécessaire pour la connaissance de l'homme ; l'idée est géniale et fait honneur à l'esprit qui l'a conçue. Le marquis de Sade est le seul auteur qui soit parvenu à créer le zéro absolu de l'amour. C'est ce qui rend, dans la philosophie de l'érotisme, sa position irremplaçable : on ne sort de sa lecture qu'en recomposant pour soi-même, avec plus de clairvoyance, les valeurs intimes qu'il a si radicalement détruites.

4

Choderlos de Laclos
et l'esthétique du mal

L'amour, qu'on nous vante comme la cause de nos plaisirs, n'en est au plus que le prétexte.   LACLOS

Il est certaines œuvres qui ne valent qu'en tant qu'on les abstrait de leur créateur. Je ne veux pas dire ainsi qu'il ne sert aucunement de remonter aux intentions dont elles naquirent, mais que ces intentions mêmes ont été de faire de l'œuvre une chose à part de la vie du créateur, existant pleinement en soi. Telles sont *les Liaisons dangereuses,* un livre purement objectif, où l'auteur ne conduit pas lui-même notre jugement par sa présence, mais sur lequel on peut porter le jugement qu'on veut. Dans chaque phrase qui compose *le Rouge et le Noir,* on touche le cœur de Stendhal. Dans *les Liaisons dangereuses,* on ne trouve rien d'autre que Mme de Merteuil, Mme de Tourvel, Cécile Volanges, Valmont, Danceny, menant une vie qui semble leur être acquise naturellement plutôt qu'imposée par une machination romanesque. Laclos a pratiqué méticuleusement une coupe dans la société de son temps. Il a fait une œuvre, non qui dit son opinion sur cette société, mais qui est cette société même, vue en profondeur et reconstituée minutieusement à l'usage de ceux qui ne la connaissent pas en propre, comme on fait une reproduction exacte d'un tableau de valeur, à l'usage de tous les amateurs qui ne peuvent jouir de l'original. Son roman est même truqué de façon à pouvoir indifféremment fournir plusieurs moralités concurrentes. Laclos, au fond, est notre premier grand réaliste. *Les Liaisons dangereuses* sont le roman qu'aurait écrit Flaubert s'il avait vécu au XVIIIᵉ siècle. Elles correspondent déjà à cette définition fondamentale du roman, inscrite au dictionnaire oral de notre époque : biographie d'un ou de plusieurs êtres imaginaires, conduite à un tel degré de possible indéterminé que son auteur paraît être le simple historien de ceux-ci, plutôt que leur inventeur.

Pierre François Ambroise Choderlos de Laclos, né en 1741 à Amiens, d'une famille de récente noblesse et peu fortunée, mais où l'on avait par tradition le culte des lettres, fut un officier de carrière. Dès 1759; il entra comme aspirant à l'école de La Fère, afin de se préparer à servir dans l'artillerie. Il fut incorporé au régiment de Toul et mena une vie de garnison durant toute sa jeunesse, séjournant successivement à Strasbourg, à Grenoble (où il resta six ans, de 1769 à 1775, et où il connut son meilleur temps), à Besançon, à Valence. Pour tromper l'ennui de l'inaction, il écrivait des épîtres en vers qu'il publiait dans l'*Almanach des Muses*. Toujours bien noté par ses chefs, qui vantaient « la régularité de sa conduite et la dignité de ses mœurs », il fut chargé de quelques missions de confiance; en 1779, à Rochefort, en tant qu'adjoint de Montalembert, il s'occupa de la construction des fortifications de l'île d'Aix. Vers cette époque, il commença la rédaction des *Liaisons dangereuses,* où il utilisa diverses observations qu'il avait faites; il confia plus tard au comte de Tilly, qui rapporta ses propos dans ses *Mémoires,* certaines précisions sur son travail. Son Valmont lui fut inspiré par un de ses camarades, « célèbre dans les sciences » (on a cru qu'il s'agissait de Gaspard Monge), homme à femmes qui l'avait pris pour confident et conseiller; une grande dame qu'il vit à Grenoble, « dont toute la ville racontait des traits dignes des jours des impératrices romaines les plus insatiables », fut l'original de sa marquise de Merteuil. Les clefs des personnages, du reste, importent peu dans une histoire qui extrait du réel de quoi créer des types. Il fit imprimer son livre en 1782 à Paris, lors du congé de six mois qu'il y passa. La première édition, tirée à deux mille exemplaires, s'enleva en un mois; Laclos devint tout de suite l'auteur à la mode. « On le craint, on l'admire, on le fête, l'homme du jour et son historien, le peintre et son modèle sont traités à peu près de même », écrivait Grimm. En effet, par une confusion commune en pareil cas, on identifia le romancier à son héros; on vit en Laclos un redoutable séducteur. Tilly raconte que la marquise de Coigny, « femme d'esprit, jadis plus que galante, immorale à l'excès », lui fit condamner sa porte, en disant à son Suisse : « Vous connaissez bien ce grand monsieur maigre et jaune, en habit noir, qui vient souvent chez moi; je n'y suis plus pour lui : si j'étais seule avec lui, j'aurais peur. »

Cette réputation le suivit à La Rochelle, où il se rendit avec la mission de préparer les plans du nouvel arsenal. Dans cette ville, selon l'anecdote racontée par son gendre Duret de Taval, il s'éprit de Mlle Duperré qui aurait dit : « Jamais M. de Laclos ne sera admis dans notre salon. » A quoi il aurait répondu : « Je songe à me marier, je veux épouser avant six mois Mlle Duperré. » Il tint parole, et l'on n'a pas d'autre preuve de ses talents de séduction. Il devait se montrer si bon époux et si bon père que sa femme écrivit à sa mort : « Je voudrais que tout le monde le connût comme moi. » Ce fut dans la politique, plutôt que dans la vie amoureuse, qu'il semble avoir déployé son génie de l'intrigue. A quarante-sept ans, cet homme flegmatique et secret s'attacha au duc d'Orléans, Philippe-Égalité, dont il soutint activement le parti ; il joua un rôle au Club des Jacobins et publia dès 1790 le *Journal des amis de la Constitution*. Arrêté sous la Terreur, sauvé de la guillotine par la réaction de Thermidor, il fut réintégré dans l'armée par Bonaparte et mourut en 1803 après avoir atteint le grade de général de brigade.

Le roman des *Liaisons dangereuses*, si remarquable à tant de points de vue, est d'une contribution irremplaçable à l'histoire des relations amoureuses, quand on le considère par-dessus tout comme le récit des impossibles amours du vicomte de Valmont et de la marquise de Merteuil. Laclos, avec un art majeur, concerte dans son livre plusieurs intrigues à la fois, mais celle-ci reste la dominante et la clef de toutes les autres. On a beaucoup épilogué sur les rapports de ces deux protagonistes, y voyant le plus souvent un lien de vanité, quand il s'agit d'une affection sortant des entraînements ordinaires. Laclos a fait s'affronter deux êtres d'une égale supériorité sexuelle et a montré ce qui devait ressortir de leur interaction passionnelle.

La grande originalité des *Liaisons dangereuses*, sur ce plan, vient de ce qu'elles sont un roman par lettres. De voir ainsi deux libertins se faire par écrit des confidences compromettantes (alors que la marquise emploie toujours par prudence la main de sa camériste pour ses billets doux, et qu'elle a pour mot d'ordre « Ne jamais écrire »), on a voulu apercevoir là un artifice de base, nécessité par la convention de ce genre de roman. Mais l'on ne peut saisir le livre de Laclos si l'on n'admet, dès l'abord, que c'est un tour de force intellectuel. Laclos était une tête géométrique, bien ordonnée, et il disait exactement ce qu'il voulait dire (Tilly, dans ses *Mémoires*, note « sa conversation froide et méthodique »). Il transféra dans sa création romanesque tous les principes de stratégie qui lui furent inculqués pour sa profession. Son livre est le chef-d'œuvre du roman *logique*. Les moindres détails en sont réglés comme dans une partie d'échecs. L'homme qui avait assez d'exigences de psychologie pour faire écrire chacun de ses personnages dans un style différent, en rapport avec sa personnalité, n'eut pas moins de raisons pour choisir préférablement à tout autre le genre épistolaire. En effet, en montrant deux personnages se rendant témoignage l'un à l'autre de leurs *roueries*, il a voulu décrire la diabolique entente qui peut réunir deux grandes âmes libertines. Il est,

entre eux deux, un pacte tacite, un *gentleman's agreement,* engageant
chacun envers l'autre à la sincérité et à la discrétion. Le libertin,
comme le dandy, vit en permanence devant ce miroir idéal qu'est la
conscience d'autrui. Il a toujours besoin d'un confident, dans la
conscience complice duquel il mire sa liberté : mais encore faut-il que
celui-ci lui soit un égal, capable d'apprécier comme il faut toutes ses
aventures. La grande hardiesse est ici que le confident est un être de
l'autre sexe, qui fut et qui est encore aimé. Quels amants raffinés n'ont
pas rêvé d'être l'un pour l'autre le complice idéal, à tel point que
l'amour mourût-il, la complicité survivrait? C'est cette relation de
complicité, d'un type supérieur et privilégié, que Laclos a mis en œuvre
entre ces deux amants perversement platoniques. Mais pour deux êtres
également endurcis par une pratique constante du mal, ayant le goût de
la complication sentimentale et l'amour démesuré de la gloire, il est à
prévoir que l'attraction passionnelle sera d'une espèce toute particulière. Dans *le Hasard du coin du feu,* Crébillon fils montre une femme
poussant un libertin à lui dire qu'il l'aime, et ce dernier mettant son
point d'honneur à se la soumettre sans lui faire cette déclaration. Cette
subordination du sentiment au plus fol orgueil sera la marque même
des relations de Mme de Merteuil et de Valmont.

Quelle est leur position réciproque au début du livre? Ils se sont
aimés, puis ils se sont séparés pour se donner chacun à de nouvelles
aventures, substituant à leur amour une amitié jurée. Leur rupture eut
lieu par une sorte de fatalité tenant à leur caractère, et sur laquelle ils
s'expliquent l'un et l'autre, Valmont quand il dit : « Ce n'est pas la
première fois, comme vous savez, que je regrette de ne plus être votre
esclave ; et tout *monstre* que vous dites que je suis, je ne me rappelle
jamais sans plaisir le temps où vous m'honoriez de noms plus doux.
Souvent même je désire de les mériter de nouveau, et de finir par
donner avec vous un exemple de constance au monde. Mais de plus
grands intérêts nous appellent ; conquérir est notre destin, il faut le
suivre... », la marquise quand elle déclare : « Vous savez l'histoire de
ces deux fripons, qui se reconnurent en jouant : nous ne nous ferons
rien, se dirent-ils, payons les cartes par moitié ; et ils quittèrent la
partie. Suivons, croyez-moi, ce prudent exemple, et ne perdons pas
ensemble un temps que nous pouvons si bien employer ailleurs. »
Ainsi, une malédiction est glissée dans leurs relations pour empêcher
l'amour ; pour chacun d'eux, l'amour n'est que la domination qu'il
peut exercer sur une conscience autre, et la volupté réelle réside dans la
conquête plus que dans la libre jouissance de l'objet conquis. Étant
d'une force égale, et s'appréciant bien, chacun reconnaît en l'autre ce

qu'il eût aimé d'être s'il eût été de l'autre sexe, et cette estime par identification éloigne l'idée de conquête. Pour ne pas avoir à se haïr, ils sont condamnés à renoncer à l'amour. Et en fuyant l'amour, ils réalisent cet idéal des grands amants qui souhaitent d'être liés absolument par leur désir comme par un crime perpétré ensemble. Or, dans ce domaine passionnel qui est le leur, ils retrouveront tous les mouvements intimes de l'amour. Par exemple, ce sera une profonde et féroce jalousie. Ils se lancent des piques sur leurs aventures respectives. Valmont ne peut approcher une femme que la marquise ne la déconsidère d'un trait ironique et cruel. Et elle-même ne peut manifester du goût pour un homme que Valmont ne lui déclare ouvertement sa jalousie. Sans doute cette jalousie est-elle motivée par l'orgueil, mais c'est la définition de ce sentiment, jusque dans l'amour le plus tendre. Cet orgueil pousse chacun, en même temps, à être fier de l'autre. La marquise dira de se réjouir à Cécile Volanges, qui se lamente d'avoir cédé à Valmont, d'avoir les yeux battus : « Allez, mon bel ange, vous ne les aurez pas toujours ainsi ; tous les hommes ne sont pas des Valmont. » Enfin, il est remarquable que le dénouement fatal — la mort de Valmont, la déconsidération publique de Mme de Merteuil et la maladie qu'elle prend sous le coup de la contrariété —, vient de ce que celle-ci refuse de renouer les rapports intimes avec lui. Lui eût-elle cédé, les choses auraient trouvé un autre chemin. Mais on a vu plus haut qu'étant ce qu'ils sont, ils s'aiment, mais ils ne peuvent pas *vouloir* s'aimer. Jamais la contradiction déchirante entre la liberté du plaisir et l'aliénation nécessaire à l'amour n'a été mieux exprimée que dans ce drame de l'impossibilité.

Il s'agit, en même temps, d'un parallèle entre un vrai libertin et une parfaite libertine, de l'étude de leurs manières d'être respectives. Le libertinage n'engendre pas chez la femme et chez l'homme des attitudes identiques : il est au contraire accommodé par l'un et l'autre selon leur différence psycho-physiologique et la valeur sociale que chacun des deux sexes représente dans le monde. Laclos, en décrivant de pair la face féminine et la face masculine du libertinage, accuse nettement les points qui les font se rejoindre et ceux qui les font dissembler.

Ainsi, on peut s'étonner de voir une certaine disproportion entre la perversion du vicomte de Valmont et celle de la marquise de Merteuil, tout ténébreux qu'ils sont tous les deux. Laclos introduit dans sa description de la conduite de Valmont des tempéraments qu'il omet délibérément quant à la marquise. Celui-là se laisse plusieurs fois attendrir au cours du récit, alors que celle-ci reste toujours une femme méchante, perfide, une âme noire et âcre. Le souci de trancher les caractères est moins imputable de cela qu'une certaine conception ontologique de la femme. En 1783, un an après la publication de son roman, Laclos rédige son traité *De l'éducation des femmes,* où il se propose d'examiner « si, dans l'état actuel de la société, une femme, telle qu'on peut la concevoir formée par une bonne éducation, ne serait pas très malheureuse en se tenant à sa place et très dangereuse si elle tentait d'en sortir ». Ne voilà-t-il pas tout le sujet des *Liaisons dangereuses?* On y trouve deux femmes de bonne éducation dont l'une, la présidente de Tourvel, est une lamentable victime, pour avoir voulu se conformer à l'idée que la société se fait d'une honnête femme, et l'autre, la marquise de Merteuil, une ravageuse de destins, pour s'être révoltée contre sa condition et avoir prétendu établir des droits égaux à ceux des hommes. La marquise trouve dans le libertinage un moyen de s'élever au-dessus de sa condition. Mais elle y sera plus dangereuse que l'homme, parce qu'elle y a plus d'obstacles à vaincre, donc une plus grande énergie à déployer. Le libertin n'a à vaincre qu'une convention de l'amour; la libertine doit vaincre, en sus de celle-ci, une convention de la femme.

« Née pour venger son sexe et maîtriser l'autre », la marquise de Merteuil s'est constitué ainsi une triple science. D'abord, une science de l'hypocrisie, qui lui permet de modeler à son gré l'opinion qu'on a d'elle : « Forcée souvent de cacher les objets de mon attention aux yeux qui m'entouraient, j'essayais de guider les miens à mon gré; j'obtins dès lors de prendre ce regard distrait que depuis vous avez loué si souvent. Encouragée par ce premier succès, je tâchais de régler de même les divers mouvements de ma figure. Ressentais-je quelque chagrin, je m'étudiais à prendre l'air de la sécurité, même celui de la joie : j'ai porté le zèle jusqu'à me causer des douleurs volontaires, pour chercher pendant ce temps l'expression du plaisir. Je me suis travaillée avec le même soin et plus de peine pour réprimer les symptômes d'une joie inattendue. C'est ainsi que j'ai su prendre sur ma physionomie cette puissance dont je vous ai vu quelquefois si étonné. » Ensuite, une science de l'érotisme, qui, en même temps qu'elle varie ses plaisirs, affirme, auprès de ses amants, sa supériorité sur les autres femmes : « Après le souper, tour à tour enfant et raisonnable, folâtre et sensible, quelquefois même libertine, je me plaisais à le considérer comme un sultan au milieu de son sérail, dont j'étais tour à tour les favorites différentes. En effet, ses hommages réitérés, quoique toujours reçus par la même femme, le furent toujours par une maîtresse nouvelle. » Enfin, une science de l'intrigue, qui lui permet de manœuvrer les hommes sans qu'ils s'en doutent : « Descendue dans mon cœur, j'y ai étudié celui des autres. J'y ai vu qu'il n'est personne qui n'y conserve un secret qu'il lui importe qui ne soit point dévoilé... Nouvelle Dalila, j'ai toujours, comme elle, employé ma puissance à surprendre ce secret important. De combien de nos Samsons modernes ne tiens-je pas la chevelure sous le ciseau!... Plus souple avec les autres, l'art de les rendre infidèles pour éviter de leur paraître volage, une feinte amitié, une apparente confiance, quelques procédés généreux, l'idée flatteuse et que chacun conserve d'avoir été mon seul amant, m'ont obtenu leur discrétion. » On conçoit que parvenue à une telle perfection dans l'art d'organiser ses désirs, la marquise n'ait que dégoût pour les femmes faciles : « Je ne connais rien de plus plat que cette facilité de bêtise, qui se rend sans savoir ni comment ni pourquoi, uniquement parce qu'on l'attaque et qu'elle ne sait pas résister. Ces sortes de femmes ne sont absolument que des machines de plaisir », tout comme pour les prudes : « Réservées au sein même du plaisir, elles ne vous offrent que des demi-jouissances. Cet entier abandon de soi-même, ce délire de la volupté où le plaisir s'épure par son excès, ces biens de l'amour ne sont pas connus d'elles. » Parmi les hommes, elle se montre aussi difficile; elle ne se laisse imposer ni par la beauté ni par la puissance copulative : « Je conviens qu'il est bien fait et d'une assez belle figure : mais à tout prendre, ce n'est, au fait, qu'un manœuvre d'amour. » Son estime va aux hommes délicats et adroits, qui ont étudié à fond l'art de contenter une femme : « Pour moi, je l'avoue, une des choses qui me flattent le plus est une attaque vive et bien faite, où tout se succède avec ordre, quoique avec rapidité; qui ne nous met jamais dans ce pénible embarras de réparer nous-mêmes une gaucherie dont au contraire nous aurions dû profiter; qui sait garder l'air de la violence jusque dans les choses que nous accordons, et sait flatter avec adresse nos deux passions favorites, la gloire de la défense et le plaisir de la défaite. Je conviens que ce talent, plus rare qu'on ne croit, m'a toujours fait plaisir, même alors qu'il ne m'a pas séduite, et que quelquefois il m'est arrivé de me rendre, uniquement comme récompense. Telle dans nos anciens tournois, la beauté donnait le prix de la valeur et de l'adresse. » On ne trouve un portrait vraiment fouillé de la libertine que dans *les Liaisons dangereuses* et dans *Juliette :* mais il y a la même distance, de l'un à l'autre roman, qu'entre le rêve et la réalité. Juliette, c'est le rêve voluptueux et cruel, reflet d'une prodigieuse volonté de puissance sexuelle, qui doit agiter la marquise de Merteuil dans son sommeil et dans ses veilles songeuses; et la marquise de Merteuil, c'est Juliette dans la vie réelle, non plus se mouvant dans une société de cauchemar, peuplée d'ogres, de sorcières et de libertins fabuleux, mais accommodant ses désirs pervers aux nécessités du théâtre mondain où elle se produit, et devant, pour sa sécurité, employer la ruse au lieu de la violence.

En pendant de ce portrait de vraie libertine, Laclos a peint la figure d'un libertin authentique. Or, ce n'est nullement le fait de courir sans cesse à de nouvelles liaisons qui caractérise un tel homme. Le comportement de l'homme à bonnes fortunes est tout dans cette déclaration de Choudard-Desforges, auteur galant dont l'autobiographie s'intitule illusoirement *le Poète :* « Supposez un bibliomane, autrement dit un homme fou de livres ; autant il en voit, autant il en désire, autant il en acquiert ; et lorsqu'ils sont en sa possession, il les feuillette et les refeuillette jour et nuit jusqu'à ce qu'il les sache sur le bout du doigt. Quand il est parvenu à cette entière et parfaite connaissance, il ne les lit plus, mais il a une bibliothèque sur les tablettes de laquelle il les range suivant l'ordre de leur acquisition, de leur possession et de leur lecture. Tous ces livres sont étiquetés ; en outre, il a un petit livret ou catalogue qu'il consulte en cas de besoin. Eh bien ! le bibliomane, c'est moi ; les livres, ce sont les femmes ; la bibliothèque à tant de rayons, c'est le cœur, et le catalogue, la mémoire. » Il y a loin du libertin de type Valmont à ce doux et inoffensif maniaque. Pour celui-là, il s'agit de faire et d'*avoir ;* pour Valmont, il s'agit de faire et d'*être.* Il parle avec dédain de « l'insipide avantage d'avoir eu une femme de plus ». Sa puissance sexuelle ne se mesure pas au nombre de femmes collectionnées mais à l'extraordinaire des intrigues qu'il noue : « J'aurai cette femme ; je l'enlèverai au mari qui la profane ; j'oserai la ravir au Dieu même qu'elle adore. Quel délice d'être tour à tour l'objet et le vainqueur de ses remords ! Loin de moi de détruire les préjugés qui l'assiègent ! Ils ajouteront à mon bonheur et à ma gloire. Qu'elle croie à la vertu, mais qu'elle me la sacrifie. »

Les deux traits distinctifs du libertin, tel que le XVIIIᵉ siècle en a fixé l'image, sont la dissipation voluptueuse et la perversité. La dissipation voluptueuse est ce besoin de raffinement dans les plaisirs physiques, qui fait inventer des combinaisons subtilement érotiques, pour obtenir la plus grande richesse de sensations. La perversité a pour fondement le culte des actes antisociaux. C'est encore une conduite hédoniste, mais dont le plaisir tient au sentiment de contredire aux mœurs. Laclos partage avec Nerciat le mérite psychologique d'avoir traité du libertin réel, et non du libertin utopique, comme Sade. Mais Nerciat n'exprime que le côté de dissipation voluptueuse du libertin : ses personnages sont tout à leurs sensations, le physique seul compte pour eux, et non le fait de se créer une anti-morale. Laclos, à l'inverse, n'a exprimé que le côté de perversité du libertin : s'il y a des réveillons de sensualité dans sa peinture, ils n'ont pour but que de bien situer les caractères. Le libertin de Laclos est saisi dans sa profondeur perverse : rien ne le stimule, par exemple, comme la conscience de vaincre une résistance : « J'ai donc trouvé la vicomtesse ici, et comme elle joignait ses instances aux persécutions qu'on me faisait pour passer la nuit au château : " Eh bien! j'y consens, lui dis-je, à condition que je la passerai avec vous. — Cela m'est impossible, me répondit-elle, Pressac est ici. " Jusque-là, je n'avais cru que lui dire une honnêteté : mais ce mot d'impossible me révolta comme de coutume. Je me sentis humilié d'être sacrifié à Pressac, et je résolus de ne pas le souffrir... » Il nous montre que le libertinage ne fait pas tant partie de l'histoire des rapports amoureux que de l'histoire de l'individualisme. Le libertin est le type le plus accusé de l'individualiste : tout son comportement consiste à se prouver à lui-même qu'il est en droit, par sa conscience extrême, de se placer au-dessus des lois et des conventions, et d'être son propre dieu. Valmont est un nihiliste qui emploie l'acte sexuel là où Netchaïev [1] préconisait le revolver. C'est qu'il a inversé le théâtre de l'action négatrice : celui-ci n'est plus la vie publique, mais la vie privée. Il ne proteste que contre des abus sentimentaux.

Il s'oppose ainsi à l'amour, qui destitue l'homme de son unicité : n'est-ce pas le sentiment qui fait préférer un autre à soi, jusqu'à lui sacrifier son propre plaisir? « Un libertin amoureux, si un libertin peut l'être, devient de ce moment même moins pressé de jouir. » Or, personne de l'un ou l'autre sexe ne vaut la peine de ce sacrifice. Tous les libertins du XVIIIᵉ siècle, de quelque personnalité originale qu'ils fussent, eurent ensemble un grand point commun : le mépris des femmes. Mépris dont les femmes libertines leur rendaient la monnaie à plaisir. Dans les *Tableaux des mœurs du temps,* ce délicieux roman dialogué attribué à La Popelinière, Mme de Rastard résume cette contre-opinion des femmes, quand elle dit à son amie : « On n'a lieu de haïr les hommes que quand on se sent leur dupe, et pour ne point l'être, il n'y a qu'à d'abord les juger, et se conduire ensuite d'après son jugement. Tous les hommes sont des coquins; cependant il y en a d'aimables et l'on peut en tirer parti, en se prêtant à eux, et ne s'y abandonnant pas. » Hommes et femmes formaient deux camps bien distincts, acharnés chacun à ruser pour n'être pas la dupe de l'autre. Les deux sexes étaient engagés dans une guerre amoureuse cérébrale, qui avait pour enjeu le plaisir sans la soumission. Je relève ce trait dans

1. Serge Netchaïev, anarchiste du XIXᵉ siècle, auteur d'un *Catéchisme du révolutionnaire.*

les *Mémoires* de Lauzun : « Madame de Cambise, ennuyée de mes négligences, m'écrivit qu'il fallait opter entre elle et lady Sarah, et renoncer à l'une des deux. Mon choix ne fut pas long : je me contentai de faire un paquet de ses lettres et de les lui renvoyer. Dès le soir même, elle se consola de ma perte en prenant le chevalier de Coigny, qu'elle savait que je n'aimais pas. » L'amour ni l'aimé n'était une fin, mais uniquement un moyen : la seule fin était l'affirmation de la personnalité. Monsieur Teste pansexualiste, Valmont a tué en lui la marionnette amoureuse; il ne veut pas être gouverné par la passion, mais en jouer comme un virtuose de son instrument. Son art d'aimer est un art de ne pas aimer. Que de mal il se donne, au sein d'une situation, pour combattre l'amour! Aux moments où il se passionne le plus vivement pour Mme de Tourvel, il bafoue cette passion en couchant avec d'autres femmes; en lui écrivant une lettre d'amour du lit d'une courtisane dont il vient de jouir; en la quittant ironiquement après l'avoir prise. On assiste en lui à un duel entre la nature et le Moi : la nature veut le soumettre à la loi du cœur; son Moi prétend à la maîtrise et à l'autonomie jusque dans la spontanéité affective. Valmont s'absorbe dans cette entreprise prodigieuse : *faire de la sexualité un exercice de l'intelligence et de la volonté.* Sa récompense sera de contempler en artiste la défaite de la nature devant la toute-puissance de l'esprit. « Oui, j'aime à voir, à considérer cette femme prudente, engagée, sans s'en être aperçue, dans un sentier qui ne permet plus de retour, et dont la pente rapide et dangereuse l'entraîne malgré elle, et la force à me suivre... Eh quoi! ce même spectacle qui vous fait courir au théâtre avec empressement, que vous y applaudissez avec fureur, le croyez-vous moins attachant dans la réalité? » Le libertinage, en effet, est une esthétique du mal : son adepte jouit des désastres sentimentaux qu'il fait naître, comme d'œuvres séditieuses qui témoigneraient, devant le monde, du génie qui consiste à être un créateur d'histoires vécues.

Il revient donc à Laclos le mérite d'avoir écrit le code tactique du libertin classique [1]. En ce sens, les autres livres de son siècle ouvrent moins de vues que le sien : ou ils sont outranciers, relevant davantage de l'imaginaire que de l'observation réelle, ou ils sont obscènes,

---

1. Laurent Versini, dans *Laclos et la Tradition* (Paris, Klincksieck, 1968), consacre un chapitre très détaillé au vocabulaire de Laclos, indiquant combien il était familier du langage des roués, qu'il a aussi contribué à enrichir. Il emploie *leste* au sens d'*osé* (il signifiait alors *élégant*), utilise *persiflage* (condamné par Voltaire), *neuf* et *usagé* dans un sens galant, etc. Il a inventé le mot *sentimentaire* repris par le prince de Ligne.

concentrés sur l'objet plutôt que sur le sujet. Laclos nous présente la fleur intellectuelle du libertinage. Ses héros ne sont pas des êtres frivoles, dont l'inconstance n'est produite que par un tempérament qui ne peut se contenir. Ils ont une méthode, des principes, la conscience absolue de ce qu'ils font et de pourquoi ils le font. Odieux par leur méchanceté, qui est d'ailleurs une réaction d'individus isolés contre l'impéritie de la société, ils sont admirables par la rigueur de leur conduite. Valmont écrit à son amie : « En vérité, plus je vais et plus je suis tenté de croire qu'il n'y a que vous et que moi, dans le monde, qui valions quelque chose. » Dans le monde des amants, ils sont en effet peu communs, par cela même que de passion, sentiment et rêve, ils transforment l'amour en réflexion, action et création. Résumant en eux ce qu'on doit savoir du libertinage, ils fournissent la démonstration probante que ce n'est pas le déchaînement de la bête, mais une école philosophique, cherchant les moyens de maîtriser la fatalité des passions.

Dans ses deux écrits sur *l'Éducation des femmes,* Laclos ne s'écarte pas du libertinage. Son projet même est une conséquence de l'esprit libertin : j'ai montré ailleurs [1] que les jouisseurs du XVIIIᵉ siècle voulaient tous « faire une éducation », dresser une fille aux intrigues amoureuses et aux plaisirs du lit. Laclos va plus loin et, au lieu de se contenter d' « éduquer » une seule femme, il leur propose à toutes un plan d'émancipation. En 1783, l'Académie de Châlons-sur-Marne met en débat cette question : « Quels seraient les meilleurs moyens de perfectionner l'éducation des femmes ? » Laclos répond par un discours développant cet argument : « Il n'est aucun moyen de perfectionner l'éducation des femmes. » Tous les systèmes d'éducation ont fait de la femme un être artificiel ; il faut lui permettre de redevenir un être naturel. Laclos s'exprime en disciple de Jean-Jacques Rousseau, certes, mais on ne saurait croire sérieusement qu'il l'imite ou qu'il a l'intention que lui prête Émile Dard : « Belle occasion pour l'auteur des *Liaisons* de se défendre devant l'opinion ! Tout satirique se double d'un réformateur. Après avoir outragé les mœurs, il se devait de les corriger. Laclos se promit donc de frapper un nouveau coup de théâtre [2]. » L'auteur des *Liaisons,* on va le voir, ne dément pas en son discours l'idéal de Valmont ; il parle plutôt comme un libertin blasé qui,

1. Voir plus haut dans l'introduction, p. 15, et dans l'étude sur Sade, p. 97.
2. Émile Dard, *Le Général Choderlos de Laclos, d'après des documents inédits,* Paris, Librairie académique Perrin, 1936. Cet ouvrage reste encore aujourd'hui la meilleure biographie de Laclos.

dédaignant les héroïnes de boudoir, rêve à des créatures simples et appétissantes.

Laclos entend « prouver que l'éducation, donnée aux femmes jusqu'à ce jour, ne mérite pas en effet le nom d'éducation, que nos lois et nos mœurs s'opposent également à ce qu'on puisse leur en donner une meilleure et que si, malgré ces obstacles, quelques femmes parvenaient à se la procurer, ce serait un malheur de plus pour elles et pour nous ». Laclos va établir un parallèle entre la *femme sociale*, asservie à l'homme et à la société, et la *femme naturelle*, librement adonnée aux forces de la vie. « La nature ne crée que des êtres libres ; la société ne fait que des tyrans et des esclaves. » L'originalité première de Laclos est d'inciter les femmes à se révolter, à assumer leur destin elles-mêmes :

« Ô femmes, approchez et venez m'entendre. Que votre curiosité, dirigée une fois sur des objets utiles, contemple les avantages que vous avait donnés la nature et que la société vous a ravis. Venez apprendre comment, nées compagnes de l'homme, vous êtes devenues son esclave ; comment, tombées dans cet état abject, vous êtes parvenues à vous y plaire ; à le regarder comme votre état naturel ; comment enfin, dégradées de plus en plus par votre longue habitude de l'esclavage, vous en avez préféré les vices avilissants, mais commodes, aux vertus plus pénibles d'un être libre et respectable. Si ce tableau fidèlement tracé vous laisse de sang-froid, si vous pouvez le considérer sans émotion, retournez à vos occupations futiles. *Le mal est sans remède, les vices se sont changés en mœurs.* Mais si, au récit de vos malheurs et de vos pertes, vous rougissez de honte et de colère, si des larmes d'indignation s'échappent de vos yeux, si vous brûlez du noble désir de ressaisir vos avantages, de rentrer dans la plénitude de votre être, ne vous laissez plus abuser par de trompeuses promesses, n'attendez pas les secours des hommes auteurs de vos maux : ils n'ont ni la volonté ni la puissance de les finir, et comment pourraient-ils vouloir former des femmes devant lesquelles ils seraient forcés de rougir ? Apprenez qu'on ne sort de l'esclavage que par une grande révolution. Cette révolution est-elle possible ? C'est à vous seules à le dire puisqu'elle dépend de votre courage [1]. »

Laclos, le premier homme à réclamer « la révolution des femmes », est un précurseur capital. Quelle militante du MLF s'est exprimée plus énergiquement pour pousser ses compagnes à combattre les préroga-

1. Laclos, *Œuvres complètes*, Paris, Gallimard, 1943, p. 429.

tives des hommes ? Et son idéal du retour à la nature, à la vie primitive, est celui-là même qui a animé au XXe siècle des colonies de hippies. Mais Laclos a la supériorité intellectuelle du libertin, et invoque le plaisir physique pour prouver la prééminence de la femme naturelle sur la femme sociale : « On ne peut mieux comparer ces femmes qu'à des fruits, dont les uns seraient venus en pleine campagne et les autres dans des serres chaudes. » Également pour exalter l'*état de nature* : « Cet état, nous osons l'assurer, est le plus favorable à la jouissance. »

Le tableau enchanteur que Laclos trace de l'existence d'une fille de la nature est d'ailleurs propre à réchauffer les sens d'un homme revenu de tout. La fille de la société est énervée par sa nourriture et son habillement, pervertie par ses loisirs. « La fille naturelle est à l'abri de ces dangers ; jamais une table délicatement servie n'a provoqué un appétit satisfait ; jamais une oisiveté molle n'a laissé circuler dans son sang une trop grande quantité de sucs nourriciers ; jamais, surtout, des idées lascives n'ont enflammé son imagination. Vingt fois, cent fois, elle a vu s'accomplir devant elle l'acte de la génération ; elle n'a pas rougi, elle n'a pas fui, mais elle a continué sa route avec indifférence et n'a pas jeté derrière elle un regard furtif ; elle a vu des yeux du corps et non de ceux de l'âme ; ses sens dorment encore ; ils attendent, pour s'éveiller, le cri de la nature. » La fille naturelle, « jusqu'à ce que le premier flux menstruel vienne à la fois la soulager et préparer le laboratoire de la nature », est vraiment innocente. A la puberté, elle est sourdement travaillée par le désir sexuel : « Victime d'un besoin qu'elle ignore, une secrète ardeur la consume ; à des jours inquiets succèdent des nuits plus agitées encore ; la première aurore ne la trouve plus dans les bras du sommeil... » Elle erre au sein des forêts, éperdue, défaillante au parfum des fleurs, au chant des oiseaux : « C'est alors qu'à quelque distance, elle aperçoit un homme ; un instinct puissant, un mouvement involontaire la fait courir vers lui ; plus près, elle devient timide, elle s'arrête ; mais, emportée de nouveau, elle le joint et le serre entre ses bras... Jouissance délicieuse, qui, jamais, osera te décrire ? »

La femme naturelle « n'a ni la peau blanche et délicate, dont le toucher nous flatte si voluptueusement, ni la douce flexibilité, apparente faiblesse, qui semble provoquer l'attaque par l'espoir du succès, et préparer la défaite par la facilité de l'excuse ». Son charme est sain : « Ses chairs, continuellement battues par un air vif, sont plus fermes et plus vivantes. » La femme sociale minaude, la femme naturelle est spontanée : « Son âme se peint sur son visage et, s'il exprime avec force la colère ou la terreur, le désir ou la volupté ne s'y peignent pas avec moins d'énergie. » Cette créature de l'âge d'or a une vigueur d'animal sauvage : « Sa taille est grande et forte, et ses embrassements, que sans doute l'homme naturel trouve trop faibles encore, étoufferaient nos délicats petits-maîtres. » Une autre qualité de sa « beauté naturelle » est la fraîcheur : « La beauté n'est, selon nous, que l'apparence la plus favorable à la jouissance, la manière d'être qui fait espérer la jouissance la plus délicieuse. C'est dans ce sens que la femme naturelle a de la beauté ; c'est dans ce sens que l'on peut dire que toute femme fraîche, grande et forte, est une belle femme[1]. » Laclos décrit la conduite de la femme naturelle quand elle est mère, quand elle vieillit ; elle vit dans la sérénité, ne craint pas la mort. La vieillesse, qui rend la femme sociale « joueuse, médisante ou dévote », la laisse sans illusions : « L'imagination des femmes sociales fait naître leurs sens et leur survit ; celle de la femme naturelle naît et meurt avec eux ; l'âge des plaisirs passé, elle n'est plus qu'un enfant mieux instruit. »

Après avoir déployé tous les avantages de la femme naturelle, en s'appuyant sur les travaux ethnologiques de son temps, Laclos enseigne comment recréer « l'état de nature » chez les femmes. Il ne s'agit pas de les éduquer, d'une façon ou d'une autre, mais au contraire de leur faire perdre le vernis social dont on les recouvre. Laclos leur donne des conseils pratiques : s'astreindre à « un régime doux et salutaire », pour se tenir en santé ; fuir les veilles inutiles, ne se fatiguer par aucun excès, ne pas user de boissons spiritueuses qui enflamment le sang et nuisent à la peau : « Vous êtes jeunes et belles : qu'avez-vous besoin de liqueurs fortes ? C'est d'amour qu'il faut vous enivrer. » Éviter les rayons du soleil, le froid excessif qui gerce l'épiderme : « Mais gardez-vous plus encore d'une vie trop sédentaire ; les chairs mollissent et perdent leur ressort dans l'air stagnant et étouffé de vos appartements ; le frottement de l'air extérieur les rend au contraire fermes et vivaces. » Laclos demande aux femmes d'être sportives, à une époque où cette notion n'existait pas, et de garder la maîtrise d'elles-mêmes : « Non contentes de régler vos actions, maîtrisez encore les affections de votre âme ; il en est qui détruisent la beauté ; si vous ne réprimez des accès de colère trop fréquents, vos muscles acquerront une mobilité dangereuse et,

---

1. Il est piquant de constater que Laclos, après avoir fait l'éloge des grandes et fortes femmes, eut un amour fou et unique pour Marie-Soulange Duperré, qui était petite et fine. C'est ce qu'un humoriste appelait l'amour *quoique* opposé à l'amour *parce que* : « L'amour sain, normal, c'est l'amour *parce que* ; le véritable amour, c'est *quoique*... Je m'explique. Un homme préfère les blondes ; le jour où il aime une brune, c'est terrible ; ce jour-là il aime *quoique*... » (Maurice Donnay, *L'Escalade*.)

bientôt, toute expression deviendra une grimace. Le rire convulsif de la bruyante gaieté produit, à moindre degré, des inconvénients de même nature. Ne vous laissez jamais dominer par l'humeur; cet état de déplaisance intérieure se manifeste au-dehors, et personne ne se soucie de plaire à celle qui ne craint pas de déplaire aux autres. » Il leur conseille des bains froids chaque jour, et de se mettre « un cosmétique doux » pour en atténuer les effets : « Prenez de la graine de pavot blanc, pilez-la dans un mortier, en y jetant de l'eau de sorte que l'espèce de lait qui en provient soit plus épais que clair; passez le tout, et servez-vous-en au moins toutes les semaines. » Les soins du corps sont les plus indispensables à la femme : « La figure attire, mais c'est le corps qui retient. L'une est le filet et l'autre la cage. » Le visage doit son attrait à l'éclat des yeux : « Que votre regard vif agisse par intervalles; que ses coups soient redoublés, mais distants; que semblable à l'éclair, il éblouisse à la fois par la flamme dont il brille et par les ténèbres qui l'environnent. » Ainsi, en voulant préparer l'avènement de la *femme naturelle*, Laclos n'oublie pas que sa destination est de plaire aux hommes.

Laclos fut-il un libertin caractérisé, et a-t-il peint en Valmont un idéal qu'il a lui-même pratiqué, ou tout au moins qu'il admirait? Il est impossible d'avoir si bien évoqué les réactions intimes de la jeune fille et de la femme sans y avoir regardé de très près. Il écrivit lui-même à Mme Riccoboni que son livre prouvait qu'il s'était beaucoup occupé des femmes : « Comment s'en occuper et ne les aimer pas? » Et il avoua à Tilly qu'il s'inspira en partie de ses propres aventures galantes : « J'avais par-devers moi quelques petites historiettes de ma jeunesse, qui étaient assez piquantes. » Ses poésies s'adressent à différentes belles, avec qui il entretient un ton de badinage ; ainsi *les Souvenirs*, épître de 1773 à une Eglé qu'il a connue lorsqu'il était en garnison à Grenoble, ou ce quatrain de 1779 *A une Dame à qui l'auteur offrait une pomme dans un bal* :

> Comme Vénus vous êtes belle,
> Comme Pâris je suis berger.
> Comme lui je viens de juger;
> Voulez-vous me traiter comme elle [1]?

Un petit-maître n'aurait pas tourné avec plus d'afféterie le madrigal. Laclos savait donc demander à une jolie danseuse le don de sa personne, comme un homme habitué aux conquêtes féminines.

1. *Œuvres complètes*, p. 511.

Il est encore plus certain que ce libertin s'est converti à l'amour unique dès qu'il a rencontré celle qui allait devenir sa femme. Marie-Soulange Duperré, petite brune gracieuse, que son entourage nommait « la charmeuse », charma si bien Laclos qu'il lui déclara dans un poème paru l'année de leur mariage :

> On dit qu'un Ange est invisible,
> Je n'en crois rien quand je te vois [1].

Mais c'est dans les lettres qu'il lui écrivit de la prison de Picpus, où il fut enfermé du 19 germinal an II au 9 brumaire an III comme principal instigateur de la faction orléaniste, que l'on voit le mieux la force et la beauté des liens qui les unissent. On y voit aussi combien Marie-Soulange était aimable et justifiait ce mot sublime de son mari : « Je l'aime trop pour en être jaloux, j'ai pris le parti d'en être fier [2]. » Il lui écrit : « Je ne pardonnerois pas à toute autre personne que toi d'avoir fait sur la sensibilité une phrase plus jolie et plus juste que tout ce que j'ai pu écrire sur ce sujet : " ce trésor de tous ", me dis-tu, " et qui n'est jamais celui de qui le possède " ; je ne crois pas qu'on puisse rien trouver de mieux senti, ni de mieux exprimé. Je voudrois avoir embelli de cette phrase le style de Mme de Tourvel » (17 floréal an II). C'est à sa femme que Laclos énonce ce principe étonnant : « J'ai toujours été persuadé qu'un homme ne feroit pas une bassesse, en face du portrait de sa maîtresse, si celle-cy étoit vertueuse » (25 floréal an II). Dans sa geôle, malgré les heures sombres, il l'exhorte à garder la sérénité en relisant Sénèque : « C'est là le cas, plus que jamais, de pratiquer le stoïcisme et de se défendre également du tourment de l'inquiétude et du tourment de l'espoir, qui n'est lui-même qu'une inquiétude déguisée » (1er prairial an II). Il accompagne sa femme en pensée dans tout ce qu'elle fait : « Ah! grâce à toi, je ne suis point encore étranger au bonheur. Ma longue détention a pu vieillir mes traits, diminuer mes forces et peut-être mon talent ; mais mon cœur est resté jeune et sensible. En se mêlant avec le tien, il a repris une nouvelle fraîcheur. Mon existence isolée seroit pénible et flétrie, mais je n'existe plus qu'en toi, je vis de ta vie ; conserves donc bien ce trésor à nous deux » (19 prairial an II). Il lui parle comme à un être avec qui l'on partage tout, idées et sensations, lui expliquant par exemple pourquoi il

---

1. *Almanach des Muses*, 1786.
2. *Lettres inédites de Choderlos de Laclos*, publiées par Louis de Chauvigny, Paris, Mercure de France, 1904. Les lettres de Laclos n'ayant pas été jointes à ses *Œuvres complètes*, ce volume est indispensable pour le comprendre en profondeur.

a suspendu son projet d'écrire une grammaire française. Elle est d'une modestie qu'il combat sans cesse : « Tu as bien raison d'avouer enfin que tu as des qualités qui justifient mon amour pour toi. Si j'en faisois ici l'énumération, cette lettre seroit longue. Maîtresse adorable, excellente femme et tendre mère, en voilà le résumé en peu de mots. C'est l'idée générale que tu me rappelles chaque fois que je pense à toi, c'est-à-dire à peu près à tous les instants du jour » (29 prairial an II). Quand il fut condamné à la guillotine, Laclos s'y prépara en mettant à son cou un collier de cheveux de sa femme, de son fils aîné et de sa fille; et il écrivit du corridor Challier, le jour où il devait être exécuté, cette lettre à Marie-Soulange qu'il croyait la dernière, d'une pudeur virile : « Mes cheveux me gênaient pour attacher la boucle de ma perruque; je les ai fait couper ce matin et j'ai pensé que peut-être ils te feroient plaisir. A mon âge, ils ne repousseront plus et il m'a paru juste qu'ayant les premiers cheveux de tes enfants, tu eusses les derniers de leur père. C'est un petit monument de tendresse que je te prie de conserver. Je t'aime et embrasse du meilleur de mon cœur » (19 germinal an II).

On pourrait croire que son sentiment s'exprimait avec tant d'éclat parce qu'il s'exaltait à la perspective de la mort; mais ses lettres à Marie-Soulange, quand il dut suivre Bonaparte dans l'armée du Rhin, puis dans l'armée d'Italie, sont d'une aussi grande délicatesse. Avec quelle vivacité il s'impatiente de leur séparation! Avec quelle ardeur il cherche, à travers les villes où il bivouaque, des cadeaux pour elle, soit des « véritables gants de peau de chien », soit un camée de bois qu'il fait graver exprès par un artiste renommé. Il lui avoue : « Tu as bien raison de dire que malgré les dix-sept ans de mariage l'amour subsiste encore sous quelque nom qu'on le désigne. Il ne s'est même pas partagé avec nos enfants, il s'est seulement répandu sur eux » (Turin, 26 fructidor an VIII). Marie-Soulange, vieillissante, doute d'elle-même, craint de n'être plus aimable; il la reprend tendrement en l'appelant *gros-bet* (grosse bête) : « Ma bonne amie, quitte cette défiance de toi-même, qui ne te dépare pas, mais qui te tourmente; je t'ai souvent dit que tu étois aimable et je m'y connois aussi bien qu'un autre, or ce jugement est tout à fait autre chose que mon affection. Tu pourrois très bien ne pas être aimable du tout, sans que je t'aimasse moins, et tu pourrois aussi l'être encore plus sans que je t'en aimasse davantage; aussi ce que je te dis de ton amabilité n'a aucun trait à mon amour. C'est un jugement que je porte et non un sentiment que j'exprime » (Grenoble, 21 thermidor an VIII). Il attend, il savoure ses lettres avec autant d'émoi à soixante-deux ans qu'un jeune homme : « Ah! tu es toujours toi ; oui, toujours adorable ; et je peux bien ajouter toujours adorée. J'ai relu ta lettre au moins aussi souvent que j'ai pu relire la première que j'ai reçue de toi, et peut-être avec un sentiment de bonheur plus profond et non moins vif » (Milan, 6 brumaire an IX). Et de son lit d'agonie à Tarente, n'ayant plus la force d'écrire, les dernières lettres qu'il dicte à son aide de camp Lespagnol sont encore pour elle, qu'il voulait faire venir en Italie avec sa fille. En vérité, si une femme a pu se flatter d'avoir été aimée d'amour unique, corps et âme, jusqu'à la mort, c'est bien Marie-Soulange Duperré par le libertin Laclos [1].

On ne doit pas s'en étonner. Un libertin, qui a beaucoup pratiqué et comparé les femmes dans sa jeunesse, est l'homme le mieux placé pour apprécier celle qui lui apporte quelque chose qu'il a vainement cherché en toutes les autres. Il saura d'expérience le prix de cette possession et sera d'autant moins tenté de la perdre ; tandis qu'un homme inexpérimenté, ne le sachant que par intuition, restera vulnérable à la tentation de comparer. Et une femme aura une tendre fierté à être aimée d'un homme dont elle sait qu'elle efface les liaisons antérieures, qu'elle fait tourner les comparaisons à son avantage. Un mot revient souvent sous la plume de Laclos écrivant à sa femme, c'est celui de *maîtresse ;* il dit à Marie-Soulange son ravissement de l'avoir « pour femme, pour maîtresse, pour amie, pour tout ». C'est là l'explication décisive de cet amour qui n'a fait qu'augmenter jusqu'à la fin : il reposait sur une entente charnelle inaltérable. Laclos avait trouvé en sa femme une merveilleuse maîtresse, et les souvenirs délicieux de leur intimité l'accompagnaient partout. Comme il s'était marié à quarante-cinq ans, il avait été son initiateur sexuel et « sentimentaire », la façonnant à l'amour avec tout le tact d'un homme mûr connaissant bien les femmes ; d'où l'espèce de reconnaissance, teintée d'admiration et d'appréhension de n'être pas toujours à la hauteur, qu'elle lui manifestait.

Dans le brillant cortège des libérateurs de l'amour, Laclos ne ressemble à aucun autre des hommes de son temps. Romancier, il devance Stendhal (qui ne fera toute sa vie, dans ses romans, que mettre

---

1. Cet aspect de la personnalité de Laclos a été totalement méconnu par les critiques, dont la plupart ne citent même pas ses lettres. Roger Vailland, entre autres, a assimilé Laclos à un portrait robot du libertin, ne correspondant pas du tout à l'homme privé qu'il fut. On ne doit pas partir d'une idée toute faite du libertinage pour comprendre Laclos ; on doit partir de Laclos pour apprécier la face la plus humaine, la plus compatible avec l'amour vrai, du libertinage.

les Liaisons dangereuses à la troisième personne). Révolutionnaire, il croit à la « révolution des femmes », et espère même que les événements auxquels il participe à titre de jacobin vont porter celles-ci au pinacle. Amoureux, il réalise dans sa vie privée « la synthèse de l'amour unique et du libertinage » dont j'ai démontré la nécessité éthique : libertin de sa jeunesse à son âge mûr, amant tendre et fidèle de son âge mûr à sa vieillesse, il a assumé tous les possibles et a harmonisé les deux extrêmes qui partagent l'humanité entre les jeux de l'inconstance et les agissements d'une passion durable.

5

Charles Fourier
et la polygamie

> Le bonheur de l'homme, en amour, se proportionne
> à la liberté dont jouissent les femmes.　　FOURIER

Charles Fourier ne fut ni un philosophe ni même un écrivain, ce fut un *inventeur,* de l'espèce quelque peu révolue de ceux qui fabriquent une machine insolite, devant laquelle à l'origine tout le monde s'esclaffe, mais qui devient un jour le bateau à vapeur ou l'avion. De l'inventeur classique, tel que l'a conçu l'imagerie populaire, il eut les tics, les manies, l'intelligence ingénieuse et candide. Né en 1772 à Besançon, où son père tenait un magasin de draps, il fut toute sa vie « sergent de boutique », comme il disait, c'est-à-dire employé dans le commerce tantôt en qualité de commis-voyageur, tantôt en celle d'expert-comptable. Il avait voulu d'abord être ingénieur militaire, mais il ne put entrer à l'école des officiers du génie, dont le siège était à Mézières, parce qu'elle n'admettait que des nobles. On cite de nombreux traits de sa précocité et de son universalité. Enfant, il apprit la musique sans maître, si bien qu'il sut jouer de plusieurs instruments, composer, et qu'il inventa même un nouveau mode de notation musicale, destiné à faciliter la lecture des partitions en supprimant la pluralité des clefs. A dix-neuf ans, il eut l'idée du chemin de fer, mais les ingénieurs à qui il l'exposa lui dirent que la locomotion sur rails était *impossible :* d'où l'indignation de Fourier contre tous les *impossibilistes.* Passionné de géographie, il inventa une « mnémonique géographique » permettant de l'enseigner sans effort aux enfants. Sur tous les sujets d'intérêt national ou local, il ne cessera d'envoyer des mémoires aux gouvernements du Directoire, de l'Empire et de la Restauration. Dans sa lettre au Grand Juge (4 nivôse an XII), ministre de la Justice au temps du Consulat, il se présenta fièrement : « Je suis inventeur du calcul mathématique des destinées, calcul sur lequel Newton avait la main et qu'il n'a même pas entrevu ; il a déterminé les lois de l'attraction matérielle, et moi, celles de l'attraction passionnée, dont aucun homme avant moi n'avait inventé les théories [1]. »

Toutes sortes d'inventions annexes accompagnèrent ainsi la grande invention qui devait le rendre immortel. Il utilisait les loisirs laissés par sa besogne routinière pour mettre au point ses plans; chacune de ses découvertes l'induisait à un tel état de surexcitation qu'il en restait, de son propre aveu, six ou sept jours d'affilée sans dormir. Il avait des distractions perpétuelles, jusqu'à remonter plusieurs fois chez lui à cause d'un même oubli; il parlait tout seul dans les rues et, lorsqu'il conversait avec des amis, il s'interrompait souvent pour noter sur un papier une idée sans aucun rapport avec la discussion. Quand ses disciples se plaignaient de l'obscurité de son style, il regimbait : « Rappelons sans cesse que je suis inventeur et non orateur. Ma tâche n'est pas d'être fleuri mais d'être neuf [2]. » Il a tant innové dans la forme et le fond qu'on a dû créer une science, la *fouriérologie,* afin de s'y reconnaître [3]. Célibataire convaincu, ayant une horreur comique des enfants, emmenant son pain et son vin dans les restaurants par crainte des produits frelatés, invectivant contre la cuisine anglaise, suivant en marquant la mesure les régiments défilant musique en tête, il vécut ses dernières années à Paris, dans un petit appartement de Montmartre tellement encombré de pots de fleurs qu'on pouvait à peine s'y remuer, et il y attendit chaque jour à midi — heure à laquelle il leur avait publiquement fixé rendez-vous — les « Candidats », c'est-à-dire les capitalistes désirant financer son invention.

Ce qu'il a inventé? Une société, tout simplement, ou plutôt la société telle qu'elle devrait être. Dans ses livres, il a procédé à un remaniement complet des mœurs, des institutions et même des lois de la création. Il en a réglé les plus infimes détails avec une minutie extrême; il avait d'ailleurs le goût des précisions numériques et avertissait ainsi un de ses correspondants de la marche de son travail : « J'en suis à 20/36e. » Dans ses promenades, il mesurait avec une canne métrique les principaux monuments, car il avait des idées arrêtées sur l'embellissement des villes. Son extraordinaire système social est fondé sur l'exaltation des passions et leur utilisation au profit du bien-être matériel. « Le bonheur, sur lequel on a tant raisonné, ou plutôt tant

1. Charles Pellarin, *Lettre de Fourier au Grand Juge,* Paris, Dentu, 1874.
2. *Le Nouveau Monde amoureux.*
3. Johanson Zilberfarb, dans *les Études sur Fourier et le fouriérisme, vues par un historien,* distingue entre la *fouriérologie,* analyse scientifique de Fourier et du fouriérisme, et la *fouriéristique,* comprenant tous les écrits de tendance fouriériste (*Revue internationale de philosophie,* 1962, n° 60, fasc. 3).

déraisonné, consiste à avoir beaucoup de passions et beaucoup de moyens de les satisfaire. Nous avons peu de passions et des moyens à peine suffisants pour en satisfaire le quart ; c'est pour cette raison que notre globe est *pour le moment* des plus malheureux qu'il y ait dans l'univers [1]. » Son programme consiste donc à stimuler les passions, et à les combiner de façon à en faire les agents incitateurs du développement économique. La « Fable des abeilles », par quoi Mandeville exposait que les vices sont nécessaires, autant que les vertus, au bien public, est un dérisoire apologue à côté de sa doctrine. Or, comme la passion amoureuse est la plus importante de toutes, et ordinairement la plus mal satisfaite, Fourier lui consacra des pages décisives, aussi bien dans sa *Théorie des quatre mouvements* que dans sa *Théorie de l'unité universelle,* allant même jusqu'à affirmer que la moindre erreur en théorie d'amour ruinait les chances de progrès politique et industriel.

Pour Fourier, en gros, il y a trois formes de société : la *Barbarie,* qui est l'incohérence simple et désordonnée, la *Civilisation,* incohérence complexe et organisée, et l'*Harmonie,* état idéal auquel tend l'humanité. Son œuvre décrit les conditions d'existence des Harmoniens, qui remplaceront les Civilisés. A la notion de famille sera substituée celle de *phalange,* libre association d'hommes et de femmes ; et chaque phalange habitera dans un *phalanstère,* vaste bâtiment ressemblant à la fois à un hôtel et à un palais, où les échanges communautaires se feront avec le plus grand souci des convenances. Évidemment, Fourier a tracé un tableau précis de l'évolution de l'espèce. Il divisait et subdivisait la *carrière sociale* du genre humain en quatre *phases* et trente-deux *périodes :* la première phase comprenant huit périodes, dont les cinq périodes de début dites *limbes sociales antérieures* ou *périodes malheureuses ;* la deuxième phase, huit périodes d'*Harmonie ascendante,* aboutissant à un apogée social et matériel ; la troisième phase, huit périodes d'*Harmonie descendante ;* et la quatrième phase, huit périodes de *caducité* ou de *subversion descendante,* dont cinq en *limbes sociales postérieures.* La période courante ou *Civilisation* est ainsi la cinquième période malheureuse de la première phase ; un mieux social ne peut se produire qu'en sixième période, ou *Garantisme,* s'affirmant en septième période, ou *Sociantisme,* et n'inaugurant qu'en huitième période le cycle d'*Harmonie.* La durée de cette évolution est d'environ quatre-vingt un mille ans, au bout desquels s'achève le monde animal et végétal. Or, les réformes audacieuses que Fourier prévoyait dans

1. *Théorie des quatre mouvements et des destinées générales.* Lyon, Pelzin, 1808.

l'union des sexes, il en remettait l'application à plusieurs générations après la fondation de la phalange d'essai, lorsque les conditions d'ensemble de la société seraient transformées de fond en comble. Chaque fois qu'il exposa son programme d'émancipation amoureuse, ce fut en insistant sur le fait qu'il n'était pas réalisable en Civilisation, mais seulement en septième, huitième périodes et autres, à partir de nombreuses améliorations préalables. Son disciple Victor Hennequin, qui a donné un résumé des opinions de Fourier dans son petit livre *les Amours au phalanstère* (1847), écrivait à ce sujet : « ... Il renvoyait à plusieurs générations l'examen et la solution des questions d'amour. Il motivait très bien cet ajournement en montrant qu'une race élevée dans la contrainte et la fausseté ne pouvait inaugurer sans transition le règne de la vérité et de la justice. Il faisait comprendre que des êtres humains comprimés dès le bas âge ne sauraient jouir de la liberté mesurée, qu'ils la confondraient avec le simple essor des passions brutales, avec la débauche dont Fourier, plus que tout autre, avait horreur. »

Son imagination était si brillante que même les socialistes de son école cherchèrent à en faire la part. Un de ses adeptes, Le Moyne, écrivait à un autre : « Je vous déclare que toutes les fois que je parle de Fourier, je distingue Fourier le *génie sage* et Fourier le *génie extravagant*[1]. » En effet, Fourier se livre à des hypothèses déconcertantes quand il évoque sa cosmogonie : « Les planètes étant androgynes comme les plantes copulent avec elles-mêmes et avec les autres planètes. Ainsi la Terre, par copulation avec elle-même, par fusion de ses deux arômes typiques, le masculin versé de pôle nord, et le féminin versé de pôle sud, engendra le Cerisier, fruit sous-pivotal des fruits rouges[2]. » Il a expliqué par des « copulations sidérales » la naissance de toutes sortes d'animaux et de fruits ; « La Terre copulant avec Mercure, son principal et 5e satellite, engendra la fraise ; avec Pallas, son 4e satellite, la groseille noire ou cassis ; avec Cérès, son 3e satellite, la groseille épineuse. » Au contraire, ses principes d'organisation du monde contiennent des vues positives. Il a soutenu la nécessité d'abolir le commerce, en partant de l'observation des abus. Sa société est fondée sur la production intensive des richesses : « La Civilisation est trop pauvre ; c'est le vice qui neutralise tous ses efforts d'amélioration[3]. »

1. Cité par Hubert Bourgin dans *Fourier, contribution à l'étude du socialisme français,* Paris, 1905.
2. *Théorie de l'unité universelle,* dans *Œuvres complètes de Fourier,* Paris, bureaux de *la Phalange,* 1841-1845, t. II à V.
3. *Publication des manuscrits de Fourier,* Paris, Librairie phalanstérienne, 1851-1858, t. II, p. 5.

Pour obtenir un meilleur rendement économique, il faut exclure du travail toute monotonie; celui-ci comprendra donc « l'exercice parcellaire » et le « relais périodique », c'est-à-dire que chaque individu n'aura pas à pratiquer un seul métier, mais au moins une vingtaine, qui l'occuperont en courtes séances alternées. Ces métiers seront classés en « Séries passionnées », selon qu'ils satisferont telle ou telle passion. D'après Fourier, il y a douze passions « radicales » : cinq sensuelles (correspondant aux cinq sens), quatre affectives (l'amour, l'ambition, l'amitié et le « familisme ») et trois distributives (la « cabaliste », passion de rivalité et d'intrigue, la « composite », tendance à s'intéresser à plusieurs choses à la fois, et la « papillonne », passion du changement). Ces passions, se subdivisant en passions secondaires, forment huit cent dix caractères différents, tous représentés en double dans une phalange normale, qui constitue « un magnifique orchestre à 810 instruments ou caractères ». Fourier a une piètre estime pour le *solitone,* qui n'a qu'une passion dominante, même si celle-ci est la gourmandise; l'*omnitone,* qui les a toutes, est un sujet exceptionnel; le citoyen idéal est le *pentatone,* qui a cinq passions dominantes. Dans la hiérarchie qu'il a établie pour récompenser les travailleurs passionnés, il y a le titre de « Roi des passions » et de « Reine des passions », qui assurent « la présidence caractérielle d'une phalange ». Le but de l'amour, dans ce programme, est de rendre le travail attrayant, d'engager les couples dans une compétition industrielle; aussi ce sentiment sera-t-il stimulé et dirigé par une spéciale « politique galante ».

Les mœurs amoureuses qu'il a proposées pour des temps meilleurs, et dont souvent il arrêtait court la description, afin de ne pas éveiller une trop grande nostalgie chez ses lecteurs, disait-il, doivent être considérées en fonction du reste, et sans oublier qu'il ne les envisageait qu'après la période nommée *Garantisme,* où seraient acquises quelques garanties élémentaires, comme l'extinction définitive des maladies vénériennes. Cette « organisation des libertés amoureuses », qui devait s'épanouir dans ce qu'il a appelé tour à tour l'« omniphilie », la « phanérogamie harmonienne », l'« infidélité composée », le « sympathisme occasionnel » ou l'« inconstance vertueuse », était censée s'accomplir dans un monde neuf, où même les règnes animaux et végétaux seraient transformés : en Harmonie, Fourier prédisait l'apparition d'un anneau, pareil à celui de Saturne, qui déterminerait sur toute la Terre un climat tempéré. Il annonçait que les déserts seraient cultivés, la mer traitée pour devenir une sorte de limonade, et que les lions et les léopards, d'une grosseur triple de la normale, serviraient aux hommes de « porteurs élastiques », c'est-à-dire de montures dociles et rapides. La République mondiale serait alors formée de trois millions de phalanstères, constituant autant d'États indépendants, parlant la même langue et partageant les mêmes lois d'association. Chaque Harmonien aurait à sa disposition une cinquantaine de domestiques, souvent plus riches que lui, qui le serviraient gratuitement, en raison de « l'attraction passionnée ». Dans ce paradis rationnel, les liaisons auront forcément des règlements inouïs.

Fourier a préparé ses réformes par une critique aiguë, logique et souvent perspicace des amours de la Civilisation. Il a frappé à grands coups sur le mariage, qui lui semblait symboliser toute l'absurdité des mœurs actuelles. « La vie de ménage marié, ou de couple, est l'insociabilité réduite à sa plus simple expression », disait-il. Ainsi, un de ses chapitres, qui s'intitule *Gamme des disgrâces de l'état conjugal*, contient l'énumération des inconvénients du mariage, qui sont d'après lui au nombre de seize, savoir : *le malheur hasardé* (« Est-il un jeu de hasard plus effrayant que celui d'un lien exclusif, indissoluble, dans lequel on *joue aux dés* le bonheur et le malheur de sa vie ? ») ; *la disparate de goûts et de caractères* (« Elle éclate souvent dès le lendemain du mariage, ne fût-ce que sur la cuisine, qui n'est pas de deux espèces dans les petits ménages ; puis sur la parure, sur les fréquentations... Bref, on ne va guère à la quinzaine sans découvrir de part et d'autre des goûts et des habitudes incompatibles. ») ; *les incidents complicatifs* (« Il est rare qu'on aille à six mois sans qu'un événement quelconque ne vienne changer la face des choses... Par exemple, un mari reconnaîtra, au bout d'un mois, que sa femme est une Messaline, et que, s'il ne continue pas comme le premier mois, il court grand risque de voir intervenir la *cour des aides*... Les décomptes ou attrapes ne sont pas moindres pour les femmes. ») ; *la dépense* (« La vie de ménage est si coûteuse, qu'on en vient toujours à excéder le devis qu'on s'était fixé ; puis il faut en rabattre : l'amour s'envole, dès que l'hymen cause de pareils débats ; l'illusion tombe, la chaîne reste. ») ; *la monotonie ; l'adultère ; la stérilité ; la fausse paternité ; le veuvage ; l'orphelinage composé* (« L'enfant est souvent *orphelin négatif*, dans les cas très fréquents où des pères et des mères inhabiles dissipent le patrimoine qui devait lui échoir. Il est aussi malheureux et peut-être plus que s'il était *orphelin positif* par leur décès prématuré ; d'où il suit que l'état conjugal expose les enfants à deux orphelinages, sans garantie contre les lésions qui doivent en résulter. ») ; etc. Après avoir déployé le panorama de toutes ces infortunes, Fourier s'écriera : « Résumant sur cette analyse, je demanderai quel mari peut se flatter d'échapper à ces 16 disgrâces, dont souvent une seule suffit à faire le malheur de sa vie? Sur 100 individus mariés depuis 10 ans, n'en trouvera-t-on pas 99 qui auront à se plaindre, non pas d'une seule, mais de deux ou trois de ces disgrâces [1] ? »

Non content de critiquer point par point le mariage, il voulut le ridiculiser en tournant en dérision l'adultère qui en est la monnaie courante, et établit sa fameuse « hiérarchie du Cocuage » qui devait exposer « 144 espèces de cocuage (72 en hommes et 72 en femmes, dont le cocuage est de titres différents de ceux des hommes) [2] ». Il démontra avec originalité qu'en ces sortes d'affaires les séducteurs étaient encore plus ridicules que les maris : « Si le point d'honneur en amour consiste dans la possession exclusive, il est évident que le Cocu sauve l'honneur tandis que son suppléant se laisse blesser sciemment sur le point d'honneur... Peut-il ignorer que la femme en pareil cas redouble d'empressement près de l'époux, afin de lui cacher l'intrigue et se mettre à l'abri du soupçon en cas de grossesse? Cette seule considération force la dame à rechercher les faveurs du mari à l'époque même où elle veut céder au galant, dont elle craint les étourderies, et, par prudence, elle ne se livre à l'amant qu'après s'être nantie des faveurs de l'époux; précaution flatteuse pour le courtisan! situation brillante pour lui [3]! » L'adultère est donc une situation avilissante, qui fait trois dupes, et prouve la nécessité de réformer le contrat sexuel de la société. Il a affirmé que le mariage était particulièrement nuisible à la femme, et a évoqué « le bonheur des jeunes veuves, surtout quand elles savent conserver leur liberté, ne pas tomber de Charybde en Scylla, du joug d'un mari sous le joug d'un hâbleur sentimental, mais se réserver l'indépendance en amour et le droit de changer d'amant ».

Fourier a été le premier économiste à se soucier avec rigueur de la situation des femmes, et c'est d'ailleurs chez lui que différents socialistes du XIXᵉ siècle — Constantin Pecqueur et même les saint-simoniens — ont pris l'idée de l'émancipation de celles-ci. Il accusa la civilisation de « les réduire à la couture et au pot ». Il proclama qu'elles devaient entrer en concurrence avec les hommes, et occuper tous les postes jusqu'alors réservés à ces derniers, afin de contrebalancer leur influence : « Les femmes, en association, reprendront bien vite

---

1. *Théorie de l'unité universelle.*
2. Cette hiérarchie, publiée intégralement par René Maublanc en 1926, a été insérée sous une forme expurgée dans *Publication des manuscrits de Fourier*, t. III, p. 251-272.
3. *Théorie des quatre mouvements.*

le rôle que la nature leur assigne, le rôle de rivales et non pas de sujettes de l'homme. » Sur le plan de la vie privée, il s'est indigné du fait que la jeune fille à marier fût une « marchandise » négociée, et maintenue dans des principes de chasteté que l'on n'exigeait pas de son conjoint. Il a souhaité l'indépendance totale, matérielle et amoureuse, de la femme vis-à-vis de l'homme. Il l'a déclaré sans ambages : « Le bonheur de l'homme, en amour, se proportionne à la liberté dont jouissent les femmes. Cette liberté, en ouvrant la carrière aux plaisirs, l'ouvre de même aux mœurs honorables qui en font le charme [1]. » En Civilisation, trois classes réalisent approximativement l'idéal de la femme future : les *dames de haut parage, les courtisanes de bon ton* et les *petites-bourgeoises non mariées*. Les premières cultivent « l'amitié, le goût des arts et autres nobles affections »; les deuxièmes « perdent, par l'habitude du plaisir, cet esprit cauteleux, ces arrière-pensées toutes charnelles qu'on remarque dans les bourgeoises pétries de morale »; les troisièmes « passent leur jeunesse à voltiger d'homme en homme, elles n'en sont que plus intelligentes au travail et plus habiles à trouver quelque innocent qui les épouse quand elles sont sur le retour ». Ces trois classes de femmes sont les seules intéressantes : « Leurs qualités réunies composeraient la perfection [2]. »

En Harmonie, la femme sera habituée dès l'enfance à être l'égale de l'homme en tout. A partir de l'âge nubile, elle entre dans la corporation du *Vestalat*, qui pratique la chasteté jusqu'à dix-neuf ans; elle peut quitter cette catégorie quand elle le désire pour celle du *Damoisellat*, où la chasteté n'est prescrite que jusqu'à seize ans. Chaque Vestale a ses « poursuivants », garçons qui cherchent à lui plaire en faisant des prouesses de travail; c'est donc une adolescente qui joue un rôle important dans l'entraînement des « armées industrielles »; elle est extrêmement honorée dans la phalange. Si elle aime un poursuivant, elle abandonne son titre de Vestale : cette mutation se signale par un changement de costume. Elle se cantonnera peut-être dans l'amour fidèle, mais Fourier estime que la plupart ont besoin de variété : « Chaque homme et chaque femme voudraient avoir un sérail si la dépense et la loi ne s'y opposaient. » Par conséquent, il institue le « mariage progressif », comportant plusieurs degrés d'intimité qu'une femme n'accorde à un homme que si elle est contente de lui, et qui lui permet d'avoir plusieurs maris à la fois. Elle aura d'ailleurs une « affection pivotale », c'est-à-dire un mari qu'elle préférera :

---

1. *Théorie des quatre mouvements.* — 2. *Ibid.*

« On appelle pivotale une affection [...] à laquelle on revient périodiquement, et qui se soutient en concurrence avec d'autres amours plus nouveaux et plus ardents.

« Tout caractère de haut titre, bien équilibré, doit avoir en Harmonie des amantes pivotales ou amants pivotaux, non compris le courant, c'est-à-dire les amours de passions successives, et le fretin ou amours de passade, qui sont très brillants en Harmonie, vu les passages de légions d'un et d'autre sexe. Ils donnent lieu à tous les couples d'amants de conclure des trêves de quelques jours, lesquelles trêves ne sont point réputées infidélités, pourvu qu'elles soient régulières, consenties réciproquement après coup, et enregistrées dès le lendemain de la variante, en chancellerie de la cour d'amour, afin de démentir l'intention de fraude cachée [1]. »

Il y a une législation précise pour favoriser la multiplicité de ces unions simultanées. Voici le tableau exact de celle qui sera applicable en Sociantisme, au début de la phase d'Harmonie :

« Dans cette période, si facile à organiser, la liberté amoureuse commence à naître, et transforme en vertus la plupart de nos vices, comme elle transforme en vices la plupart de nos vertus. On établit divers grades dans les unions amoureuses : les trois principaux sont :

      Les Favoris et Favorites en titre ;
      Les Géniteurs et Génitrices ;
      Les Époux et Épouses.

« Les derniers doivent avoir au moins deux enfants l'un de l'autre ; les seconds n'en ont qu'un ; les premiers n'en ont pas. Ces titres donnent aux conjoints des droits progressifs sur une portion de l'héritage respectif. Une femme peut avoir à la fois :

    1. Un Époux dont elle a deux enfants ;
    2. Un Géniteur dont elle n'a qu'un enfant ;
    3. Un Favori qui a vécu avec elle et conservé le titre ; plus de simples possesseurs, qui ne sont rien devant la loi.

« Cette gradation de titres établit une grande courtoisie et une grande fidélité aux engagements. Une femme peut refuser le titre de Géniteur à un Favori dont elle est enceinte ; elle peut, dans les cas de mécontentement, refuser ainsi à ces divers hommes le titre supérieur auquel ils aspirent. Les hommes agissent de même avec leurs diverses femmes. Cette méthode prévient complètement l'hypocrisie dont le mariage est la source [2]. »

1. *Théorie de l'unité universelle*, t. IV.
2. *Théorie des quatre mouvements*.

Si un homme se conduit en amant indélicat, manque à son « hoirie d'amour », il voit son nom voilé au tableau des Séries industrielles, et n'est admis dans ces séries qu'avec un crêpe jaune au bras. Mais Fourier affirme qu'il n'y aura plus de libertinage en Harmonie : « La bonne compagnie ne se gorge pas dans un festin, comme le peuple, parce qu'elle sait que rien ne lui manquera chez elle matin et soir : et de même les femmes harmoniennes de 3e génération, quoique libres, seront beaucoup moins libertines que les civilisées, parce qu'elles n'auront été irritées ni par des privations passées, ni par la crainte de privations futures. La MORALE rêve de fausses vertus fondées sur la résignation au mal être ; la MORISOPHIE crée des vertus réelles, fondées sur la variété des plaisirs, et des contrepoids agréés qui sont ignorés des moralistes [1]. » On objectera le surcroît de population produit par ce système ; Fourier répond à cela que grâce au « régime hygiénique », la science de l'alimentation nommée « gastrosophie », les grossesses seront réduites au cours des périodes suivantes : « Les femmes deviendront de moins en moins fécondes : l'excès de vigueur les rendra plus aptes au plaisir, mais beaucoup moins à la conception ; le genre humain ne produira plus que la quantité d'enfants rigoureusement nécessaire à maintenir le complet existant [2]. » Ainsi, le principal résultat de cette « transformation du ménage conjugal en grands ménages combinés de 1 800 personnes environ » sera l'épanouissement du plaisir et du travail.

Que deviendront les enfants nés de ces unions complexes ? Fourier s'est préoccupé en détail de leur sort ; ce n'est ni la mère ni le père qui seront chargés de leur éducation. La passion dite « familisme » sera respectée, mais non comme en Civilisation où « l'étalage d'amour maternel n'est souvent qu'hypocrisie, marche-pied de vertu pour les femmes qui n'ont aucune vertu réelle, aucuns moyens... Ce beau zèle de certaines femmes pour le soin du marmot n'est qu'un pis-aller de désœuvrement. Si elles avaient une vingtaine d'intrigues industrielles à suivre pour leur intérêt et leur renommée, elles seraient fort aise qu'on les délivrât du soin des petits enfants, sauf garantie de leur bonne tenue [3] ». Aussi, dès leur naissance, les enfants seront confiés à un « séristère », salle commune où ils seront groupés selon les trois caractères : *pacifiques, rétifs* et *désolants*. Leur éducation, gratuite

---

1. *La Fausse Industrie*, Paris, Bossange père, 1835-1836.
2. *Théorie de l'unité universelle*, t. II, p. 371.
3. *Le Nouveau Monde industriel et sociétaire*, Paris, Bossange père, 1829-1830.

jusqu'à l'âge de trois ans, est faite par la corporation des *Bonnes passionnées,* sous contrôle médical. « La série des bonnes et sous-bonnes reçoit non seulement un fort dividende, mais de grands honneurs; elles sont considérées comme mères communes, et tiennent un rang distingué dans les festivités [1]. » Tout cela se fera pour le plus grand bien des adultes et aussi des nouveau-nés : « L'enfant, sans le savoir, désire les dispositions qu'il trouverait dans un séristère d'Harmonie; à défaut de quoi il désole par ses cris parents, valets et voisins, tout en nuisant à sa propre santé [2]. » Plus tard, l'éducation sera assurée par les *Mentorins* et les *Mentorines.* Au lieu de réprimer les mauvais penchants des enfants, on les fera servir au bonheur collectif. Ainsi, ceux qui aiment par nature manier des saletés, faire du vacarme, seront engagés dans les *Petites Hordes,* employés à des tâches malpropres et bruyantes qui satisferont leurs instincts, joindront l'utile à ce qui leur est agréable; les enfants plus calmes composeront les *Petites Bandes,* aux occupations raffinées.

Si les lois d'Harmonie favorisent . la polygamie, elles s'ingèrent également de créer des corporations amoureuses, dans lesquelles s'enrôleront tous ceux et toutes celles qui ont la vocation de consoler leurs semblables. Ainsi la troupe des Bacchantes et des Bayadères a pour mission d'apporter des compensations aux « poursuivants » qui ont des chagrins sentimentaux; aucun risque de prostitution : « Une science inconnue, l'algèbre des sympathies essentielles et occasionnelles, transformera en anges de vertu ces corporations qui, sous les noms profanes de Bacchantes et Bayadères, peuvent être suspectées de libertinage. » La plus singulière de ces corporations est celle du *Faquirat* chargée d'assurer les amours de la vieillesse; les faquirs et les faquiresses sont des individus de vingt à trente ans qui se consacrent exclusivement aux personnes âgées. Fourier s'est préoccupé de leur besoin d'affection : « Il n'y a donc ni réalité, ni naturel, dans ces simagrées des vieillards civilisés qui disent avoir oublié l'amour. Les uns l'oublient par nécessité, parce que, faute d'argent, ils ne peuvent plus apprivoiser aucun tendron; les autres l'oublient par amour-propre, ne voulant pas s'exposer aux dédains d'une jeunesse railleuse. Dans l'un ou l'autre cas, c'est oubli forcé ou volontaire; mais ce qu'il est honteux à eux d'oublier, c'est le point d'honneur. » Grâce à son système, il se flatte de supprimer le conflit des générations; il prévoit même l'objection : « Vous vous moquez, répond un modeste septuagénaire. Je n'ai plus la beauté, ni les facultés qu'il faut apporter en

---

1. *Théorie des quatre mouvements.* — 2. *Ibid.*

pareille liaison, et par délicatesse je la refuserais, je croirais faire le
supplice de celle qu'on voudrait m'associer... C'est bien pensé : mais
l'ordre de choses qui vous ménagera diverses chances d'amour en âge
avancé, vous ménagera de même la santé [1]. » En effet, toujours en
fonction de la « gastrosophie », les vieillards d'Harmonie seront
robustes, et la plupart vivront jusqu'à cent cinquante ans.

Enfin, les joies de l'amour s'intégreront dans une conception
nouvelle du bonheur. Le « vrai bonheur », selon Fourier, est la somme
des plaisirs *simples* et *composés* qui sont réunis dans une journée. En
Harmonie, les citoyens auront des options de plaisir d'heure en heure,
et parfois de quart d'heure en quart d'heure. Pour être heureux, un
Harmonien doit connaître huit séances de plaisirs composés, cinq de
plaisirs simples, plus un ou deux « parcours », genre de jouissance que
Fourier prétend avoir inventé, et qu'il définit ainsi :

« Le parcours est l'amalgame d'une quantité de plaisirs goûtés
successivement dans une courte séance, enchaînés avec art, se
rehaussant l'un par l'autre, se succédant à des instants si rapprochés
qu'on ne fasse que glisser sur chacun. L'on peut, dans le cours d'une
heure, éprouver une foule de plaisirs différents et pourtant alliés,
quelquefois réunis dans un même local, par exemple :
« Léandre vient de réussir auprès de la femme qu'il courtisait. C'est
plaisir composé, pour sens et âme. Elle lui remet l'instant d'après un
brevet de fonction lucrative qu'elle lui a procuré; c'est un 2e plaisir.
Un quart d'heure après, elle le fait passer au salon où il trouve des
surprises heureuses, la rencontre d'un ami qu'il avait cru mort;
3e plaisir. Peu après entre un homme célèbre, Buffon ou Corneille, que
Léandre désirait connaître et qui vient au dîner; 4e plaisir. Ensuite un
repas exquis; 5e plaisir. Léandre s'y trouve à côté d'un homme puissant
qui peut l'aider de son crédit et qui s'y engage; 6e plaisir. Dans le cours
du repas un message vient lui annoncer le gain d'un procès; 7e plaisir.
« Toutes ces jouissances, cumulées dans l'intervalle d'une heure,
composeront un *parcours* qui doit *rouler sur un plaisir de base continué
dans tout le cours de la séance*. Ici Léandre atteint le but par la
compagnie de sa nouvelle conquête et le succès affiché au repas. C'est
le plaisir pivotal qui broche sur le tout, et intervient en continuité
pendant la durée des sept autres. Cette sorte de plaisir, nommé
PARCOURS, est inconnue en Civilisation; les rois mêmes ne peuvent pas
se procurer des parcours, charme très fréquent en Harmonie, où un

1. *Théorie de l'unité universelle.*

homme riche est assuré de rencontrer chaque jour au moins deux parcours, indépendamment des séances de plaisir *composé* à 2 jouissances, *sur-composé* à 3, et *bi-composé* à 4 jouissances cumulées. Qu'on juge après cela du dénuement des Civilisés en fait de bonheur [1] ! »

Cette démonstration prouve en tout cas qu'il entendait par son « calcul mathématique des destinées » accroître les richesses morales, aussi bien que matérielles, de l'humanité.

Fourier est un penseur dont on n'a commencé à mesurer l'envergure qu'au xxᵉ siècle ; la faute de ce retard incombe à ses disciples, esprits trop timorés, qui se partagèrent après sa mort en deux clans adverses d' « orthodoxes » et de « réalisateurs ». Lorsque les orthodoxes décidèrent la publication de ses manuscrits, ils en retranchèrent les passages qu'ils jugeaient scabreux, et ils laissèrent de côté les cahiers 50 à 54 de la cote 9 de l'Inventaire, contenant *le Nouveau Monde amoureux* [2]. On négligea d'abord d'étudier ces cinq cahiers appartenant au Fonds Considérant de la bibliothèque de l'École normale ; ce fonds fut transféré en 1940 à la bibliothèque de Documentation internationale contemporaine, au château de Vincennes, et à la suite d'un incendie qui s'y déclara, on crut que les papiers de la « série fer » (ainsi nommée à cause de la couleur des cahiers, comme les séries « lilas », « pêche » et « capucine ») avaient été détruits ; puis on les retrouva aux Archives nationales. Ces manuscrits, moins une partie du cahier 51 (rongé par les souris à partir de la page 67), furent publiés pour la première fois en 1967, et complétèrent par une multitude de détails précis la politique d'amour esquissée à grands traits dans ses autres livres [3]. *Le Nouveau Monde amoureux* se présente comme la quatrième partie et la « synthèse finale » du *Grand Traité* en sept ou huit volumes que Fourier, réfugié dans sa famille en Bugey de 1816 à 1821, entreprit d'écrire après l'insuccès de sa *Théorie des quatre mouvements*. Il passa un an à des études préparatoires, deux ans aux « Touches majeures, au traité d'Harmonie composé et à divers accessoires » [4], et travailla dès février 1819 à « l'Octave mineure », c'est-à-dire aux problèmes relatifs

---

1. *Le Nouveau Monde industriel et sociétaire.*
2. Cf. Émile Poulat, *les Cahiers manuscrits de Fourier*, Paris, Éd. de Minuit, 1957. Le même auteur a donné d'intéressantes précisions sur la vie de Fourier de 1816 à 1821 dans « Le séjour de Fourier en Bugey », article de la rèvue *le Bugey* (1956).
3. Charles Fourier, *Le Nouveau Monde amoureux*, Paris, Anthropos, 1967, (texte établi, préfacé et annoté par Simone Debout-Oleszkiewicz).
4. Lettre à Just Moiron (11 mai 1819).

à l'amour et à la cuisine. Ce *Grand Traité* resta inachevé, et Fourier se contenta de publier en 1822 à Besançon avec ses matériaux le *Traité de l'association domestique agricole* (dont la publication fut financée par son premier disciple Just Moiron, fonctionnaire de la préfecture du Doubs), que l'on connaîtra bientôt sous son titre initial de *Théorie de l'unité universelle*.

Pendant qu'il écrivait *le Nouveau Monde amoureux* en Bugey, Fourier eut des démêlés familiaux qui expliquent certaines de ses remarques sur la psychologie féminine. Il s'installa d'abord à Talissieu chez quatre nièces, filles de sa sœur Mariette de Rubat, veuve d'un sous-préfet du Doubs, laquelle venait d'être internée dans une maison de santé ; il s'aperçut bientôt que les quatre jeunes filles, livrées à elles-mêmes, menaient joyeuse vie avec les galants du pays. La plus enragée, Hortense, découchait chaque nuit et s'affichait avec un militaire ; une autre, Clarisse, pour qui Fourier avait un faible, la défendait et imitait son inconduite [1]. Quand il voulut les réprimander, elles le traitèrent de « vieux coquin ». Un jour qu'il recevait au salon quelques dames, Hortense poussa l'insolence jusqu'à entrer et s'écrier : « Ah ça ! il n'y a pas d'homme ici ? » Fourier s'en plaint dans sa correspondance et dit que ses nièces « sont des libertines fieffées, des dévergondées qui en secret jurent comme des vivandières, ne jugent les hommes qu'à la toise et à la carrure ». Il a d'ailleurs appris que « ces demoiselles ont eu pour institutrice une Messaline du voisinage qui accepte autant d'hommes que Dieu lui en envoie ». Se fâchant contre ses nièces, Fourier se retira à Belley chez sa sœur Sophie, mariée au notaire Philibert Parrat-Brillat ; il constata qu'elle trompait son mari, lui faisait même porter ses lettres de rendez-vous, tandis que celui-ci, épanoui, ne cessait de vanter l'intelligence de sa femme. Fourier se souviendra de son beau-frère quand il tracera le portrait du « Cocu de tutelle », que sa femme mène par le bout du nez. En 1819, il s'opposa au mariage de sa nièce Agathe Parrat-Brillat avec un prétendant qui lui

---

1. Fourier avait la passion du familisme et prenait à cœur le sort des filles de ses trois sœurs. En 1813, il fit avorter le projet de mariage de sa nièce Fanny de Rubat, car le gentilhomme qui la recherchait était pauvre d'esprit et d'argent, et se souciait avant tout d'éviter la conscription. En 1818, sa sœur Lubine lui demanda de détourner ses deux filles d'entrer au couvent ; Fourier s'y emploiera en vain. Quant à sa nièce Clarisse, qui s'est tant moquée de lui à Talissieu, elle le relance en octobre 1832 pour le supplier d'obtenir une bourse à son fils au prytanée militaire de La Flèche ; Fourier, sans rancune, lui rendra ce service. Pourtant, cette Clarisse, malgré sa déférence tardive, sera jugée en juin 1839 par Just Moiron comme une « égrillarde, parlant peu convenablement de son oncle ».

semblait peu sérieux ; sa sœur lui en fit grief, et aussi d'une chanson satirique qui courait la ville et qu'on lui attribuait. C'est dans cette atmosphère provinciale de commérages, de visites, de bals, d'adultères, que Fourier rédigea ses pages les plus fortes et les plus hardies sur l'amour. Encore une fois, il admettra que « la laideur du corps et des âmes, les défiances, les maladies, les fourberies générales, sont un obstacle invincible des divers modes d'amour qui vont être décrits », et que ses tableaux ne seront mis à exécution que dans « un ordre de choses où les moindres des hommes seront riches, polis, sincères, aimables, vertueux et beaux, sauf l'extrême vieillesse, un ordre où nos coutumes de mariage et autres étant oubliées, leur absence donnera lieu à une foule d'innovations amoureuses ».

Avec *le Nouveau Monde amoureux,* nous possédons ainsi quelques-uns des aperçus que Fourier estimait ses contemporains incapables d'apprécier pleinement. D'abord, dit-il, pour bien se diriger en amour, et éviter tous les écueils, on doit se servir d'une « boussole matérielle », qui est l'analogie, et d'une « boussole passionnelle », celle-là même que préconise la méthode sociétaire, « la distribution sériaire ou développement par groupes et séries qui est le vœu collectif et individuel de toutes les passions ». Dans la distribution sériaire, il y a un mode neutre assurant les transitions sociales ; l'amour est le développement extrême de ce mode, parce qu'il ne tient pas compte des distinctions de classes (un roi peut être amoureux d'une bergère) et qu'il tend à satisfaire à la fois le psychique et le physique : « L'amour, passion à double emploi, a le rang d'hyper-neutre ou chef des neutres. C'est le neutre par excellence, le lien suprême ; il est mi-parti de jouissances matérielles et spirituelles. Aussi a-t-il, parmi ses propriétés, celle de nivellement ou confusion des rangs et des contrastes, qui sont oubliés quand l'amour a parlé. » La principale difficulté pour le législateur est de mettre en balance l'amour sensuel et l'amour sentimental, de façon que l'un et l'autre aient des chances égales. Il faut considérer qu'il y a cinq ordres d'amour : 1) l'ordre simple ou radical (réduit au sensuel simple ou au sentimental simple) ; 2) l'ordre composé ou balancé (qui comprend ces deux éléments d'amour) ; 3) l'ordre polygame ou transcendant, qui applique à plusieurs amours l'ordre composé ; 4) l'ordre omnigame ou unitaire (comprenant les orgies composées) ; 5) l'ordre ambigu ou mixte incluant des genres tombés en désuétude ou réalisables beaucoup plus tard. Or, la civilisation ne favorise que les deux premiers ordres, le simple et le composé, et seul le second est garanti par les lois : « Nos coutumes ne permettent ni la céladonie pure ni le cynisme pur ; il n'y a chez nous que le 2ᵉ ordre ou amalgame supposé du lien matériel et spirituel, ces deux liens étant exigés tous deux par la Constitution et la religion, dans le nœud du mariage où l'on ne voit si souvent que le lien matériel. » Une société deviendra parfaite si les cinq ordres d'amour, et non pas exclusivement l'ordre composé, y sont protégés et encouragés par les institutions.

En effet, on aurait tort de croire que Fourier veut développer la polygamie au détriment des autres possibilités amoureuses; au contraire, elles doivent toutes entrer en compétition, se stimuler les unes les autres : « En amour comme en toutes choses, chaque civilisé voudrait généraliser ses goûts dominants. Celui qui est porté à préférer l'amour sensuel voudrait organiser un monde purement cynique, celui qui donne dans le sentiment voudrait un monde purement romanesque. [...] Les esprits civilisés sont tellement faussés et antipathiques avec l'équilibre, que chacun d'eux voudrait niveler le monde entier sur son modèle sans considérer que la nature qui crée 810 caractères veut ménager dans les plaisirs une immense variété. »

Fourier fait ressortir que la civilisation dessert l'homme sentimental, le tendre Céladon qui nourrit de chastes ardeurs pour sa belle : « Il n'est rien de plus méprisé parmi nous que le céladonisme ou amour sentimental et dégagé du désir sensuel. Afficher un tel amour, c'est s'exposer à la risée des hommes et des femmes; il a pourtant le plus magnifique rôle dans l'Harmonie où l'on sait tirer parti des passions de toute espèce. » Les êtres qui seront enclins à la *céladonie* et à l'*union angélique* trouveront de multiples dispositions prévues pour eux. Ils seront honorés universellement, bénéficieront de récompenses proportionnées à la beauté de l'exemple qu'ils donnent aux autres. Un « couple angélique » pourra prétendre à treize sortes de sceptres (et de trônes) qui lui accorderont la royauté de l'amour pur, depuis le sceptre permettant de régner sur une phalange jusqu'à celui révéré par le monde entier. Parmi les neuf plaisirs de l'angélicat, Fourier compte les richesses et les honneurs que l'on se procure par ce moyen, et aussi « le plaisir de céladonie transcendante ou degré supérieur du pur amour, sorte d'érotisme mental qui élève les conjoints au-dessus des désirs matériels en lui faisant une diversion d'enthousiasme qui diffère le désir jusqu'à une autre phase de la passion ».

Cependant, pour qu'une « union angélique » soit admirable, il ne faut pas qu'elle soit le fait de deux nigauds inexpérimentés, qui choisissent d'avoir un amour platonique parce qu'ils ignorent tout des autres genres d'amours. C'est pourquoi Fourier assigne au candidat à l'angélicat des épreuves sexuelles à subir : il devra appartenir un jour entier à chaque membre d'un chœur des Vénérables de l'autre sexe.

Une fois qu'il sera reconnu apte à l'angélicat, qu'il saura lui-même que tel est bien son tempérament, il pourra contracter ce mariage blanc qu'est « l'union angélique ». Le couple ainsi formé, qui s'aimera sans avoir de rapports charnels, se signalera par ses « œuvres pies »; la délicatesse de ses sentiments, l'enthousiasme qu'il inspirera l'amèneront à avoir la meilleure influence sur le corps social. D'autant plus qu'un « couple angélique » ne s'enfermera pas dans l'égoïsme des amants civilisés. « Si Léandre et Aminte sont en liaison d'amour égoïste, il arrive nécessairement que Léandre écarte tous les poursuivants d'Aminte, qu'elle à son tour écarte tous les poursuivants de Léandre. On ne saurait imaginer un mode d'amour plus essentiellement générateur de discordes. C'est pourtant le seul admis en Civilisation. » Au contraire, en Harmonie, même dans une « union angélique », uniquement sentimentale, on admettra que le conjoint a des besoins sensuels qu'il peut satisfaire ailleurs sans préjudice pour l'autre : « Le pur sentiment ou pur amour exige que le soupirant ou la soupirante prouvent leur dégagement de toute vue sensuelle par adhésion à ce que l'objet aimé soit possédé matériellement par autrui. C'est une licence que donnent en Harmonie les couples angéliques et de même les Vestales et Vestels qui souscrivent tous à ce que leurs poursuivants d'un et d'autre sexe forment de saintes unions matérielles avec les membres du sacerdoce. » Deux amants unis à jamais par un grand amour sentimental, loin de se condamner à une chasteté perpétuelle, se consentiront des libertés réciproques et mieux encore : « Chacun d'eux sera ministre des plaisirs sensuels de l'autre, introducteur bénévole des élus ou élues et négociateur pour leur admission consécutive. Chacun considérera comme service de haute amitié les plaisirs qu'on aura procuré à son angélique moitié. »

Ayant réglé de cette façon originale le problème de la monogamie, et préservé le besoin d'idéalisme de ses tenants, Fourier s'étend plus longuement sur la polygamie. En effet, il croit que c'est le souhait du plus grand nombre; la plupart des civilisés pratiquant la « polygamie furtive » (ce dont témoignent la prostitution et l'adultère), il est nécessaire d'organiser ouvertement ce qu'ils font honteusement. Il distingue d'ailleurs entre la *polygamie,* possibilité d'aimer jusqu'à sept êtres à la fois (le *digyne* aime deux femmes, le *trigyne* trois, etc.) et l'*omnigamie,* dont le minimum est de huit. Fourier, qui est partisan de la sociabilité absolue, de la philanthropie universelle, croit que l'omnigamie en est le meilleur stimulant : « Ce qui a induit en erreur tous les philosophes civilisés sur la destinée de l'amour, c'est qu'ils ont toujours spéculé sur des amours limités au couple; dès lors, ils n'ont pu parvenir qu'à un même résultat, qu'à l'égoïsme, effet inévitable de l'amour borné au couple. » On a vu que même le couple angélique ne doit pas se suffire à soi-même et se refuser aux désirs de ses poursuivants : « L'amour unitaire ne peut pas reposer sur deux, ni quatre individus, mais sur des masses de coassociés. » A l'inverse, un polygame aura un amour pivotal, un être qu'il chérira toute sa vie malgré la multiplicité de ses liaisons : « Cet amour est pour lui un lien d'ordre supérieur ou lien de foyer qui se concilie avec les autres amours comme le blanc avec les 7 couleurs dont il est l'assemblage. » En outre, la polygamie n'est pas permanente, mais se produit par *alternats,* par périodes·où le nombre maximal n'est pas toujours atteint : « Je ne veux pas dire qu'une heptagyne, chaque fois qu'elle terminera une liaison d'amour exclusif, se passionnera le mois suivant pour 7 amants, mais qu'elle pourra dans ses alternats en aimer 7 à la fois et accorder à chacun une dose d'amour assez forte pour qu'il y trouve du charme, tandis que la trigyne, quand elle en aimera 3 à la fois dans un alternat, n'aurait plus d'amour pour un 4e prétendant ou si elle accepte, elle cessera d'aimer un des 3 autres. Son degré cumulatif étant réglé à 3, sauf exception, car ces estimations ne sont pas invariables mais seulement moyennes. »

Cet « amour puissanciel », mettant en cause une constellation d'êtres des deux sexes, sera réalisé dans un état d'esprit nouveau, parfois religieux. Il y aura ainsi une « sainteté amoureuse », honorifique et lucrative, car en Harmonie les saints et les saintes sont canonisés de leur vivant, selon des notions différentes du christianisme : « C'est une plaisante idée de la part des civilisés et barbares que d'avoir attaché le grade de sainteté à des pratiques inutiles au genre humain, à des prières et austérités qui ne font le bien de personne, pas même de celui qui s'y voue [...]. L'Harmonie qui tire parti de toutes les illusions ne saurait manquer de spéculer sur celle de sainteté, mais elle n'admet que des saints utiles et concourant aux deux buts du système social : l'accroissement des richesses et des vertus. » Or la sainteté amoureuse est éminemment utile, puisqu'elle pousse des êtres à se dévouer aux plaisirs sexuels de l'humanité, avec le même zèle, la même abnégation fervente que les plus hauts mystiques. Il y aura sept épreuves difficiles pour acquérir la sainteté amoureuse : « Un jeune homme qui veut entrer dans la carrière de sainteté doit d'abord à titre de patente le tribut amoureux à toutes les dames Révérendes, Vénérables et Patriarches qui ne l'exigent pas toutes. Il en est de même d'une jeune fille; cette patente est un service achevé en 3 mois. » La deuxième épreuve comporte « une session en sous-ambigu qui est une adjonction à l'autre sexe en ses plaisirs. Si c'est un homme, il doit s'adjoindre consécutivement à 16 couples d'amour saphique ou féminin. Si c'est une femme elle s'adjoint consécutivement à 16 couples d'amour spartiate ou masculin, pour les servir en plein dévouement à leurs plaisirs ». Fourier cite encore une « série de seize orgies balancées », et renonce à décrire deux épreuves « en ambigu », parce qu'elles sont incompatibles avec nos mœurs. Naturellement, la sainteté amoureuse est bien rémunérée, dotée d'avantages spéciaux; « le prix des prouesses les plus éclatantes en amour » est « le sceptre de pontificat pour les personnes âgées, celui de favoritisme pour les jeunes ». Les saints et les saintes agissent à la fois par bonté d'âme, par sensualité et par intérêt : « La seule perspective de ces trônes et des immenses revenus attachés à ceux de haut degré suffirait pour électriser toutes les têtes civilisées et engager dans la philanthropie sentimentale une foule de femmes sensibles qui donnent aujourd'hui dans les fadeurs du ménage, faute d'un champ assez vaste pour déployer de charitables penchants. »

Les obstacles qui s'opposent à l'essor de la polygamie transcendante sont la jalousie et l'esprit de fidélité. La jalousie s'effacera d'elle-même en Harmonie, car toutes les conditions qui surexcitent le jaloux y sont abolies; il ne peut craindre d'être ridicule, ou de manquer d'amour puisque des faquiresses, des odalisques, des saintes se proposent à lui à tout instant. Il ne sera pas trahi, sachant d'avance quel titre sa bien-aimée lui accorde publiquement : favori, géniteur, époux ou amant de passage. Au lieu de la jalousie, ce sera « l'amitié corporative » qui se développera entre les divers possédants d'une femme : « On verra en Harmonie 7 hommes s'honorer d'avoir été aimés tous à la fois par telle heptagyne et admirer sa vaste sensibilité, l'essor varié de sa tendresse qui suffirait à les charmer tous les sept à la fois. » Quant à l'esprit de fidélité, il ne sera pas méconnu en Harmonie; il deviendra même un sentiment plus complexe. Fourier démontre que les civilisés, qui prônent bien haut la fidélité amoureuse, ne cessent de la bafouer, et pas seulement dans le cocuage : dès qu'ils aiment un être, ils renient aussitôt celui qu'ils ont aimé auparavant : « C'est vraiment là le côté honteux des civilisés; rien de plus odieux que leur coutume presque générale d'oublier complètement les personnes qu'ils ont ido-lâtrées. » Les moins fidèles sont d'ailleurs les hommes qui ont l'habi-tude d'aimer une seule femme à la fois : « Les monogynes sont pour la plupart très sujets à cet ignoble penchant dont je viens de parler : l'oubli des personnes aimées et quittées. » La Civilisation ne connaît que la « fidélité simple », l'Harmonie honorera la « fidélité com-posée » que l'on garde à l'ensemble des êtres dont on a eu jouissance :

« La fidélité simple est celle qu'exigent nos philosophes. C'est la cohabitation exclusive avec un seul objet ; elle a une propriété très infâme qui est l'oubli successif. Les hommes ou femmes qui restent pleinement fidèles à chacun de leurs favoris ou favorites ont la coutume d'oublier tous les précédents pour le dominant ; le monogyne Oronte a été pendant 10 ans très fidèle à 10 femmes avec qui il a successivement vécu ; pour la 11e année, il s'attache à une 11e femme et oublie les 10 autres comme s'il ne les avait jamais connues ; il devient pleinement indifférent sur leur bien-être et bientôt il oublie de même sa 11e maîtresse pour une 12e qu'il prend à la 12e année. Tels sont les monogynes ; ils se vantent d'une rigoureuse fidélité et l'observent réellement tant que dure le lien amoureux après lequel ils tombent dans une parfaite indifférence pour ceux ou celles qu'ils ont aimés. Cette conduite est fidélité simple très méprisable en ce qu'elle ne laisse aucune trace des liens[1]. »

Cette fidélité composée doit se concrétiser par des avantages matériels, et non rester nominale. Fourier n'est pas de ces socialistes hargneux et étriqués qui veulent abolir l'héritage, qu'il trouve un des rares bienfaits de la Civilisation. Quelle stupidité que de priver l'homme d'une occasion de multiplier ses revenus ! Il faut au contraire développer l'héritage, en faire bénéficier non seulement ses descendants, mais aussi tous les êtres avec qui l'on a pris du bon temps ; les mœurs y gagneront en bienveillance générale, et chacun pourra espérer faire une centaine d'héritages espacés :

« Si une femme opulente a aimé dans le cours de sa vie 50 hommes avec passion ardente et de manière à passer quelque temps avec chacun d'entre eux et conserver ensuite de l'amitié pour eux, elle ne manquera pas de leur faire des legs en testament, à défaut de quoi elle serait dès son vivant accusée de vice, d'ingratitude pour ceux à qui elle aurait dû d'heureux jours. Ces legs ne s'étendront pas aux amours d'occasion. Ladite dame aura eu peut-être 1 000 et 2 000 hommes dans les caravansérails, les orgies, les aventurades, les bacchanales d'armée. On ne fait pas des legs à cette foule d'amants passagers, mais à ne parler que de ceux avec qui elle aura filé une passion de quelques mois, elle se croira tenue, selon l'opinion, de leur léguer une somme sous peine de passer pour caractère simple, esprit civilisé inhabile aux vertus sociales et ne conservant aucun souvenir des liens qui ont fait longtemps le charme de sa vie[2]. »

1. *Le Nouveau Monde amoureux.* — 2. *Ibid.*

Fourier pensait à tout, et s'il lui arrivait de négliger un point secondaire, ses disciples lui en demandaient aussitôt raison. Just Moiron, dans une lettre du 4 octobre 1820, s'inquiète des attributions de paternité en régime polygame. Lequel des six ou sept amants d'une femme sera sûr d'être le père de l'enfant qu'elle aura ? « Comment résoudre les difficultés qui naissent du concours de plusieurs amours au moment de la conception ? » Cette question préoccupe moins Fourier que celle de l'inceste, car une fois la cellule familiale élargie aux dimensions du phalanstère, on court le risque de voir des proches parents se conjoindre sans même le savoir. Fourier juge l'inceste avec un flegme imperturbable : « C'est un amalgame des deux cardinales mineures, des deux affections d'amour et de familisme. » Il pense même que l'inceste est pratiqué plus fréquemment qu'on ne le dit en Civilisation : « Ignore-t-on que toutes les tantes prennent les prémices des neveux et qu'il est de règle dans la bonne compagnie que les prémices d'un jeune homme appartiennent de droit à sa tante ou à la soubrette ? C'est à qui des deux sera la plus leste à les ravir, et j'estime que les tantes, sur ce point, surpassent en activité les soubrettes. » Cependant, il reconnaît que le tabou de l'inceste est assez fort pour qu'on ne s'y attaque pas tout de suite : « L'Harmonie innovera brusquement sur les coutumes d'ambition, d'économie domestique, industrielle, où toute innovation lucrative et commode ne saurait choquer personne. Mais elle ne procédera que par degrés sur les innovations religieuses et morales qui heurteraient les consciences, par exemple sur l'inceste, quoiqu'il soit de règle d'autoriser tout ce qui multiplie les liens et fait le bien de plusieurs personnes sans faire le mal d'aucune. On maintiendra quelque temps les préjugés existants, par exemple on pourra classer les incestes en gamme régulière en 7 degrés et le pivotal qui sera celui de Loch et Jocaste d'où l'on descendra jusqu'aux infiniment petits comme celui de 7e degré entre cousins et cousines. »

Fourier ne serait pas Fourier s'il n'accordait un grand prix aux manies amoureuses ; il est d'ailleurs le seul en son temps à les définir objectivement : « Les manies sont des diminutifs des passions, des effets du besoin qu'a l'esprit humain de se créer des stimulants. » On ne commettra pas l'erreur de les contrarier : « Au lieu de se moquer comme en Civilisation des manies de chacun, on s'attachera à les encourager et à les associer par groupes. » Une superbe femme, que connaissait Fourier, a eu pendant deux mois une liaison avec un jeune Allemand qui se contentait de s'asseoir au bord de son lit pour lui gratter les talons ; et elle avouait qu'elle y prenait un certain plaisir.

Une autre lui montre un fouet dont elle use contre son amant, à leur double satisfaction. Fourier en conclut que pour rendre heureux en permanence de tels maniaques, il faudrait leur permettre de constituer des sectes de gratte-talons, de flagellistes ; ils seraient sûrs d'y trouver facilement de quoi satisfaire leurs manies. Celles-ci du reste ne seraient pas cachées, mais avouées ; des gratte-talons se rendraient en pèlerinage à un phalanstère où vit un gratte-talons réputé. Afin de pouvoir se reconnaître dans la rue, chacun « porte en panache ou en épaulettes les signes de ses passions ». On classera toutes les fantaisies lubriques de façon à n'en oublier aucune, sans déconsidérer les êtres qui s'y adonnent : « On oublie que l'amour est le domaine de la déraison et que plus une chose est déraisonnable, mieux elle s'allie avec l'amour. Sous ce rapport, les manies lui conviennent éminemment et, en Harmonie, où elles seront de haute utilité, on les provoquera méthodiquement parmi la jeunesse. » Pour éviter la monotonie ou la débauche, une secte sera le plus souvent mixte, et confrontera des êtres ayant une manie sentimentale avec les adeptes d'une manie lubrique :

« Il faut assembler un caractère spirituel comme les coquettes ou les prudes avec un autre caractère matériel, comme les flagellants et flagellantes. » Enfin, comme « les manies sont d'autant plus nombreuses et plus bizarres que le caractère est plus élevé en degré », il y aura quelques manies exceptionnelles qu'on ne pourra pas mettre en association. L'homme qui la présentera ne passera pas pour un monstre ou un fou, mais pour un original : « Les manies rares ou extra-manies qui n'atteignent pas la proportion de 1 sur 810 deviennent en Harmonie un signalement usité à l'égard de tout le monde comme aujourd'hui celui de la cicatrice l'est sur les passeports civilisés. »

Parmi les manies amoureuses, le saphisme et la pédérastie sont bien vus de Fourier, qui n'est pas loin de croire que, dans les dernières périodes d'Harmonie, les hommes et les femmes seront ambisexuels. Il est extrêmement dangereux, dit-il, de réprimer le saphisme, la pédérastie ou n'importe quelle autre manie : « Toute passion engorgée produit sa contre-passion qui est aussi malfaisante que la passion naturelle aurait été bienfaisante. » Il cite cet effet mémorable de l'engorgement d'une passion :

« Une princesse de Moscou, Dame Strogonoff, se voyant vieillir, était jalouse de la beauté d'une de ses jeunes esclaves ; elle la faisait torturer, la piquait elle-même avec des épingles. Quel était le véritable motif de ses cruautés ? Était-ce bien jalousie, non c'était saphisme, ladite dame était saphienne sans le savoir et disposée à l'amour pour cette belle esclave qu'elle faisait torturer en s'y aidant elle-même. Si quelqu'un eût donné l'idée du saphisme à Mme Strogonoff et ménagé le raccommodement entre elle et la victime, à ces conditions ces deux personnes seraient devenues amantes très passionnées ; mais la princesse, faute de songer au saphisme, tombait en contre-passion, en mouvement subversif ; elle persécutait l'objet dont elle aurait dû jouir, et cette fureur était d'autant plus grande que l'engorgement venait du préjugé qui, cachant à cette dame le véritable but de sa passion, ne lui laissait même pas d'essor idéal [1]. »

Un psychanalyste aujourd'hui ne saurait mieux dire. On voit dans cet apologue que Fourier ne se contentait pas d'admettre les unions homosexuelles ; il pensait qu'un conseiller avisé, qui saurait les faire naître à l'occasion, quand l'intérêt de la communauté l'exigerait, aurait un rôle social des plus bénéfiques.

Puisque l'humanité a une tendance générale aux plaisirs sensuels et à la polygamie, Fourier trouve tout naturel de convier le peuple à des orgies. Il y a là un besoin légitime : « Il est certain que la nature nous pousse à l'orgie amoureuse comme à l'orgie des festins et que l'une et l'autre blâmables dans les excès seraient louables dans un ordre qui saurait les équilibrer. » Du reste, l'histoire nous fournit assez de preuves de ce besoin universel : « Les Civilisés se livrent à l'orgie toutes et quantes fois ils le peuvent, témoin la coutume des seigneurs de Moscou qui se font servir dans des appartements souterrains par des Géorgiennes toutes nues ; les honnêtes femmes de nos capitales aiment assez ce genre de divertissement, usité même chez les innocentes des campagnes [2]. » Cependant, Fourier méprise les assemblées orgiaques de la Civilisation : « Les plus grands exploits se réduisent à quelques parties carrées ou sextines, quelques mesquines orgies de bonne société où une demi-douzaine d'Agnès et de Paméla se seront livrées successivement à tel homme qui n'a d'autre mérite que d'être leur initié, leur affidé en ces orgies de bonne société. » L'orgie qu'il préconise, se distinguant de la prostitution et de la crapule, sera « l'essor noble des amours libres ».

Il y aura d'abord en Harmonie l'*orgie de musée,* qui est mixte

_____

1. *Le Nouveau Monde amoureux.*
2. J'ai découvert incidemment où Fourier a pris cette anecdote ; il fait allusion au *Club d'Adam* dont parle Charles Masson dans ses *Mémoires secrets sur la Russie,* Paris, Pougens, 1801.

(sensuelle et spirituelle) « puisqu'elle ne procure pas la possession mais seulement les plaisirs de vue et d'attouchement, ennoblis par le prestige des arts et de la simple nature ». Les sensations que l'on va chercher dans les musées seront assurées, ici, non par des sculptures, mais par des êtres vivants : « Si nous attachons tant de prix au beau idéal que nous représentent les ouvrages de l'art, si une statue malgré sa nudité, comme l'Apollon ou la Vénus, excite notre enthousiasme, vingt statues de même perfection en exciteront davantage et l'aspect de 20 belles femmes nues devra nous charmer encore plus que l'aspect des 20 statues qui, n'étant pas plus parfaites en formes, auront du moins l'avantage de joindre une belle âme à un beau corps. » Ainsi, les membres d'une province se réuniront souvent pour former « un musée naturel où les personnes les moins belles assisteront vêtues et à titre d'amies de la simple nature et des modèles du vrai beau ». L'orgie de musée n'est pas seulement une prévision du strip-tease, un siècle à l'avance ; elle instaure le culte de la beauté plastique :

« Déterminons donc le mode selon lequel l'orgie sera réglée sur l'enthousiasme de l'art ; il consistera à n'admettre que les beautés dignes de servir de modèle et telle sera en Harmonie la composition de l'orgie de musée ou exposition de la simple nature. Tous les personnages y mettront à nu les beautés dignes d'admiration, une femme qui n'a de beau que le buste et la gorge ne découvrira que le buste ; celle qui n'aura de beau que la croupe, la chute de reins ou même que la cuisse ou le bras ne découvrira cette partie et ainsi des hommes. Chacun étalera ce qu'il jugera digne de servir de modèle aux artistes [1]. »

L'orgie active, où l'on ne se contentera plus de la seule contemplation, sera définie comme un « quadrille omnigame » ou un « orchestre d'amour ». Chaque danseur, dans un quadrille, exécute ses pas en fonction d'un mouvement d'ensemble ; chaque musicien, dans un orchestre, joue sa partie de façon à servir le déroulement de la symphonie ; de même chaque partenaire, dans une orgie, doit s'accorder en goûts et en sympathies avec les autres, sinon ce n'est plus une fête, mais un chaos répugnant. Fourier a donné la description d'une orgie harmonienne. Une horde de chevaliers et de chevalières arrive en visite dans un phalanstère ; on décrète une orgie en leur honneur, et la cour d'amour, aussitôt convoquée, délègue ses prêtres et ses prêtresses :

---

1. *Le Nouveau Monde amoureux.*

« La horde s'avance à travers un nuage de parfum et une pluie de fleurs ; les chœurs et les instruments font retentir les hymnes d'allégresse. A l'instant où elle touche aux colonnades du péristyle, on enflamme les punchs et on ouvre les fontaines qui font jaillir dans leurs bassins cent nectars divers. Tous les chevaliers et chevalières sont en costumes les plus galants et les plus aptes à favoriser.les formes et étaler les beautés de chacun. 200 prêtres et prêtresses, costumés avec la même élégance, font les honneurs de l'introduction. Après les rafraîchissements, la troupe monte à la salle du trône, où siège la pontife Isis. Là finit le cérémonial et toute la bande, après avoir passé aux cellules d'ablution, se rend à la salle de confession [1]. »

Les chefs du sacerdoce procèdent aux examens de conscience et aux déclarations écrites. Pendant que la horde se met à table pour le goûter, le consistoire dépouille et classe les confessions, et détermine pour chaque chevalier et chevalière une liste de cinq à six sympathies. Les servants du goûter complètent le « travail distributif » en prenant des notes qui seront remises à l'office de la Haute Matrone, avec les examens de conscience. « L'assortiment sympathique » est conçu de sorte à « vivifier par contraste ou identité les germes d'illusion ». Durant le repas préliminaire, les enfants sont admis ; l'orgie ne commencera qu'à l'heure où ils seront couchés. Enfin, les deux parties se rassemblent au salon pour « la salve » ou début de séance ; on place d'un côté, debout, toute la horde, et, de l'autre, tout le sacerdoce ainsi que « tous les individus des deux sexes qui peuvent avantageusement figurer et ne sont engagés par aucun lien de fidélité ».

« Au signal donné par la baguette de la fée, on se livre à une demi-bacchanale. Les deux troupes se précipitent dans les bras l'une de l'autre, la mêlée est générale et chacun reçoit et distribue confusément les caresses et chacun parcourt les appâts [2] qui lui tombent sous la main et se livrent aux franches impulsions de la simple nature. On voltige de l'un à l'autre, on baise les appâts de tous les champions, acteurs ou actrices, avec autant d'empressement que de célérité. On cherche à visiter dans la mêlée tous les personnages sur qui l'on a fixé l'attention précédemment. Cette courte bacchanale coopère utilement à

---

1. *Le Nouveau Monde amoureux.*
2. Fourier écrit *appâts* et non *appas*, ce que Littré ne juge pas incorrect, appas étant l'ancien pluriel d'appât, et ne pouvant se dire de toute façon que des beautés d'une femme, non d'un homme.

la vérification du matériel et peut disposer déjà plusieurs sympathies
pour ceux qui tiennent au matériel, essentiellement ou accidentelle-
ment [1]. »

Cette « reconnaissance du terrain » ne doit pas durer plus d'un demi-
quart d'heure. Pour faire diversion et désunir les couples, on lance dans
la foule « deux groupes, l'un de saphiennes, l'autre de spartiates, qui
s'attaqueront d'abord aux champions de leur acabit ». Après cessation
de la mêlée, on passe à la salle de tentative. Elle comporte des gradins
sur lesquels tous vont se promener par cinq ou six devant le reste de
l'assemblée, assis de l'autre côté de la salle. Chaque spectateur peut,
grâce à cette inspection, discerner les partenaires avec qui il a des
sympathies et des affinités. « Clitie sur une liste de sympathies en a
remarqué 3 plus une qui n'était pas sur la carte. C'est déjà une
gradation établie dans ses vœux ; elle connaît celle qu'il est le plus
pressé d'aborder et les numérote ainsi sur sa liste afin que le Fé qui la
conduira la présente d'abord aux athlètes entre qui elle hésite. » On se
rend ensuite à la salle de gala où se fait l'abordage ; les Fées et les Fés
sont là pour atténuer l'offense d'un refus : « Si après un entretien
quelqu'un veut faire un refus, le secret de ses délais n'est communiqué
qu'à l'intermédiaire qui transmet les explications de manière à ménager
l'amour-propre. » Les orgies se succéderont alors pendant trois jours,
et mettront en relation des êtres parfaitement accordés, sympathisant
dans leurs passions, ne risquant pas de se voir imposer par leurs
partenaires des manies amoureuses qu'ils n'approuvent pas [2].

La guerre en Harmonie ne sera pas supprimée, mais détournée vers
un but profitable à tous. Il y aura des « armées industrielles » dont les
grandes manœuvres, comparables à celles des corps militaires d'autrefois, serviront à construire, non à détruire : « On sait quels seront les
résultats de ces armées industrielles de l'Harmonie ; au lieu de nos
trophées civilisés comme celui d'avoir brûlé, saccagé une vingtaine ou
trente villes dans le cours d'une campagne, on aura jeté 20 ou 30 ponts

---

1. *Le Nouveau Monde amoureux.*
2. Quand on songe au puritanisme des réformateurs sociaux, on est ébloui
par la liberté d'esprit de Fourier. En face de l'hypocrisie de Marx, qui fit un
enfant à sa bonne et refusa de le reconnaître pour ne pas choquer ses
disciples, de la pruderie de Trotski, qui n'acceptait pas que les femmes se
fardent et fument (à la grande consternation d'André Breton, quand il le
rencontra au Mexique), Fourier apparaît comme le premier socialiste
affranchi des préjugés sexuels petits-bourgeois. A quoi sert d'être révolutionnaire dans la vie publique, si l'on est conformiste dans la vie privée ? Fourier
s'est soucié de l'émancipation de l'homme sur ces deux plans.

sur le Rhin ou le Danube, ou bien élevé des digues, effectué des défrichements, dessèchements, etc. » Cependant, on ne peut entraîner ces armées à exécuter des travaux difficiles ou rebutants qu'en leur assurant des plaisirs supérieurs à ceux qu'ils trouveraient en restant au phalanstère : « Si sur l'amour et la table on ne présente pas aux légionnaires d'un et d'autre sexe des appâts transcendants, on ne réussira pas à les déplacer par attraction. » On les invitera ainsi, pour stimuler leur émulation, à livrer des batailles gastronomiques et amoureuses. Lorsque la guerre est déclarée, une trentaine d'armées se rassemblent sur un point précis et se fixent une « thèse de bataille », qui sera le prétexte d'une bataille rangée. L'affrontement se fera sur un terrain auprès d'une capitale, les armées se tenant « en deux demi-cercles parallèles qui ont la ville dans leur foyer commun »; en arrière, on installera un « parc à bacchanales », des tentes à un étage; les cuisines seront mises au centre des lignes.

Fourier décrit en exemple « la bataille des petits pâtés » où huit armées combattent à Babylone afin d'imposer des recettes culinaires : « Il faut que les armées belligérantes luttent à qui produira la meilleure série de petits pâtés assortis pour une gamme de 12 tempéraments. » Vingt-quatre armées leur sont adjointes sur le champ de bataille, dont les délégués constituent le concile, chargé de goûter les pâtés, de prendre des notes, de décider en dernier ressort à qui revient la victoire. « Chaque jour, les bulletins gastronomiques du concile annoncent aux armées et au globe entier les mouvements de la bataille; les empires qui ont échoué sur tel système triomphent sur tel autre. » En effet, les armées doivent inventer « 44 systèmes de petits pâtés », les proposer au concile avec des vins et des mets propres à les faire valoir. Pendant que les combattants se défient en confectionnant à qui mieux mieux des pâtés, ils apprennent qu'une troupe de croisés approche de Babylone. Ce ne sont pas les homologues des croisés du Moyen Age; les croisés d'Harmonie se liguent dans le but religieux de servir la communauté. Ceux qui interviennent dans la bataille des petits pâtés ont entrepris « la croisade faquirique des pieux savetiers d'Occident ». Ils ont juré de « raccommoder gratuitement les bottes et les souliers en signe de faquirat ou dévouement, et de remplir avec ardeur toutes les fonctions subalternes ».

La cavalerie des croisés arrive au lever du jour, accompagnée de l'infanterie et de trois divisions spéciales : « La 1re est composée de 800 faquiresses et faquirs présentés en odaliscat aux Révérends et Révérendes qui composent le concile et la régence de Babylone. Cette cohorte est dans le costume le plus galant; les femmes ont un sein nu et la robe retroussée à mi-cuisse par une agrafe. » Les deux autres divisions comprennent des pâtissiers et des odalisques. Les croisés sont conviés par les armées à un fastueux repas qui s'achèvera en séance d'amour collectif : « Chacun songe à entraîner la croisade au parc voisin pour y tenir cette orgie confuse, la seule à peu près qui soit praticable dans un abordage d'armée, lorsqu'Urgèle, grande pontife de la croisade, ouvrit un avis plus séduisant et propose une omnigamie ou série de manies amoureuses distribuées par compartiment. » Une telle combinaison aurait été impossible si les croisés ne l'avaient préparée : « Urgèle, par un émissaire, s'était pourvue à l'avance du tableau des manies amoureuses du concile et avait distribué son odaliscat dans la même proportion, de sorte que 30 pères de la secte des flagellés (ou manie en passif) trouvaient sous leurs mains 30 odalisques de la secte des flagellantes, manie en actif, et ainsi des autres. » Pour signaler les divers groupes, on éleva des écriteaux portant des inscriptions indiquant le genre de plaisir auxquels ils s'adonnaient : « A ces enseignes chacun put juger à l'instant du point où il devait se rendre pour trouver ses identiques ou correspondants en manie amoureuse. »

A la deuxième journée de la bataille, les croisés se rendent utiles ; les uns entreprennent « le curage d'un vaste égout qui desservait les camps et les parties hautes de la ville », les autres restent auprès des combattants pour raccommoder les vieilles savates et les bottes. En récompense, ils connaîtront dans la soirée une orgie délicieuse : « Après dîner, les odaliscs et odalisques vont s'offrir à ceux à qui ils sont, les autres votent une bacchanale générale qui a lieu dans le parc voisin des camps et qui est plus agréable qu'elle n'eût été au début, les personnages se connaissant mieux. » Devenant une récompense suprême, le plaisir orgiaque est le lien social par excellence : « Avec qui coucheront-ils ? Cela ne nous importe. Notre objet n'est point de passer en revue les anecdotes galantes, mais de décrire seulement dans chaque branche de ces nouvelles coutumes ce qui est rigoureusement nécessaire à l'intelligence du mécanisme d'Harmonie. » Fourier se rend parfaitement compte qu'on peut rire de sa bataille des petits pâtés ; il énumère lui-même, avec un humour froid, les plaisanteries qu'on ne manquera pas de lui faire, pour conclure que les Civilisés, qui croient gravement aux événements extraordinaires du passé racontés par la Bible, sont mal venus de tourner en dérision les événements extraordinaires du futur qu'il annonce.

Les batailles gastronomiques ne seront pas les seuls conflits mettant en jeu les passions amoureuses. Quand une troupe d'aventuriers traversera un territoire, il y aura capture et rachat de prisonniers. La horde Jonquille, qui visite les « saints lieux sociaux d'Orient et de Grèce » vient stationner à Gnide. Aussitôt, elle est attaquée par des bacchantes de Gnide, qui en capturent un quadrille d'avant-poste : « Les captures en Harmonie ne sont le résultat d'aucun combat mais seulement d'une guerre de position, comparable au jeu d'échecs. » La Tour d'ordre signale cette prise aux habitants, qui se rendent au caravansérail pour traiter de la rançon des prisonniers : « Bientôt on voit arriver le quadrille des prisonniers composé de cinq groupes portant bannière Jonquille. Ils sont escortés par quatre bacchantes et la Paladine Électre à qui ils se sont rendus et à qui ils doivent appartenir 24 heures en toute propriété amoureuse. » Cette capture est une conséquence de leur insociabilité et aurait pu être évitée : « Les prisonniers s'entretiennent d'abord de leurs mésaventures et de la fatalité de n'avoir pas trouvé de confesseur à la station précédente, car en guerre amoureuse on ne peut pas faire prisonnier un parti tout confessé, tout prêt à entrer en sympathie et portant le pavillon d'indication. » Les captifs sont mis en vente ; la séance, ouverte par une fanfare, est présidée par la vice-pontife Érythrée sur son trône, entourée de Corybants et de Corybantes. En face du trône, les captifs sont assis sur des fauteuils espacés, tandis que leurs chefs Sigistan et Iscora sont sur une estrade. Les négociations commencent et les prisonniers trouvent diverses propositions de rachat. Le jeune prince Mirza devient le captif d'Érythrée, âgée de soixante-dix ans ; la superbe faquiresse Ganassa échoit au Révérend confesseur Philostrate, qui a quatre-vingts ans ; le jeune Isaum est racheté par deux jeunes femmes unies d'un amour saphique, dont il servira les plaisirs. Le chérubin Zéliscar est convoité par le roi de Gnide Agésilas : « Le chérubin plein de ferveur et facile à persuader se rend au tendre Agésilas qui fait aux bacchantes le signe de conclusion. » La chérubine Zétulfe est disputée par les saphiennes de Gnide : « Cette pieuse chérubine déclare que voulant être toute à la religion et à la philanthropie, elle se livrera en orgie à toutes les Gnidiennes qui brûlent pour elle, mais sous condition de préluder par une œuvre pie et d'appartenir une heure à un saint personnage. » Le rachat le plus spectaculaire est celui de la géante Fakma, qui accepte de favoriser vingt-quatre hommes en vingt-quatre jours, à condition qu'un Gnidien s'attache à elle d'un amour céladonique, sans exigence sensuelle. Naturellement, ces coutumes ne seront jamais des atteintes à la liberté d'autrui : « Si les partis sont parfois pris et mis en vente amoureuse pour un jour, c'est qu'ils ont bien voulu en courir la chance qui pouvait tourner en leur faveur. Qui ne veut pas risquer de perdre est libre de ne pas jouer. » ·

Fourier aimait les femmes et leur témoignait à toutes une égale attention, selon son disciple le docteur Charles Pellarin : « Était-il en société avec des dames, personne ne le surpassait en courtoises prévenances, toujours exemptes cependant de fadeur et de flatterie. De quelque rang que fussent les personnes du sexe avec lesquelles il se rencontrait, Fourier, par nature autant que par principes, montrait pour elles une affabilité, une complaisance particulières, une respectueuse et aimable déférence [1]. » Il resta néanmoins célibataire toute sa vie, ce que sa sœur Lubine Clerc expliqua de la façon suivante : « Dans beaucoup de maisons où il avait été employé, soit comme commis, soit comme caissier, on lui avait fait entendre que s'il voulait demander la main de la demoiselle de la maison, on serait tout disposé à la lui donner. Mais il s'excusait toujours ; il n'aurait pu, disait-il, rendre sa femme heureuse, à raison de ses bizarreries, de la mobilité de ses goûts [2]. » Fourier lui-même, avec une franchise inhabituelle à l'époque, avoua qu'il était omnigyne et prosaphien : « J'avais trente-cinq ans lorsqu'un hasard, une scène où je me trouvais acteur, me fit reconnaître que j'avais le goût ou manie du saphiénisme, amour des saphiennes et empressement pour tout ce qui peut les favoriser. J'ai sur le globe environ 26 400 compagnons à 33 par millions, car tout omnigyne mâle est nécessairement saphiéniste ou protecteur des saphiennes, de même que toute femme omnigyne est nécessairement pédérastite ou protectrice des pédérastes [3]. » Il déplore que la crainte de l'opinion empêche les hommes qui ont cette manie amoureuse de déclarer leur caractère, alors qu'en Harmonie ils formeraient une « corporation cabalistique » d'une centaine de séries de variété : « Je n'ai jamais rencontré un seul de mes comaniens en saphiénisme bien que j'aie, en diverses assemblées, énoncé ce goût qui n'est pas à déguiser puisqu'il ne tend qu'à favoriser les femmes, aussi est-il fortement critiqué par les philosophes qui sont très égoïstes avec les femmes, tout en se disant courtois [4]. »

En retour, Fourier était apprécié des femmes, qui lui faisaient

1. Charles Pellarin, *Vie de Fourier*, Paris, Librairie de l'École sociétaire, 1843, 2ᵉ éd. C'est cette édition qui est la meilleure, et non celle de 1871, la 5ᵉ, que citent les biographes, parce qu'elle est « augmentée de deux chapitres et d'une préface nouvelle ». En réalité, Pellarin, publiant la 5ᵉ édition dans la perspective des événements de la Commune, l'a édulcorée pour la mettre à la portée d'un nouveau public.
2. Propos de Lubine Clerc, recueillis par le capitaine Victor Coste. Document reproduit en annexe dans la *Vie de Fourier* de Pellarin, 2ᵉ éd., et supprimé dans la 5ᵉ éd.
3. *Le Nouveau Monde amoureux.*
4. *Ibid.*

volontiers des confidences, et même des confidences érotiques. Il paraît évident, d'après certaines de ses anecdotes, qu'il a fréquenté des filles galantes, peut-être en des maisons de rendez-vous; il révèle d'ailleurs qu'il a assisté à plusieurs orgies [1]. Il a eu aussi des disciples parmi les femmes, la première étant Clarisse Vigoureux, qui lui ferma les yeux à sa mort, le 10 octobre 1837, et dont le gendre Victor Considérant devint le chef de l'école sociétaire « orthodoxe ». Louise Courvoisier, intime de Fourier en ses dernières années, en parla avec vénération : « Qu'il soit permis à celle que Fourier appela sa fille de poser une dernière fleur sur sa tombe », dit-elle dans un article nécrologique où elle trace un beau portrait du maître : « Son extérieur austère était empreint d'une ineffable bonté; un enthousiasme tout divin animait spontanément cette attitude froide et méditative de l'homme que rien n'étonne parce qu'il a tout prévu... A son âge de soixante-quatre ans, ses cheveux blancs, légèrement ondulés, formaient comme une claire couronne sur sa tête large et d'une harmonie parfaite. Son œil bleu, perçant et profond, lançait parfois un regard dont la sévérité d'énergie devançait celle de sa parole. Son nez un peu arqué complétait l'expression de ses lèvres fines et la coupe d'une bouche annonçant des passions diverses et fortement prononcées [2]. » Louise Courvoisier montre que Fourier était toujours prêt à compatir aux misères des femmes, tantôt intervenant en faveur d'une servante maltraitée par sa patronne, tantôt aidant une veuve restée sans ressources avec trois enfants. La championne du féminisme, Zoé Gatti de Gamond, qui préparait un ouvrage d'économie politique, y renonça après avoir découvert le fouriérisme et écrivit à la place *Fourier et son système,* où elle affirme : « Aucune classe n'est aussi intéressée que les femmes à souhaiter la réalisation de son système. Il résout toutes les difficultés de leur position, et leur assure la seule *émancipation* qui leur convienne [3]. »

1. *Le Nouveau Monde amoureux,* p. 328. Dans le même ouvrage (p. 84), Fourier évoque, comme s'il avait été de leurs habitués, « les Vestales de l'île inconnue », dont les amants étaient des militaires et des hommes mariés. « Leur maison avait un vernis de haute honnêteté », dit-il, en précisant qu'elles n'étaient pas vénales : « Tout se passait gratuitement à tel point qu'elles n'exigeaient pas même les bonbons au 1er de l'an. »
2. Louise Courvoisier, « Lettre sur Fourier », *la Phalange,* 1er juillet 1838. Elle était la sœur de Courvoisier, garde des Sceaux de Charles X. Le début de ses relations avec Fourier est précisé par celui-ci dans une lettre du 9 février 1832 : « J'ai fait connaissance avant-hier d'une très aimable disciple, Mme Lacombe, demoiselle Courvoisier; c'est une Bisontine. »
3. Mme Gatti de Gamond, *Fourier et son système,* Paris, Librairie sociale, 1839.

Plusieurs erreurs sont à proscrire dans les jugements qu'on porte sur Fourier. La première consiste à voir en lui « un rêveur phénoménal », comme disaient hier Proudhon et aujourd'hui l'annotatrice du *Nouveau Monde amoureux*, qui tient ce livre pour « un rêve éveillé », un répertoire de fantasmes. Fourier voit loin, et ce sont les esprits terre-à-terre qui s'effarent de sa vision. Charles Gide, montrant que beaucoup de prophéties de Fourier se sont réalisées, dit que s'il est fou par moments, ceux qui ne le prennent pas au sérieux sont bien plus fous que lui[1]. Une tendance récente, due à Roland Barthes, le présente comme un *littérateur*, auteur d'une « combinatoire »[2]. Non, Fourier est un *économiste*, qui visait passionnément à l'application pratique de ses découvertes. Ses disciples étaient des ouvriers, et des hommes politiques comme Gréa, le député du Doubs, Désiré Ordinaire, recteur de l'université de Strasbourg, et son fils Édouard, député de l'opposition sous l'Empire et préfet du Doubs à la Ire République, les polytechniciens Hippolyte Renaud et Victor Considérant, etc. En Russie, le fouriérisme et le communisme furent poursuivis avec le même acharnement par la censure de Nicolas Ier. Le grand fouriériste russe Petrachevski écrivait : « Lorsque je lus pour la première fois les œuvres de Fourier, j'eus l'impression de renaître à la vie; je vénérais la grandeur de son génie; si j'avais été païen, j'aurais brisé tous les dieux, j'en aurais fait une divinité unique[3]. » Les réunions des « petrachevtsy » à Saint-Pétersbourg de 1845 à 1849 (parmi lesquels se trouvait Dostoïevski), pour étudier et diffuser les idées de Fourier, aboutirent à leur arrestation par la police tsariste; quand Petrachevski dut travailler pendant sept ans dans les mines de Nertchinsk, on l'eût bien étonné en lui affirmant que Fourier devait être lu pour « le plaisir du texte ». N'en déplaise à des exégètes surestimant la linguistique, le mérite de Fourier, quelles que soient ses trouvailles fulgurantes dans le domaine de l'analogie, est au-delà de la littérature.

Une autre erreur, cette fois chez ceux qui le tiennent pour un économiste, est de réduire son système à l'idée de l'association

1. Charles Gide, *Les Prophéties de Fourier*, Nîmes, imprimerie de Vve Laporte, 1894.
2. Roland Barthes, *Sade, Fourier, Loyola*, Paris, Éd. du Seuil, 1971. Barthes, avant de réduire Fourier à la rhétorique, aurait dû méditer la protestation que celui-ci éleva contre ceux qui ont « la manie de confondre les inventeurs avec les rhéteurs » (*Où l'auteur parle de lui-même*, dans *Publication des manuscrits de Fourier*, t. I, p. 11).
3. Cité par Georges Sourine dans *le Fouriérisme en Russie*, Paris, Imprimerie P. Dupont, 1936.

coopérative. Déjà, en 1847. Louis de Loménie remarquait : « Les disciples de Fourier [...] excellent dans l'art d'atténuer la pensée du maître, quand il faut passer du dithyrambe à l'exposition. Tout en parlant sans cesse du caractère audacieux et grandiose de sa conception, ils commencent toujours par la présenter par son plus petit côté [1]. » Loménie conclut en rappelant que c'est l'attraction passionnée, et non l'association, qui est la véritable découverte de Fourier. En effet, il est aberrant d'estimer Fourier pour ses anticipations du marxisme plutôt que pour ses différences intrinsèques. Il faut puiser largement dans son œuvre, savoir reconnaître le bien-fondé de ses observations sur l'amour. Il a prédit avant tout le monde le percement de l'isthme de Suez et du canal de Panama, la naissance de sciences comme la climatologie et l'agronomie : on verra sans doute un jour qu'il a entrevu le développement sexuel de l'humanité. Qui oserait prétendre qu'au XXIIe et au XXIIIe siècle les unions amoureuses n'auront pas une complexité plus grande qu'aujourd'hui?

Il serait également faux de croire que Fourier prétendait imposer à toute force au monde entier la polygamie. « Quant aux mœurs polygames et omnigames, elles seront l'ouvrage du temps », disait-il. Pour Fourier, « l'absence d'opposition étant doctrine de despotisme en politique et de monotonie en plaisirs [2] », il n'est pas question de rendre les mœurs conformes à un modèle exclusif. Chacun est libre en Harmonie, affirme-t-il; si un homme veut y rester célibataire, ou y pratiquer comme maintenant la monogamie en couple fermé, aucune contrainte ne l'en empêche; il se prive simplement des honneurs, des rétributions et des héritages que lui assure la polygamie. Enfin, on doit se garder de ramener les applications de sa « théorie des destinées » aux divers phalanstères qui ont été fondés au XIXe siècle : ces tentatives partielles n'étaient que des ébauches ou des caricatures du fouriérisme [3].

1. Louis de Loménie, *Galerie des contemporains illustres, par un homme de rien*, Paris, 1847, t. X. On ne cite jamais l'étude de Loménie, qui est une réfutation courtoise de Fourier, mais qui a au moins le mérite d'en faire le précurseur de tout le socialisme français : « Fourier [...] décrit précisément en 1808 ce que M. Enfantin et ses compagnons ont tenté en 1830. »
2. *Le Nouveau Monde amoureux.*
3. Henri Desroche, dans *la Société festive* (Paris, Éd. du Seuil, 1974), décrit les divers phalanstères réalisés par le fouriérisme international. Il s'agissait surtout d'associations ouvrières, comme le Familistère de Godin, sans aucun souci de rénovation des mœurs. Seule la communauté d'Oneida, constituée en 1879 aux États-Unis par J. H. Noyes, pratiqua le mariage collectif, l'abstention de l'autorité parentale, l'initiation sexuelle des jeunes gens par leurs aînés.

Si on s'est souvent effarouché ou moqué des outrances de Fourier, personne n'a jamais eu cure d'en rechercher les causes profondes. Je lui reconnais moi-même des exagérations manifestes, mais je me les explique fort bien, et je ne l'en admire que davantage. D'abord, il se laissait entraîner par la chaleur de son imagination et de son optimisme; rien ne lui semblait impossible sur Terre, dès l'instant que tous les hommes s'associeraient pour accroître leurs ressources et leurs plaisirs, au lieu de se diviser en intérêts particuliers. Ensuite, il glissait par un fin calcul des éléments merveilleux dans son évocation de la société future; il croyait que les hommes étaient de grands enfants, qu'on ne pouvait mener au bien public qu'en leur promettant des récompenses magnifiques. Fourier n'est pas un révolutionnaire homicide, souhaitant appliquer son système au prix d'un carnage d'une partie de la population; il veut inciter les hommes à désirer sincèrement l'Harmonie, afin qu'elle se produise sans secousses. Il les allèche en leur faisant miroiter, s'ils s'engagent sur la voie qu'il leur désigne, des occasions prodigieuses de satisfaire leur gourmandise et leur sexualité. On peut comparer sans paradoxe Fourier à Mahomet : qu'on se rappelle ce que le prophète promettait aux croyants, ce paradis voluptueux où ils seraient environnés par « des jeunes filles à la virginité sans cesse renouvelée, en dépit des étreintes de la possession » (Coran, LVI, 35). Comme le fondateur de l'islam, le fondateur de l'Harmonie exhortait à la vertu ses fidèles en leur détaillant les délices réservées plus tard aux gens vertueux.

On voit que le principe de Fourier, « harmonie sociale sur fond d'amour libre », a été fouillé par lui dans ses moindres conséquences. Novateur en tout, Fourier l'a été en matière de sexualité comme on ne le fut jamais : les systèmes polygamiques les plus bizarres, tel celui qu'expose Johannes Lyser dans sa *Polygamie triomphante* (1674), cèdent à l'originalité du sien. Les écarts de son imagination peuvent dérober la sagesse de ses avis, il n'empêche que notre réflexion en reste éclairée, car à tout prendre, dans l'appréciation des mœurs amoureuses, mieux vaut une outrance généreuse qu'un préjugé coercitif.

6

Le Père Enfantin et le couple-prêtre

> Un HOMME (cet homme est SEUL) vous parle et parle
> au monde des rapports nouveaux de l'HOMME et de
> la FEMME...   ENFANTIN

Les ardentes tentatives faites par la Famille saint-simonienne pour établir le profil d'équilibre social de l'amour, demeurent le modèle exemplaire, à quelques réserves près qu'appellent leurs ratiocinations, des entreprises d'émancipation praticables à ce sujet dans la vie collective. Le saint-simonisme est cette organisation philosophique, et l'on peut même dire mystique, constituée quelques années après la mort de Saint-Simon, à l'instigation de ses continuateurs directs, tels que Bazard et Enfantin, qui prirent sur eux de faire rayonner les théories sociales et industrielles qu'il professa sans réelle audience de son vivant, en donnant surtout un développement considérable à certaines propositions morales qu'il ne fit qu'esquisser, et en les enrichissant des modalités d'un prédicat auquel il ne songea pas, celui précisément de l'émancipation de l'amour. De cet apostolat très inspiré en faveur d'une véritable religion de l'amour et du charme, de ce vaste mouvement de propagande qui s'accomplit par des actions véhémentes aussi bien que par les articles du *Producteur* et du *Globe,* nous avons retenu les noms de ces fougueuses personnalités, entre autres Charles Duveyrier, Olinde Rodrigues, Barrault, Michel Chevalier, de ces fort séduisantes héroïnes, Pauline Roland, Cécile Fournel, Clorinde Rogé, Aglaé Saint-Hilaire, et plus particulièrement de l'émouvante Claire Demar, qui devait se suicider avec l'homme qu'elle aimait, nous laissant une brochure intitulée *Ma loi d'avenir,* suivie d'un *Appel d'une femme au peuple sur l'affranchissement de la femme,* dont je veux citer ce passage marquant : « La révolution dans les mœurs conjugales ne se fait pas à l'encoignure des rues ou sur la place publique pendant trois jours d'un beau soleil, mais elle se fait à toute heure, en tout lieu, dans les loges des Bouffes, dans les cercles d'hiver, dans les promenades d'été, dans les longues nuits qui s'écoulent insipides et froides comme on en compte tant et tant sous l'alcôve maritale ; cette révolution-là mine et mine sans relâche le grand édifice élevé au profit du plus fort, et le fait crouler à petit bruit et grain à grain comme une montagne de sable, afin qu'un jour, le terrain mieux nivelé, le faible comme le fort puissent marcher de plain-pied et réclamer avec la même facilité la somme de bonheur que tout être social a le droit de demander à la société. » Cependant, ces figures ne se conçoivent que dans l'orbite de celui qui se faisait appeler par eux *le Père,* et qui, lorsque Bazard eut rompu avec lui, resta le seul promoteur du mouvement saint-simonien.

Né à Paris en 1796, Prosper Barthélemy Enfantin, après avoir fait ses études à l'École polytechnique, se trouvant sans ressources — son père, qui était banquier, ayant fait faillite —, commença sa vie sociale en s'employant dans le commerce. Il travailla d'abord pour le compte d'un négociant en vins, remplissant tour à tour toutes les fonctions, depuis la mise en bouteilles jusqu'à la représentation à l'étranger de la maison de son employeur. Ensuite, il s'associa avec un banquier commissionnaire à Saint-Pétersbourg. Il séjourna à cette occasion deux ans dans cette ville, où il se lia avec un groupe d'anciens élèves de Polytechnique, qui s'y trouvait en mission. Cette bande studieuse se réunissait chaque semaine pour discuter des plus graves problèmes de sociologie. C'est là qu'Enfantin aborda en détail l'étude des questions économiques, vers laquelle il se sentait attiré de nature : il lut à fond François Quesnay, Adam Smith, Jeremy Bentham, Jean-Baptiste Say et bien d'autres ; il les critiqua avec ses camarades ; et il ébaucha tout un système personnel devant synthétiser leurs travaux et combler leurs lacunes. Rentré à Paris, Enfantin, rencontrant un de ses anciens professeurs, Olinde Rodrigues, lui exposa ses idées d'économie politique. Celui-ci lui déclara qu'elles étaient retardataires, reposant sur des notions entièrement dépassées par un homme, Saint-Simon, qui apportait le seul programme d'action capable de régénérer l'humanité : et de lui expliquer les théories de ce dernier, touchant « l'exploitation rationnelle du globe ». Quelque temps après, il l'emmena avec lui chez Saint-Simon, qui faisait à ses amis une première lecture de son *Nouveau Christianisme.* Ce fut loin d'être une révélation pour Enfantin. « Quand il me fit entendre le *Nouveau Christianisme,* écrit-il, je fus tellement choqué de la forme que beaucoup du fond m'échappa. C'est là le sort de tous ces livres qui paraissent au moment où la société en masse ne peut les comprendre. » Pourtant, il découvrit à l'examen le parti à tirer de cette doctrine, et il orienta ses recherches dans les solutions qu'elle préconisait.

Quand Saint-Simon mourut, adressant à ses disciples cette dernière recommandation : « Souvenez-vous que pour faire quelque chose de grand, il faut être passionné », dont il ne se doutait pas avec quelle force ils allaient la suivre, Enfantin fut, avec Rodrigues, Duvergier, Halévy et le docteur Bailly, du premier groupe de ses fidèles qui se firent ses exécuteurs testamentaires et les pionniers de son œuvre. Leur première initiative fut de fonder un journal, *le Producteur,* dont Saint-Simon lui-même avait conçu de son vivant le projet et le titre. Un homme qui n'était pas de l'entourage de Saint-Simon, mais qui l'admirait de loin, se joignit à eux : Saint-Amand Bazard, agitateur politique notoire, membre très actif des *carbonari* et organisateur, en 1820, de la conspiration libérale de Belfort. Enfantin et lui s'accordèrent à première vue : en effet, alors que les autres étaient avant tout des hommes de science, tournés vers la spéculation pure, eux deux étaient des hommes d'action, doués à enraciner les idées dans des entreprises pratiques. Durant un an, tant qu'il put résister à ses difficultés financières, *le Producteur,* à travers une série d'articles très brillants, expliqua et commenta la politique de Saint-Simon, piquant les curiosités et gagnant à la cause de nouvelles recrues. Mais cela ne suffisait pas, il fallait ajouter à la diffusion écrite un enseignement plus personnel. Les chefs de l'École décidèrent alors, en 1828, de faire une exposition orale de la doctrine. La première séance eut lieu chez Enfantin : un si grand nombre d'intellectuels s'y rendirent que, tous ne pouvant entrer, la plupart se tinrent sur le palier, dans l'escalier et même au-dehors. Une salle fut louée, rue Taranne, pour les fois suivantes. Le Collège saint-simonien y tint ses assises : l'équipe des anciens enseignait les nouveaux venus, et tous collaboraient à creuser les différents points du système. Les adeptes devenaient si nombreux que la nécessité d'une hiérarchie se fit sentir, pour maintenir la cohérence de l'action. Le 31 décembre 1829, au cours d'une cérémonie d'intronisation, Bazard et Enfantin furent donc nommés, à l'unanimité, « Pères suprêmes » du mouvement. Ils devenaient les dirigeants reconnus et respectés d'une centaine de disciples à Paris, sans compter les adhérents de la province et de l'étranger.

Quand *l'Exposition de la doctrine saint-simonienne* fut entièrement réalisée, les saint-simoniens purent se flatter d'avoir codifié, en l'enrichissant, la partie réaliste des idées de leur maître : tout l'essentiel du saint-simonisme pragmatique se trouvait là, depuis la critique de l'héritage jusqu'à la théorie du crédit général, en passant par l'organisation du régime social selon le principe, resté fameux : « A chacun selon sa capacité, à chaque capacité selon ses œuvres. » Il demeurait à édifier la seconde partie du programme de Saint-Simon : la création d'une religion. En effet, ce dernier, soucieux d'appliquer la loi du progrès à tous les domaines, avait estimé qu'à une réfection de l'ordre économique du monde devaient être appropriées de nouvelles formes de dogme et de culte; le christianisme traditionnel, appuyé sur des réalités sociales périmées, était à transformer, ne pouvant plus s'adapter aux exigences du devenir. Ses continuateurs postulèrent à leur tour ces deux principes : d'une part, que l'organisation du monde devait être religieuse : « La religion de l'avenir doit être l'expression de la pensée collective de l'humanité, la synthèse de toutes ses conceptions, la règle de tous les actes. Non seulement elle est appelée à prendre place dans l'ordre politique, mais encore, à proprement parler, l'institution politique de l'avenir, considérée dans son ensemble, ne doit être qu'une institution religieuse »; d'autre part, que cette religion devait oser davantage que le christianisme : « Le christianisme a fait son temps, car son dogme repose sur une grave erreur fondamentale; il n'était pas destiné à réaliser l'état définitif de la société, mais à la préparer, car il méconnaît les conséquences sociales et politiques du dogme de la fraternité universelle en admettant que cette fraternité, dans toute sa plénitude, ne devait se réaliser que dans le ciel. » Ils décidèrent de concentrer leurs travaux dans cette voie. La phase scientifique de l'école de la rue Taranne était révolue; un apostolat commençait. Il fut inauguré par la fondation d'une « maison commune ». Un hôtel particulier fut loué, rue de Monsigny, où Enfantin et Bazard s'installèrent avec une trentaine des principaux disciples. La fortune était mise en commun et chacun touchait par jour une somme fixée, une fois pour toutes, d'après ses besoins stricts. Les repas étaient pris à la même table : ainsi, les membres de la « famille », séparés dans la journée par leurs occupations, pouvaient se voir quotidiennement pour discuter et tirer des plans. Bazard et Enfantin étaient assis l'un en face de l'autre, à chaque bout de la table, faisant contraste : l'un froid, méthodique, rationaliste; l'autre extrêmement caressant de regard et de langage, occupé à charmer et à donner de l'enthousiasme. Trois fois par semaine, une réception était offerte au public. C'était là le côté séculier de l'apostolat. Il s'agissait d'attirer l'élite mondaine, de lui inculquer les rudiments de la doctrine sans en avoir l'air, par des conversations spirituelles, coupées de divertissements choisis. De plus, pour répandre la religion, les Pères suprêmes convinrent, à l'imitation des premiers temps du christianisme, d'habiliter des prédicateurs. Une grande salle fut louée, rue Taitbout, où six apôtres furent commis à prêcher. Barrault, qui en était, y fit notamment merveille : visionnaire enflammé, ayant une formation littéraire, il arrachait à son auditoire des sanglots et des applaudissements frénétiques. Tout confirmait les prévisions et les espoirs des Pères, et il semblait que rien ne disjoindrait leur accord.

C'est alors qu'Enfantin posa le problème de l'affranchissement de la femme, et son corrélatif, l'émancipation des mœurs amoureuses, en faisant état des formes qu'il lui assignait au sein du dogme saint-simonien. La religion de l'avenir, théorisait-il, réalisant un progrès sur le christianisme, ne doit pas perpétuer ses errements sur une prétendue imperfection de la matière. Celui-ci a établi que seul l'esprit était un principe noble et saint, tandis que la matière était vile et négligeable. Cette distinction arbitraire a introduit dans la vie de l'humanité une disharmonie, cause de souffrances et de malaises. La première tâche de la religion saint-simonienne est de réhabiliter la matière, en montrant qu'elle est pour l'homme une génératrice d'idéals, une condition très pure de son rayonnement spirituel.

Cela se traduira, sur le plan individuel, par la *réhabilitation de la chair*. Le ravissement où nous jette l'appréciation de la beauté physique et tous les plaisirs qu'on goûte avec les sens ne doivent plus être regardés comme des entraves à l'évolution morale, mais comme des inspirations authentiquement religieuses. La religion devrait être organisée de telle sorte qu'on aille à l'église pour y voir de beaux hommes, de belles femmes, et y puiser une exaltation sensuelle, ce qu'on ne peut faire ordinairement qu'en fréquentant les théâtres et les salles de danse. D'ailleurs, il ne s'agit pas d'exalter, à l'inverse du préjugé chrétien, la chair au détriment de l'esprit, mais de trouver leur conciliation parfaite.

Cette réhabilitation nécessite une reconsidération du sort de la femme, celle-ci ayant été jugée par les chrétiens comme la représentante maléfique des tentations de la chair. Le saint-simonisme ne croit pas à un péché originel, pour le rachat duquel l'humanité doit souffrir. Il ne croit donc pas que la femme, au début des temps, a induit l'homme à faillir, compromettant son salut. L'homme et la femme sont égaux sur tous les plans, nécessaires l'un à l'autre, indispensables, au même titre, à la perfection du monde. Comme il faut convenir que cette égalité n'est pas encore effective, la tâche de tout être humain est d'y préparer :

« L'HOMME ET LA FEMME, voilà L'INDIVIDU SOCIAL, c'est notre foi la plus élevée sur les rapports des deux sexes, c'est la base de la MORALE de l'avenir. L'*exploitation* de la femme par l'homme existe encore, et c'est là ce qui constitue la nécessité de notre apostolat. »

En effet, la femme est maintenue en esclavage par l'homme, écartée des fonctions directrices du monde. Les lois économiques ont toujours été faites par des hommes et les législateurs ne se sont pas même souciés de prendre avis des femmes. Celles qui eurent un royaume à diriger étaient tellement obnubilées par le préjugé contre les femmes qu'elles firent une politique d'homme, au lieu de s'abandonner au génie propre à leur sexe. En outre, la femme n'a pas de rôle prépondérant en religion, le chef de l'Église est toujours un pape, jamais une papesse. La société est donc déséquilibrée du fait qu'on fait valoir pour les deux sexes une morale qu'un seul a établie. Or, que peut savoir un homme des *besoins réels* d'une femme? Il s'ensuit deux conséquences d'action. D'abord, il faut que la femme s'affranchisse de sa dépendance à l'égard de l'homme. Mais ce ne sont pas des hommes, fussent-ils saint-simoniens, qui doivent lui dicter sa conduite à ce propos. L'attitude des saint-simoniens consistera à éveiller les femmes, à leur faire prendre conscience de leur esclavage, à les inciter à la révolte, à recueillir leurs revendications. Enfantin est formel sur ce point :

« Tout est faux aujourd'hui dans les rapports de l'homme et de la femme. Ces rapports sont de maître à esclave; ceci doit disparaître parmi nous. Quand vous JUGEZ une femme, vous hommes, vous saint-simoniens, vous êtes dans un état d'immoralité : vous ne le pouvez plus dès ce jour; vous avez tous à attendre, comme hommes, que la femme ait parlé, pour penser qu'il vous soit possible, à vous qui avez fait la LOI sous laquelle elle vit, de JUGER un acte qu'elle aurait commis comme un acte d'immoralité. Permis à tous les hommes en dehors de nous de JUGER les femmes qui sont encore sous leurs lois; ils le peuvent; ils sont maîtres : nous ne le pouvons plus, car nous cessons d'avoir des esclaves. Sachez-le bien, toute femme aujourd'hui que vous JUGERIEZ sans qu'elle vous accusât vous-même, sans qu'elle vous demandât compte de la LOI que vous avez faite, de cette LOI, véritable cause de l'acte qu'elle aurait commis; toute femme, dis-je, que vous jugeriez ainsi, serait dans un état de moralité saint-simonienne plus grand que celui où vous vous trouveriez en la jugeant [1]. »

On doit donc tout attendre de l'apparition d'une *femme-messie,* qui imposera au monde la loi des femmes, qui changera la société en introduisant dans sa morale, jusqu'à présent exclusivement masculine, la direction féminine qui lui manque.

Ensuite, il faut envisager dans l'institution religieuse future la

1. *Œuvres de Saint-Simon et d'Enfantin*, 1865-1878, t. **XIV.**

participation de la femme. A côté du prêtre, apte à juger des problèmes qui concernent les hommes, il faudra une prêtresse, qui fera loi sur tout ce qui concerne les femmes. La religion sera ainsi desservie non par des prêtres mais par des *couples-prêtres* qui seront unis et seront le symbole même de l'amour. Ils seront beaux et de mœurs très libres, afin d'inculquer aux croyants le sens de la noblesse de la chair :

« LE PRÊTRE EST L'HOMME ET LA FEMME. Cette définition suffit à distinguer notre sacerdoce du sacerdoce catholique, et même du ministère protestant, dans lequel la femme du ministre n'exerce aucune fonction sacerdotale.

« ... Le prêtre et la prêtresse exercent leur ministère avec toute la puissance de leur intelligence, mais aussi de leur *beauté;* car le sacerdoce de l'avenir ne mortifie point sa chair, comme le prêtre chrétien, il ne voile pas sa face, ne se couvre pas de cendres et ne se déchire pas le corps à coups de discipline; il est BEAU autant que SAGE, il est BON.

« Il est aimé parce qu'il aime, et aussi parce qu'il est éclairé, raisonnable, sage, sensible, doux, patient, réfléchi; mais on l'aime encore parce qu'en lui est la grâce, l'élégance, le goût, l'activité, l'ardeur, la gaieté; on l'aime parce qu'il sent la puissance d'un sourire : car le sacerdoce de l'avenir, ce n'est pas l'homme, c'est LA FEMME ET L'HOMME. »

Enfin, l'amour doit être organisé en fonction de ces principes. Le mariage traditionnel n'est pas la solution idéale du couple, parce qu'il est plus souvent une association d'intérêts qu'une alliance d'amour total. De plus, l'union permanente de deux êtres ne peut être tenue pour une loi fondamentale, car il y a des natures *mobiles,* qui ne peuvent s'absorber toute leur vie dans un seul amour; à ces natures conviennent des unions successives, dont la notion n'est pas moins belle que l'autre. Enfantin écrit à sa mère, à ce sujet : « L'homme et la femme, voici la première religion; le même homme avec la même femme toute la vie, voici une des formes de cette religion. Le divorce et une nouvelle union avec un nouvel époux, voilà la seconde forme de cette religion; car l'homme et la femme ne sont pas seulement deux individus isolés, ce sont aussi deux êtres sociaux... Cette seconde forme ne peut entraîner aucune idée de réprobation ou de blâme; pourvu que de la nouvelle union résulte un progrès pour les deux individus et la société, c'est-à-dire pourvu que dans les deux nouvelles unions formées par les anciens époux, ceux-ci trouvent de nouvelles sources d'inspiration, de conception et de puissance. » La découverte de cette vérité poussa Enfantin à énoncer sa théorie des « êtres à affections vives » et des « êtres à affections profondes », théorie *capitale* dans l'histoire de la morale amoureuse :

« Il y a des êtres à AFFECTIONS PROFONDES, durables, et que le temps ne fait que resserrer. Il y en a d'autres à AFFECTIONS VIVES, rapides, passagères, cependant puissantes, sur lesquelles le temps est une épreuve pénible, souvent insupportable.

« Ces deux natures d'affections, toutes les fois, jusqu'ici, qu'elles se sont trouvées en présence, se sont méprisées, repoussées, éloignées, salies. Comment, dans l'avenir, des êtres à affections profondes pourront-ils non pas se lier d'amour avec ceux qui ont des affections vives (ce qui serait pour les uns et pour les autres une union de douleur et de sacrifices), mais se rendre justice réciproquement, mais s'estimer les uns les autres, mais se considérer comme également utiles au développement de l'humanité? C'est là toute la question qui nous occupe.

« Or, je dis qu'il y a dans le monde trois formes de relation : l'*intimité,* la *convenance* et la RELIGION. Les rapports qui existeront entre les êtres à affections profondes seront des rapports intimes comme ceux qui existeront entre les êtres à affections vives. Les relations de ces deux natures l'une avec l'autre, c'est ce que j'appelle des relations de *convenance.* Enfin la réunion de ces deux autres natures autour du PRÊTRE qui les comprend l'une et l'autre, qui les élève l'une et l'autre, constitue la RELIGION. Le *Temple,* sous le rapport MORAL, se trouve donc divisé en trois parties, ainsi que la *Cité* et l'*Humanité,* en trois parties qui correspondent aux trois faces de la vie, *affection vive, affection profonde,* et CALME OU AFFECTION SACERDOTALE qui sait les comprendre l'une et l'autre... »

Le couple-prêtre est chargé d'établir la conciliation sociale entre l'amour constant et les amours inconstantes. Cela lui est possible parce qu'il est autorisé à avoir des rapports sexuels avec les fidèles, pour diriger efficacement l'assomption des tempéraments, et éveiller chacun, en utilisant la magie de la chair, à la vertu amoureuse qui lui manque : « Tantôt le couple sacerdotal calmera l'ardeur immodérée de l'intelligence ou modérera les appétits déréglés des sens; tantôt, au contraire, il réveillera l'intelligence apathique ou réchauffera les sens engourdis; car il connaît tout le charme de la décence et de la pudeur, mais aussi toute la grâce de l'abandon et de la volupté. » Le couple-prêtre constituera ainsi par lui-même un troisième type d'amour, celui-ci parfait et idéal. En effet, le prêtre et la prêtresse s'aimeront de l'amour le plus profond et le mieux accordé ; pourtant, chacun d'eux n'en aura pas moins des relations sexuelles avec une infinité d'individus, ce qui, loin de battre en brèche leur union, la magnifiera en en faisant un archétype de la liberté amoureuse. Commentant l'avènement de cet état du couple dans la société future, Duveyrier écrivait dans *le Globe*, avec enthousiasme : « On verrait des hommes et des femmes unis par un amour sans exemple et sans nom, puisqu'il ne connaîtrait ni le *refroidissement* ni la *jalousie ;* des hommes et des femmes qui se donneraient à plusieurs sans jamais cesser d'être l'un à l'autre, et dont l'amour serait, au contraire, comme un divin banquet augmentant de magnificence en raison du nombre et du choix des convives... »

Bazard fut scandalisé, et même effrayé, par ces théories. Sans doute, ayant médité lui aussi la formule de Saint-Simon : « L'individu social se compose d'un homme et d'une femme », il avait ses idées sur l'égalité des sexes, mais qui étaient timorées, et à l'opposé de ce déferlement de passion généreuse. Il était partisan du mariage indissoluble, refusait la distinction entre « êtres à affections vives » et « êtres à affections profondes », ainsi que la formation des couples-prêtres. Il tenta d'amener à résipiscence Enfantin, lequel s'opiniâtra résolument à sa position. Leurs discussions continuelles sur ce sujet n'aboutissant à rien, ils choisirent de porter le débat au sein de la Famille. Une vingtaine de personnes furent réunies dans la chambre de Bazard, pour trancher cette question connexe de la réhabilitation de la chair et de l'émancipation des femmes. La dispute dura plusieurs jours ; on ne l'interrompait pas à l'heure des repas, on continuait à parler tard dans la nuit et, après un court temps de sommeil, on reprenait l'argumentation au réveil. Tous les problèmes de physiologie, de psychologie et de morale sexuelles furent agités afin de parvenir à une solution. La tension nerveuse était si grande que des crises d'extase se produisirent : un auditeur, entre autres, se leva, dans un état cataleptique, et prononça des paroles inspirées. Certains, à la limite de l'épuisement, tombèrent en défaillance. Quand ils se retirèrent, anéantis, aucun compromis n'avait été adopté et la consternation régnait. Édouard Charton, dans ses *Mémoires d'un prédicateur saint-simonien*, dépeint la situation, telle qu'il la trouva, rentrant d'une mission en province : « Tous ceux que je rencontrais m'embrassaient avec une froide surprise et passaient à la hâte. Je me fis introduire dans un salon ; une partie du Collège y était assemblée, toutes les figures portaient les traces de longues insomnies, les yeux étaient plombés, les lèvres pâles, les cheveux en désordre ; il y avait des traits décomposés, des regards extatiques, des sons creux et lugubres. Dans de certains moments, toutes les voix s'élevaient ensemble, se mêlaient, grandissaient, confuses et aigres comme les clameurs d'une émeute; ensuite elles s'abaissaient, s'apaisaient et tombaient comme sous un coup de vent. Ce que j'entendais me donnait des vertiges... » L'inévitable à la fin se produisit : Bazard et quelques autres brisèrent avec le mouvement, et Enfantin, dirigeant désormais la masse des adeptes, put donner libre essor à toute sa pensée.

Pour tracer la nouvelle direction de la doctrine, Enfantin entreprit alors une série d'enseignements, en comité privé, à l'usage de ses disciples. Tantôt le Père prononçait des sermons et répondait aux questions de ses « enfants », tantôt il pressait ceux-ci de faire publiquement leur profession de foi, et à chaque confession entendue, il apportait ses critiques et ses conseils. Les séances, ponctuées d'embrassades et de pleurs de tendresse, se passaient dans une atmosphère d'affection prodigieuse. Naturellement, la question des femmes était la partie centrale de ces discours. Il faisait beau voir Enfantin, monté à la tribune de la salle Taitbout, majestueux, qui proclamait, après avoir adressé à l'auditoire frémissant son sourire fameux (dont Cavel écrivait, dans *le Globe* : « Son sourire délivre de la détresse et rend joyeux »), et en promenant sur tous son regard magnétique :

« Un HOMME (cet homme est SEUL) vous parle et parle au monde des rapports nouveaux de l'HOMME et de la FEMME; un homme SEUL aussi, Moïse, a pu dire la LOI de l'homme et de la femme, *Adam* et *Ève,* parce que la femme était alors esclave. Des hommes SEULS encore, les évangélistes, PAUL et tous les Pères de l'Église, ont pu dire la LOI de l'homme et de la femme, *Jésus* et *Marie,* parce que la femme était encore mineure; mais par *Saint-Simon,* la femme sera un jour l'ÉGALE de l'homme, et pourtant c'est encore un homme SEUL qui va parler de l'HOMME et de la FEMME; sa parole n'est donc point un ORDRE, une LOI, un COMMANDEMENT, c'est un APPEL.

« C'est un APPEL A L'AFFRANCHISSEMENT, à la *liberté,* à la *vérité,* fait à la femme pour qu'elle vienne s'ASSOCIER à nous en toute *vérité,* en toute *liberté.*

« Ma parole n'est point un COMMANDEMENT, je le répète, je vous ai dit ce qui me l'avait inspirée, mais je veux encore une fois vous rappeler quel est son but.

« Nous devons faire cesser, dans les relations de l'homme et de la femme, la *violence* et le *mensonge;* chez l'homme la violence, chez la femme le mensonge; c'est dire que ma parole d'homme, inévitablement, sera *rude* encore, *brutale* peut-être, que sais-je? *grossière!* Dieu l'a voulu ainsi; je suis SEUL. C'est dire que la parole des femmes sera embarrassée, voilée, obscure, et même... pourquoi m'arrêterais-je? Ne viens-je pas de dire que j'étais SEUL? Leur parole sera d'abord dissimulée, fausse, mensongère; elles ont été si longtemps esclaves!

« Eh bien! je veux qu'à la *rudesse* de ma parole, à la sainte *brutalité* de mon appel, la femme impose le cachet de sa PUDEUR et la DÉLICATESSE de son âme; je veux qu'elle ne puisse pas m'accuser d'avoir tenté de m'arroger le pouvoir que j'aime en elle; car j'entends qu'elle jette le voile mystérieux de sa GRACE, là où j'aurai prodigué la lumière de mon éclatante VÉRITÉ. »

Venant d'hériter d'une maison à Ménilmontant, Enfantin décida d'y faire une retraite avec une partie de ses disciples. « Le 23 avril, écrit Laurent, le Père s'était retiré avec quarante de ses fils dans sa maison de Ménilmontant, pour les préparer et se préparer lui-même à une vie nouvelle par le recueillement, par l'abolition de la domesticité, par les travaux du prolétariat, et pour fonder le culte par l'adoption d'un habit nouveau et la création de l'art nouveau. » Chacun de ces intellectuels avait une fonction domestique à remplir, qui faisant la cuisine, qui cirant les bottes, qui binant le jardin, etc. Ainsi se familiarisaient-ils avec les conditions de travail de la classe la plus pauvre. Ils laissèrent tous pousser leur barbe, sur la demande du Père, qui exigea aussi d'eux un célibat rigoureux. Cette règle de chasteté monacale fut douloureusement ressentie par Henri Fournel et sa femme Cécile, contraints à une séparation provisoire. Enfantin conçut bien des choses, dans ce séjour : entre autres, les plans d'une « ville sacerdotale », dont la forme et la disposition reproduiraient l'image du corps humain. Il y créa le costume de la secte — pantalon blanc, tunique violette, gilet rouge boutonné dans le dos, pour symboliser que chaque homme a besoin d'un frère pour l'aider, et le nom brodé sur la poitrine — qu'il revêtit le premier devant tous. Il compléta ses enseignements à ses fils, découlant de deux principes : « Il faut que l'Apôtre juge ses propres actes en se plaçant à deux cents ans dans l'avenir », et : « Il faut chercher partout l'élément progressif et le dégager [1] ». Cette retraite, comme étant une infraction à la loi sur les associations, servit de prétexte au procès qui lui fut intenté par le gouvernement.

Le Père Enfantin et trois apôtres, Olinde Rodrigues, Émile Barrault et Michel Chevalier, furent appelés à comparaître en cour d'assises le

_____

1. « Enseignements d'Enfantin », *Œuvres de Saint-Simon et Enfantin,* t. XVII, p. 114.

lundi 27 août 1832; les préventions d'escroquerie et d'outrage aux mœurs s'ajoutaient à la précédente. Le départ fut sonné à sept heures et demi du matin à la maison de Ménilmontant, d'où le groupe des saint-simoniens en costume, après avoir chanté *le Salut* et *l'Appel*, partit pour traverser Paris à pied. Deux femmes, Cécile Fournel et Aglaé Saint-Hilaire, faisaient partie de cette escorte de trente-six membres de la Famille, accompagnant le Père. Quelques ouvriers amenés par Vinçard s'y joignirent en cours de route. Le temps était beau, et les Parisiens accoururent en grand nombre sur le passage du cortège que l'on bombarda, près du marché du Temple, avec des trognons de salade. Mais, dans l'ensemble, la foule se montra attentive, silencieuse; les femmes étaient particulièrement impressionnées. Rue Saint-Avoie, un homme qui proféra des insultes d'une fenêtre fut même invité à se taire par les autres assistants. Aux abord du Palais de Justice, l'affluence était si considérable que les saint-simoniens durent emprunter une voie dérobée.

A onze heures, les quatre prévenus furent introduits dans la chambre du conseil, où les difficultés commencèrent pour les magistrats :

LE PRÉSIDENT *au Père :* Monsieur, quels sont vos défenseurs?

LE PÈRE : Nous n'avons pas de défenseurs.

LE PRÉSIDENT : Quels sont vos conseils?

LE PÈRE : Mes conseils sont ces deux dames. (*Montrant Aglaé Saint-Hilaire et Cécile Fournel. Étonnement chez tous les assistants.*) Et je désire avoir près de moi l'un de mes fils, Holstein, mon ami d'enfance.

LE PRÉSIDENT : Vous ne pouvez avoir pour conseils des personnes du sexe féminin, c'est impossible;... mais... ces dames n'ont qu'à rester près de vous si vous le voulez.

LE PÈRE : La cause intéresse spécialement les femmes, c'est surtout d'elles qu'il s'agit, je désire avoir des femmes pour conseils.

LE PRÉSIDENT : C'est impossible..., c'est singulier. (*Brusquement :*) Huissiers, faites sortir ces dames, et conduisez-les là où se tiennent les témoins.

AGLAÉ *au président, en s'avançant vers lui :* Monsieur, ne pourrions-nous obtenir de rester près du Père Enfantin, non plus comme conseils, mais ainsi que vous sembliez nous y autoriser tout à l'heure?

LE PRÉSIDENT, *vivement :* Faites sortir ces dames!

LE PÈRE : Je demande qu'il soit donné acte de votre refus.

LE PRÉSIDENT : Ce sera exprimé au procès-verbal [1].

1. *Œuvres de Saint-Simon et d'Enfantin*, t. XLVII.

Après désignation des jurés, les saint-simoniens passent à l'intérieur de la salle d'audience, bondée de curieux. Enfantin se tient debout à l'extrémité du banc des prévenus, et promène son regard sur l'assemblée. Il a fait citer quarante témoins à décharge. Les choses se compliquent dès l'audition du premier témoin :

Moïse Retouret est introduit.

LE PRÉSIDENT, *vivement au témoin :* Levez la main droite.

Moïse Retouret lève la main.

LE PRÉSIDENT : Vous jurez de parler sans haine et sans crainte, de dire la vérité, toute la vérité, rien que la vérité.

MOÏSE RETOURET : Père, puis-je prêter ce serment?

LE PRÉSIDENT : Vous ne devez consulter personne, vous ne devez agir que d'après votre propre volonté.

LE PÈRE : Le serment est un acte religieux ; il importe à des hommes qui ont une foi de savoir si le serment que l'on réclame d'eux est conforme à la leur, et c'est sur cette conformité que mon fils Retouret me consulte [1].

On récuse ce témoin, mais les trois autres, Ollivier, Duguet, Massol, agissent comme lui. Le président exaspéré fait introduire par l'huissier tous les autres témoins en masse, et les interpelle un à un ; chacun d'eux répond qu'il ne peut prêter serment sans y avoir été autorisé par le Père. Rochette et Flachat affirment en outre qu'ils ne prêteront pas « un serment où ne se trouve pas le nom de Dieu ».

Les incidents se multiplient. Le réquisitoire de l'avocat général est interrompu par Cécile Fournel, qu'il met en cause ; elle est aussitôt menacée d'expulsion. Le président fait sortir un jeune homme qui a crié « Bravo! Bravo! » à une réflexion d'Enfantin. Les saint-simoniens présentent une défense prolixe et véhémente. Léon Simon fait un discours sur la religion saint-simonienne, Michel Chevalier parle de la question morale et, apostrophant l'avocat général, qui s'est moqué du costume saint-simonien « ridicule et de mauvais goût », lui reproche d'ignorer la fonction symbolique de l'habillement : « Quel effet croyez-vous que vous eussiez produit si vous fussiez venu fulminer votre réquisitoire non avec votre ample robe de soie noire et votre toque à la ganse d'or, mais avec votre robe de chambre à ramages et la tête couverte d'un insouciant foulard? » Duveyrier, invoquant son célibat ascétique, stigmatise l'hypocrisie de la société : « Grand Dieu! Est-ce donc une chose dont la pruderie du siècle ait tant d'horreur, que les joies de la chair, pour accuser, comme d'un crime, ceux qui prétendent

1. *Œuvres de Saint-Simon et d'Enfantin,* t. XLVII.

la réhabiliter ? » Barrault dénonce l'adultère qui « est sous la protection de l'*opinion publique*, reçoit de la tolérance générale et d'une commune complicité une sorte de sanction », et s'élève avec tant de violence contre l'état de prostitution qui sévit dans le monde prétendu chrétien que le président lève la séance en protestant : « La défense dégénère en scandale. »

Le mardi 28 août 1832, le ministère public n'est pas au bout de ses peines. C'est au tour du Père Enfantin de se défendre; debout, la main droite sur la poitrine, il parcourt lentement et gravement de son regard l'auditoire, les jurés et les juges. Il prononce une suite de phrases et s'arrête pour recommencer le même manège. Redit quelques mots et se tait encore, regardant fixement les juges et l'avocat général. La cour manifeste une impatience croissante. Il reprend la parole mais s'interrompt pour contempler longuement le jury. Le président lui demande : « Avez-vous besoin de vous recueillir? La Cour suspendrait quelques instants la séance. » Enfantin répond qu'il veut leur faire sentir à tous la puissance religieuse du regard : « C'est par la nature du REGARD que je dirige sur vous, messieurs, que je lis sur vos *visages* la pensée qui vous anime, comme je voudrais vous apprendre à lire la mienne sur ma face; et c'est aussi en vous *voyant* tous que je fais naître en vous telle ou telle pensée bienveillante ou hostile. » Et justifiant pourquoi sa religion célèbre la forme, les sens, la chair :

LE PÈRE : Oui, messieurs (*le Père regarde les juges et les jurés*), ce sont surtout les *beaux corps* que je veux appeler à une vie meilleure, que je veux sauver de l'anathème et de la défiance que la foi chrétienne, encore vivante au milieu de vous, fait peser sur ce qui charme les *sens*. Je veux faire sentir et comprendre à tous quelle peut être la puissance morale de la *beauté*, afin de la laver des souillures que votre mépris affecté pour elle lui fait contracter, afin de la retirer de la fange où elle cherche et où elle trouve frauduleusement et honteusement les hommages que vous lui refusez publiquement.

(*Pendant ces dernières paroles, l'irritation de la cour était à son comble : le Père, qui n'avait pas cessé de fixer ses regards sur les juges, continuait à les regarder silencieusement et avec un calme sévère. Après quelques instants, pendant lesquels le président et les juges s'entretiennent vivement, le président se lève avec humeur et dit, en se dirigeant rapidement vers la chambre du conseil :*) L'audience est suspendue. Nous ne sommes pas ici pour attendre le résultat de vos contemplations [1].

1. *Œuvres de Saint-Simon et d'Enfantin*, t. XLVII.

L'audience reprend une demi-heure après. Le Père Enfantin fait alors un discours suivi, expliquant que « la sainte résurrection de la chair » qu'il préconise s'accompagne d'une « réorganisation de la *propriété* ». Il proclame sa foi en la femme, en « la venue d'une *femme-messie* de son sexe, qui doit sauver le monde de la *prostitution,* comme Jésus le délivra de l'*esclavage* ». Il se veut le simple précurseur, le saint Jean de cette femme-messie. « Ma vie est consacrée à la libération de la femme », déclare-t-il fièrement. Il est né pour faire l'éducation de tous les êtres sensuels qui galvaudent la sensualité :

LE PÈRE : Oui, je sens, et je dis hautement, que Dieu a mis en moi cette puissance d'amour, parce qu'il voulait me donner mission de sauver ceux qui ont une puissance semblable dans le monde, qui la profanent et la souillent. A moi de leur enseigner que l'art, qu'ils emploient à séduire, à perdre la fille du pauvre et l'épouse du riche, ils peuvent l'employer à guérir le monde de la prostitution et de l'adultère. Les êtres dont je parle, je ne les invente point, ils sont près de vous, au milieu de vous ; que tout homme ici qui croit posséder les dons de la *chair* sonde sa conscience, et qu'il réfléchisse à la manière dont il use de cette sainte richesse. Non, les êtres dont je parle ne sont point créés par mon imagination ; pour les produire, je n'invente pas un monde nouveau, ils sont près de vous, au milieu de vous, ici même, vous dis-je, et ce qu'ils font aujourd'hui mérite à juste titre cette accusation d'immoralité que vous lancez contre la conduite que je leur assigne pour l'avenir [1].

L'arrêt de la Cour de cassation, rendu le 15 décembre 1832, condamna Enfantin à un an de prison. Pendant que celui-ci purgeait sa peine à Sainte-Pélagie, Barrault eut une révélation. Il fut foudroyé de la pensée que l'emprisonnement du Père était un délai accordé par la Providence pour que les apôtres découvrissent eux-mêmes la femme-messie. Ils devaient chercher la Mère, pour la présenter au Père quand il serait libéré. Où la chercher ? En Orient, de préférence, afin que leur union soit symbolique et manifeste la conciliation de deux mondes opposés. Barrault fonda ainsi le 6 février 1833 l'ordre des *Compagnons de la Femme,* dont les membres devaient sillonner les routes à la recherche de l'Élue. Il prit le commandement de la mission d'Orient, descendit en grande pompe à Marseille, où l'embarquement sur *la Clorinde* eut lieu de 22 mars devant un attroupement de badauds. Arrivés à Constantinople, ils parcoururent les rues, revêtus de leur

---

1. *Œuvres de Saint-Simon et d'Enfantin,* t. XLVII.

étrange costume, chantant des cantiques, se prosternant devant chaque
femme rencontrée, de quelque âge et condition qu'elle fût, faisant des
prédications. Leur présence sema le trouble dans toute la ville.
Finalement, le sultan les fit appréhender et déporter aux Dardanelles.
Ils connurent alors de pénibles épreuves à Smyrne, à Alexandrie, des
dissensions jouèrent entre eux et l'entreprise faillit, malgré les efforts
éperdus de Barrault. De leur côté, les autres Compagnons de la
Femme, partis en costume dans toutes les directions de France,
n'eurent guère plus de succès. Hoart et ses hommes, qui couraient les
régions du Midi, criant : « Le règne de la Femme est proche, la Mère
de tous les hommes et de toutes les femmes va apparaître », recevaient
tantôt des ovations, tantôt des coups. A Tarascon, le populaire les
lapida, ils furent renversés et piétinés ; à Mende, des femmes se jetèrent
sur eux avec des couteaux. Mercier et Delas, dans le Centre, furent
tracassés par la police ; à Cahors, ils furent chassés de la ville à coups
de pierres. Biard, évangélisant l'Ouest avec sa mission, pensa être
lynché à Angers, et la gendarmerie dut le mettre en prison pour le
soustraire aux mauvais traitements de la foule. Ils roulèrent ainsi
quelque temps leur chimère dans les tribulations les plus mesquines [1].
Enfin, l'organisation fut dissoute par Enfantin lui-même, à sa sortie de
prison ; bénéficiant d'une amnistie, il quitta Sainte-Pélagie le 1er août
1833.

Enfantin décida de se rendre en Égypte et s'embarqua le 23 septembre à Marseille avec six disciples. Il voulait persuader Méhémet
Ali de percer l'isthme de Suez ; mais celui-ci s'y refusa et préféra faire
construire un barrage sur le Nil. Lorsque les travaux commencèrent, le
12 mai 1834, Enfantin s'installa à pied d'œuvre sous la tente ; il avait
rasé sa moustache, en gardant sa barbe, et troqué son costume habituel
pour un bonnet de cachemire, un habit rouge, un burnous blanc. Les
saint-simoniens qui l'entouraient ne pratiquèrent plus le célibat
apostolique qu'il leur avait imposé, car des saint-simoniennes « inconstantes » vinrent les rejoindre, les « demoiselles du barrage ». L'une
d'elles, Agarithe Caussidère, originaire de Lyon, s'offrit à tous : elle fut
la maîtresse de Cognat, de Petit, de Prax et même d'Enfantin.
« Grande nouvelle ! Le Père s'est marié avec une demoiselle du
barrage », nota Lambert dans son *Journal*, le 22 décembre 1834,
parlant naturellement par litote de « mariage ».

Tandis que le Père Enfantin agissait en Égypte, la Famille saint-

---

1. Henri-René d'Allemagne relate tout le détail de ces équipées héroïques
dans son monumental ouvrage, *les Saint-Simoniens*, Paris, Gründ, 1930.

simonienne de Paris continuait à se réunir sous la direction de l'ouvrier-poète Vinçard. Le 9 février 1834, trois cents personnes célébrèrent à Ménilmontant l'anniversaire du Père; les femmes chantèrent des hymnes « pour témoigner de leur reconnaissance envers le libérateur des femmes », Mme Dazur déclama un poème devant le portrait d'Enfantin. Le bal dura jusqu'à minuit, puis les musiciens raccompagnèrent les invités, exécutant des symphonies dans les rues de Paris. A la fin de 1834, celle que l'on appela « la dame bleue » fit son apparition. Bazin, le gardien de Ménilmontant, dit qu'une inconnue convoquait les saint-simoniens pour leur faire une communication importante. Après hésitation, ils se rendirent tous au rendez-vous matinal qu'elle leur avait fixé. La dame parut et se plaça au bout de la galerie. Elle avait de longs cheveux blonds, des yeux bleus, une taille un peu forte; elle était vêtue d'une robe en dalmatique bleue, drapée à la grecque et attachée sur la poitrine par un camée; sa tête était couronnée de roses blanches et couverte d'un voile bleu. Elle déclara d'une voix émue qu'elle s'appelait Émilie et qu'elle désirait perdre sa virginité : « J'ai vingt et un ans, j'ai atteint l'âge de la majorité et je me voue à l'apostolat saint-simonien. Je veux rejoindre le Père Enfantin en Égypte; j'ai besoin pour faire ce voyage d'un homme qui me dirige et me défende dans ma mission et je fais appel au plus aimant, au plus intelligent, au plus fort d'entre vous [1]. » Devant l'embarras des saint-simoniens, la dame bleue ajourna à un mois leur réponse. Le jour dit, elle revint, s'assit dans un fauteuil dominant l'assemblée et prononça ce seul mot : « J'attends. » Tous demeurèrent silencieux. A la fin, un vieillard, Demersant, s'écria : « Madame, puisque les plus forts qui sont ici hésitent ou semblent vouloir s'abstenir, je viens, moi, loyalement, répondre à votre appel. » Elle le repoussa, parce qu'elle le trouvait trop vieux. Un jeune républicain, Chancel, indigné de la défection des saint-simoniens, se proposa à elle fougueusement; elle se troubla, mais elle refusa son offre jusqu'à ce qu'il soit devenu adepte du saint-simonisme. La troisième séance à Ménilmontant fut interrompue par une femme qui, lorsque la dame bleue voulut parler, s'élança en hurlant : « Ma fille! ma fille! rendez-moi ma fille! » C'était la mère. au seuil d'une crise d'hystérie. Rigaud, solennel, conseilla à la dame bleue de regagner le foyer de ses parents. Ce qu'elle fit en annonçant : « Je cède à ma mère; je rentre dans mon tombeau; prenez mon voile et suspendez-le pieusement en souvenir de mon acte. » Les saint-

---

1. Toute cette histoire a été racontée par Vinçard dans ses *Mémoires épisodiques d'un vieux chansonnier saint-simonien*, Paris, Dentu, 1878.

simoniens mirent ce voile au-dessus de la porte de la galerie où elle sortit en leur disant adieu, et décidèrent que personne ne passerait plus par cette issue désormais sacrée.

Le Père Enfantin quitta l'Égypte en octobre 1836 et débarqua à Marseille le 16 janvier 1837. Il accepta l'hospitalité de sa cousine Thérèse Nugues dans sa propriété de Curson, car des mesures de prudence l'empêchaient de s'installer à Paris. La Famille saint-simonienne lui envoya en délégation un homme et une femme pour l'assurer de son obédience. Égérie Cazaubon lui fit remettre une adresse contresignée par la plupart des disciples : « Père, pendant que l'Orient est encore sourd à vos paroles resplendissantes, l'Occident se dépouille peu à peu de son linceul usé [1]. » Cependant, les déceptions intellectuelles s'ajoutant aux conflits sentimentaux, des divisions eurent lieu au sein de la Famille; elle finit par se disperser [2]. Enfantin refoula ses rêves de messianisme amoureux dans son cœur, et ne chercha plus qu'à apporter des solutions aux questions politiques et industrielles du jour. Nommé membre de la Commission scientifique d'Algérie, il alla étudier sur place, à Alger et à Constantine, les perspectives de la colonisation algérienne, se heurtant sur ce sujet au maréchal Bugeaud. Il défendait la théorie du « soldat laboureur », demandant que le défrichement des terres fût confié à une main-d'œuvre militaire. En automne 1841, regagnant Paris et se mettant en rapport avec de hauts fonctionnaires, il commença à se préoccuper de la création des grandes lignes de chemin de fer. Il devint administrateur de la Compagnie de l'Union, avec les pleins pouvoirs, et de la Compagnie PLM qui en fit son délégué à Lyon. Il assura la naissance des lignes Paris-Lyon, Lyon-Avignon, Marseille-Avignon, et du réseau unique du Sud-Est. D'autre part, il créa une Société d'études pour le percement du canal de Suez et entra en polémique avec Ferdinand de Lesseps. Il fonda le Crédit mobilier avec les frères Péreire, patronna plusieurs journaux, *l'Algérie, le Crédit, la Politique nouvelle*. Il eut aussi de nombreux projets qui n'aboutirent pas : celui d'éditer une *Nouvelle Encyclopédie* ou celui d'instituer le Crédit intellectuel, afin que les élèves sortis des grandes écoles ne soient plus obligés « de mendier une commande ou de

1. Bibliothèque de l'Arsenal, Fonds Enfantin, 7626, pièce 46.
2. Jean-Pierre Alem, dans *Enfantin, le prophète aux sept visages* (Paris, Pauvert, 1963), l'accuse de « dureté » dans ses ruptures avec Michel Chevalier, Olinde Rodrigues. Mais on ne peut pas juger à la mesure ordinaire les réactions d'un chef d'école, soucieux de préserver l'unité d'action de son mouvement (Freud, André Breton, ont subi de ce fait des reproches analogues). Il est avéré qu'Enfantin était fort généreux avec ses disciples et les aidait même sur le plan matériel.

prostituer leur génie ». Il lança l'idée de la Société des nations et du désarmement général, fit au gouvernement des suggestions concernant tantôt l'assainissement de Paris, tantôt l'extinction du paupérisme [1]. Ses livres, *la Science de l'homme* (1858), démontrant aux physiologistes la nature sacrée du corps humain, et *la Vie éternelle* (1861), révisant la conception traditionnelle de l'au-delà, furent les échos ultimes de sa pensée politico-religieuse.

Les réactions des femmes à la doctrine d'Enfantin furent diverses. A côté d'une opposition, qu'il avait d'ailleurs prévue (il écrivait à Eugène, en 1832 : « Le prolétaire romain fut l'ennemi de l'apôtre de Jésus-Christ. L'esclave moderne, la femme! nous sera hostile, nous ne résisterons à la femme que par la femme. »), un grand nombre d'entre elles se rallièrent au dogme, mais en l'interprétant différemment, donnant, par leur conduite, comme la preuve de sa théorie sur les tempéraments *mobiles* et les *immobiles*. En effet, il y eut celles qui usèrent de la liberté d'aimer que leur accordait la doctrine pour réaliser des désirs secrets, brimés jusque-là par les conventions sociales. Tel fut le groupe des *Payennes* qui mettaient leur fierté à s'abandonner à une fougueuse indiscipline sexuelle. L'une d'elles écrivait, dans *la Femme libre* : « Fidèles aux lois de la nature, nous aimerons sans feinte et nous nous rirons des préjugés [2]. » Claire Démar représente parfaitement ces extrémistes, et dans son manifeste, *Ma loi d'avenir,* elle renchérit sur les idées d'Enfantin : il admettait deux natures, elle n'en reconnaît qu'une, celle des inconstants. Elle propose le vote, par le Parlement, d'une *loi d'inconstance,* accordant publiquement à tout être le droit aux amours multiples. Elle se déclare en faveur des unions simultanées : une femme doit faire des essais variés, afin de décider, en comparant entre ses amants, quel homme lui convient le mieux; une fois trouvé le mari harmonique, leur union doit se réaliser sous condition que la préférence qu'ils se portent n'interdise pas des liaisons passagères. A l'autre bord, il y eut celles qui, comme Cécile Fournel, Marie Talon, Suzanne Voilquin, n'utilisèrent le dogme que pour affirmer les principes économiques du mariage et embellir d'un climat idéal la vie du foyer [3]. Enfin, dans l'espace intermédiaire, il y eut de véritables

1. Cf. Henri-René d'Allemagne, *Prosper Enfantin et les Grandes Entreprises du XIXe siècle,* Paris, Gründ, 1935.
2. Cf. Marguerite Thibert, *le Féminisme dans le socialisme français,* Paris, M. Giard, 1926.
3. L'activité saint-simonienne des femmes fut évoquée, entre autres, dans *la Saint-Simonienne* de Joséphine Lebassu (1833) et dans *le Livre des Actes,* publication anonyme due à Cécile Fournel et Marie Talon.

inspirées, telles Pauline Roland, qui entreprit « l'apostolat par le charme », et Clorinde Rogé, qui fonda la Chevalerie de la femme, dont les membres étaient seulement des femmes, alors que l'organisation de Barrault était un groupement d'hommes. Elle forma avec son mari un des couples exemplaires du saint-simonisme : ils s'adoraient mais, s'étant accordé la liberté sexuelle réciproque, ils eurent chacun de leur côté des aventures amoureuses, se quittèrent, se reprirent, et finirent leur vie ensemble, profondément unis. Enfantin écrit à juste titre, dans sa *Correspondance* : « Il y a, dans ce couple Rogé, une des pages les plus vives du grand livre de la morale nouvelle. »

Julie Fanfernot avait participé aux barricades de juillet 1830 avec les étudiants; au Louvre, elle s'était emparée d'un canon, sur l'affût duquel on la hissa pour la promener en triomphe dans Paris. A la salle Taitbout, elle prit la parole pour proclamer sa foi saint-simonienne et dire qu'elle était disposée à former le premier couple-prêtre avec Enfantin. Comme celui-ci refusa, elle alla vivre dans une association de saint-simoniens rue Popincourt. Elle mena ensuite une vie nomade puis se fixa à Marseille où elle tenta de fonder un journal et une colonie saint-simonienne. Elle se mit en ménage avec une espèce d'ours, comme elle l'appelait, qu'elle avait rencontré au bord de la mer, au moment où il allait se suicider : « Je le sauverai; j'en ferai un homme », disait-elle. Elle habitait un pauvre logement, confectionnant des ouvrages de tapisserie pour gagner sa vie. Ses idées attirèrent de nombreux jeunes bourgeois, qui se pressèrent chez elle. Vinçard précise : « Témoin de quelques-uns de ses entretiens avec ces jeunes gens, j'ai pu me rendre compte du grand ascendant qu'elle exerçait sur eux, et cela tout en travaillant à sa tapisserie. Elle leur enseignait tout ce que son esprit novateur et son cœur généreux avaient puisé dans la doctrine, dont elle affirmait les principes avec tant de chaleur persuasive qu'aucun ne faisait d'objection, que tous écoutaient sa parole avec recueillement, partageaient ses rêveuses aspirations d'avenir et se faisaient ses disciples [1]. » Mais Julie Fanfernot ne parvint pas à jeter les hommes dans l'action, au gré de son imagination ardente, et elle mourut désabusée à Paris, haïssant tous ceux qui n'avaient pas réalisé ses plans de félicité universelle.

Suzanne Voilquin avait été entraînée aux conférences de la rue Monsigny par les ouvriers typographes de Firmin-Didot. « Je ne pouvais me lasser d'aller entendre les éloquentes démonstrations de ces

---

1. Vinçard aîné, *Mémoires épisodiques d'un vieux chansonnier saint-simonien*, Paris, Dentu, 1878.

intelligences jeunes, sagaces et religieuses[1] », avoua-t-elle. Devenue saint-simonienne, elle participa à la création de la revue *l'Apostolat des femmes,* qui devint *la Tribune des femmes.* Elle s'aperçut que son mari entretenait une liaison avec Julie Parcy et décida de se conduire en adepte de l'*amour social :* « Voilquin était mon enfant, ma création; je le voulais heureux[2]. » Elle donna sa liberté à son mari, et se fit désormais l'*ange gardien* du couple qu'il forma avec Julie. Suzanne Voilquin suggérait, dans un de ses articles, que les femmes constantes et les inconstantes portent des rubans de couleur différente, afin d'être distinguées les unes des autres. Après avoir séjourné en Égypte avec son amie Isabelle, elle obtint son diplôme à la Faculté de médecine de Paris en 1837 et s'établit rue Saint-Merry, pour pratiquer la médecine homéopathique; elle fit partie d'un dispensaire assurant des soins gratuits au peuple et créa une association pour protéger les filles mères.

Marie-Reine Guinsdorf était la gérante de *la Tribune des femmes,* revue qui ne publiait que des articles de femmes, signés seulement de leurs prénoms : Jeanne-Désirée, Marie-Reine, Suzanne, etc. Elle avait un mari et un enfant de quatorze mois quand elle tomba amoureuse d'un disciple de Fourier; mais celui-ci était un *omnigame,* courant de femme en femme en vertu de la *papillonne,* et la malheureuse, dans son désespoir, alla se noyer dans la Seine, victime du drame éternel entre « être à affections profondes » et « être à affections vives », qu'Enfantin croyait le couple-prêtre seul capable de dénouer.

Élisa Lemonnier, autre fervente saint-simonienne, voulut réaliser les idées de la doctrine sur les écoles professionnelles de femmes. Elle fonda en 1856 la Société de protection maternelle, qui devint en 1862 la Société pour l'enseignement professionnel des femmes. Elle créa deux écoles dans Paris qui portèrent son nom, et qui furent prises pour modèles de celles qu'on réalisa par la suite en France et à l'étranger[3].

Les saint-simoniennes furent ainsi des créatures émouvantes, alliant le dévouement de la sœur de charité à la tendresse de l'amante passionnée. Elles souffrirent, dans leur chair et dans leur esprit, pour leur idéal. Appels des hommes, revendications des femmes, cet entrecroisement d'espoirs et d'émancipations ne pouvait aller sans tourments. Le passage brusque de la contrainte à la liberté est agonistique. Aussi, Angélique Arnaud résume bien l'effet produit par la

1. Suzanne Voilquin, *Souvenirs d'une femme du peuple ou la Saint-Simonienne en Égypte,* Paris, Sauzet, 1866. — 2. *Ibid.*
3. Elle était la femme du professeur Charles Lemonnier qui, en vue de la Paix générale, étudia la formule d'un traité d'arbitrage entre nations et écrivit un livre sur *les États-Unis d'Europe* (1872).

doctrine, quand elle écrit à Enfantin : « Vous n'ignorez pas, Père, que vous avez jeté dans le monde une vérité brûlante, et que ceux qui l'ont recueillie les premiers en ont été dévorés : l'avenir en goûtera les fruits suaves quand nous l'aurons élaborée à travers nos fatigues et nos larmes ; mais aujourd'hui nous ne pouvons qu'attendre, observer et souffrir. »

Il est naturel de se demander quelle fut la vie amoureuse de cet homme qui voulut être un grand prêtre d'amour. Enfantin fut sans conteste un « être à affections vives », et il eut plusieurs liaisons successives, pleines de complications sentimentales. Il aimait universellement les femmes, et il avait une propension à répartir sa tendresse entre elles toutes plutôt qu'à la fixer sur une. Il est évident que ses théories furent d'un homme qui voulait baigner toute sa personne dans une atmosphère générale d'amour ; ce n'est pourtant pas un libertin couvrant ses penchants d'un système théocratique, mais un véritable mystique, mettant des intentions religieuses authentiques dans ses rapports intimes avec les êtres. Duveyrier, après sa rupture avec lui, jugera sévèrement sa conduite, et Enfantin s'en indignera auprès d'Aglaé Saint-Hilaire : « A l'en croire, ma vie, jusqu'à présent, n'aurait été qu'une vie de bambocheur, farceur, dandy, oisif, païen, vrai diablotin, homme aimable enfin... J'ai vu des filles, dit-il ; oui, peut-être six dans ma vie et il y en a une qu'il connaît, Joséphine, que j'ai vue trois ans de suite sans en voir d'autres. Est-ce donc si païen? Puisque j'avais, comme il le dit, tous les charmes de la forme, si j'avais été un homme aimable, j'aurais couché avec toutes les jolies femmes de Paris ; eh bien! j'ai couché avec une et avec Joséphine. Dans mes nombreux voyages, j'aurais mis tous les ménages sens dessus dessous ; eh bien! j'ai eu à Saint-Pétersbourg (et encore, parce que j'y suis resté deux ans et que pendant ces deux ans Dieu me mit constamment côte à côte avec une charmante femme) une relation d'amour... » Dans sa jeunesse, il fit un enfant en 1827 à une de ses maîtresses, Adèle Morlane, mais il refusera toujours de l'épouser, voulant se garder libre pour la femme-messie qui devait former avec lui le premier couple-prêtre de la religion nouvelle. (A chaque réunion du groupe, un siège vide était placé à côté du sien, symbolisant cette attente de la Mère suprême.) Au sein de la Famille, Enfantin eut aussi des conjonctions avec quelques-unes de ses « filles », d'autant qu'il était spontanément caressant avec chacune d'elles et qu'il y avait de nombreuses postulantes à ce titre de Mère suprême.

Sa relation avec Hortense Jourdan est notamment typique, car elle montre comment se posait le problème de la rivalité chez les saint-simoniens. Le mari, Louis Jourdan, surprenant en novembre 1841 une lettre ardente adressée par sa femme à Enfantin, prouvant qu'elle est sa maîtresse, écrit à ce dernier, après plusieurs jours de crise : « Hortense ne sera plus pour moi qu'une sœur bien tendrement aimée. Je tâcherai d'être bon pour être digne de vous, pour représenter auprès d'elle toutes vos grandes qualités. Je ne l'aimais que pour moi ; maintenant je l'aimerai pour moi et pour vous. » Enfantin ayant proposé un arrangement amiable, Jourdan répond : « Je veux qu'elle aille tout entière vers vous, parce que je sens que si je cédais à l'attrait qui m'entraîne vers elle, je deviendrais méchant, je la ferais souffrir... Oh ! allez, j'aurai besoin de tout votre amour et de toute sa tendresse, car il y a en moi des instincts de jalousie farouche [1]. » Louis et Hortense continuèrent de vivre ensemble, parce qu'ils avaient un fils (nommé Prosper en l'honneur d'Enfantin) ; mais ils n'eurent plus de rapports sexuels. Louis se fit le modérateur d'Hortense, qui se conduisait en maîtresse exigeante et jalouse du Père. Le couple acheta à Passy une maison avec un jardin, et proposa à Enfantin d'y venir terminer ses jours, choyé par Louis et Hortense. Louis lui écrivait : « Je m'appelle Louis pour tout le monde ; pour toi seul, Père, je me nomme Louis-Hortense. Lorsque tu vins t'asseoir à notre foyer à Alger, tu aimas Hortense dans Louis et Louis dans Hortense. » Il est beau de voir un homme extirper, au nom d'une haute idée morale, et bien qu'il lui en coûte, le désir de propriété exclusive qui veille férocement dans le cœur de tout amant. Enfantin prônait d'ailleurs cette générosité à l'égard des écarts de l'être aimé, et il la pratiquait lui-même, si l'on croit ce qu'il écrit à sa confidente d'élection, Aglaé Saint-Hilaire : « Il n'y a rien de plus poétique au monde que la bonté. Et c'est pour cela qu'il y a des cocus mille fois plus poétiques qu'Othello lui-même et que son rival Don Juan... Tel que vous me voyez, je me suis forcé à être un cocu de premier ordre... »

Dans les dernières années de sa vie, Enfantin eut à défendre sa vie privée contre ses amis qui le suppliaient de régulariser sa situation avec Adèle Morlane. Il avait reconnu son fils Arthur en 1838, mais il s'obstinait à ne pas la vouloir comme épouse ; celle-ci lui avait affirmé qu'elle ne serait jamais saint-simonienne, et n'avait pas d'autre ambition, pour le grand réformateur social, que de le voir solliciter une place de directeur des Postes à Marseille. En 1856, Enfantin loua à Paris un appartement rue Chaptal, et y fit vivre avec lui Eugénie

---

1. Les lettres de Louis et d'Hortense Jourdan sont au Fonds Enfantin de l'Arsenal, n° 7736.

Froliger, qu'il avait connue fillette, en 1837, et qui était depuis lors une femme séparée de son mari, ayant deux enfants adolescents. Aussitôt, les proches d'Enfantin l'accablèrent de remontrances. Son ami d'enfance Holstein rompit avec lui, après lui avoir écrit : « Tu peux déchirer ton appel à la femme. Tu agis comme s'il n'existait plus et ta vie sera maintenant celle d'un vieux libertin qui a besoin de faire chauffer son lit avant de se coucher » (10 octobre 1857) [1]. Enfantin s'irrita de cette pruderie de ses compagnons d'autrefois et protesta auprès d'un fidèle, Arlès Dufour : « Je prends une bonne enfant de femme qui a beaucoup souffert du mariage, qui m'est, je crois, très attachée, dont j'étudie le caractère depuis dix ans, que je crois avoir sauvée du désespoir et de ses conséquences sous mille formes, dont les manières et le ton me plaisent surtout en vue de ceux que je compte voir, hommes ou femmes, plaisant aux uns comme aux autres, ce qui est rare, n'étant pour ainsi dire, comme moi-même, d'aucun sexe et aimant tous ceux que j'aime » (10 octobre 1857) [2]. Dès novembre 1857, Enfantin donna des réceptions le dimanche où se pressèrent d'anciens saint-simoniens, des artistes, des journalistes, des industriels. Deux cents personnes vinrent le premier lundi de février 1858 fêter ses soixante-deux ans. Puis il prit l'habitude de quitter Paris pour échapper aux commérages sur son union libre avec Eugénie, que l'on disait sa fille naturelle. Il mourut d'une congestion cérébrale, le 31 août 1864, et fut inhumé civilement au Père-Lachaise, ayant demandé par testament que ses obsèques « soient extrêmement simples, qu'elles n'aient pas lieu à une église ou avec une assistance quelconque de prêtre, d'aucun clergé » [3].

Quelle que fût sa ligne de chute, Enfantin reste celui qui a su donner corps à ces problèmes d'importance : réhabilitation de la chair, non plus dans le libertinage, mais sur le plan sérieux de la religion et de l'économie politique; affranchissement de la femme, non selon les décrets de l'homme, mais en suivant les inspirations de la femme elle-même; nécessité d'une double morale amoureuse, satisfaisant aux besoins distincts des êtres constants et des êtres inconstants. Personne que lui n'a été plus convaincu de la splendeur de la chair; et nul n'a eu de foi plus fervente en la femme, en sa mission amoureuse et civilisatrice. Il a su faire rêver toute une génération autour de la femme-messie, et

1. Arsenal, Fonds Enfantin, n° 7734. — 2. *Ibid.*, n° 7665 *bis*.
3. L'autographe du testament d'Enfantin est reproduit par Jean Walch dans *Bibliographie du saint-simonisme, avec trois textes inédits*, Paris, Vrin, 1967.

susciter une croisade où les sentiments les plus chevaleresques se déployèrent. Il écrivait : « L'humanité est laide, elle a une *tête* prodigieuse ; c'est un monstre comme Asmodée, qui *raisonne* effroyablement : ça remue, ça parle, mais ça n'aime plus[1]. » Il a essayé de reprendre cette situation par son fondement, et s'il s'est finalement brisé sur elle, du moins a-t-il contribué en homme de cœur à élargir la conscience des rapports passionnels.

1. *Œuvres de Saint-Simon et d'Enfantin,* publiées par les membres du Conseil institué par Enfantin pour l'exécution de ses dernières volontés (Paris, Dentu, 1865-1878, 47 vol.). Comme il ne s'agit pas d'une publication suivie, qu'elle n'a ni sommaire ni index, mais seulement une table partielle au tome XIII, je donne ici quelques indications au lecteur qui veut s'y aventurer. Les tomes I à XIII sont consacrés à la biographie d'Enfantin ; les tomes XIV, XVI et XVII aux dix-huit *Enseignements* d'Enfantin sténographiés par Lalouette (le tome XVII contient aussi les *Mémoires d'un industriel de l'an 2240) ;* les tomes XXIV à XXXVI à sa *Correspondance inédite ;* le tome XLVI à *la Science de l'homme* et à *la Vie éternelle — passée, présente, future ;* le tome XLVII aux textes relatifs à ses deux procès. Tout le reste rassemble des œuvres de Saint-Simon et des prédications de saint-simoniens.

7

*Maria de Naglowska et le satanisme féminin**

Les prêtresses d'amour sont destinées à préparer
l'avenir de l'humanité.   MARIA DE NAGLOWSKA

Les doctrines de l'occultisme offrent généralement une image de
l'amour, et surtout de la femme, qu'on aurait grand tort de mésestimer.
Elles exaltent dans les rapports du couple cette notion de sacré que les
exigences de la vie pratique tendent à nous faire oublier, ou à nous
détourner d'utiliser pleinement. A cet égard, rien de plus explicite que
l'affirmation d'un des maîtres de l'ésotérisme, Saint-Yves d'Alveydre,
constatant dans sa brochure, *les Clefs de l'Orient,* que « les sexes
demeurent inexpliqués dans leur principe, mal définis dans leurs
finalités, opposés à jamais, voués en religion comme en sociologie soit
à l'avertissement de l'un par l'autre, soit à une revendication de liberté
pire que l'asservissement », et confiant en conséquence à l'enseignement initiatique tous les pouvoirs de réinvention en ce domaine. Or, si
les femmes ont le don inné des œuvres de magie — « Nature les fait
sorcières », disait-on au Moyen Age, selon Michelet —, bien peu nous
ont laissé des écrits sur les arcanes des réalités secrètes. Celles qui ont
joué un si grand rôle dans les sectes gnostiques — Philoumène,
Marcelline ou Agapé — ne se sont expliquées dans aucun traité; plus
tard, Guillelma, qui fut révérée à Milan par les Guillelmites et dont la
religion, après sa mort en 1281, fut desservie par la sœur Maufreda, n'a
apporté qu'un message oral. C'est pourquoi on regardera avec intérêt

---

* Ceci est la seule étude détaillée écrite jusqu'à ce jour sur Maria de
Naglowska. Les historiens de l'occultisme ou des sociétés secrètes ne lui
consacrent ordinairement que quelques lignes, souvent entachées d'erreurs.
J'ai dû faire de longues recherches pour rassembler une documentation
appréciable, car ses livres à tirage limité, vendus par correspondance, sont
introuvables dans les bibliothèques publiques (la Bibliothèque nationale n'en
possède qu'un). Malgré mes efforts, des lacunes subsistent dans l'histoire de
sa vie. J'espère que ce texte mettra en goût un chercheur, qui réussira à établir
une biographie complète de cette femme extraordinaire.

Maria de Naglowska, la seule Annonciatrice qui, dans la suite des
temps, ait appuyé sur des textes précis sa conception de l'influence
hétaïrique dans le monde.

Avec une sereine audace, Maria de Naglowska a attaqué les
conventions qui paralysent la destination occulte de la femme, et non
seulement les conventions sociales mais aussi les partis pris sentimentaux. Comme elle était elle-même une grande initiée, c'est sur une base
réelle qu'elle a entrepris sa mission prophétique et qu'elle a tenté de
concilier les aspects ésotériques et exotériques de la sexualité, dans le
mouvement d'une religion luciférienne. Elle organisa ainsi une secte, la
Confrérie de la flèche d'or, et mena sa propagande par des manifesta-
tions collectives et par sa revue, *la Flèche*. Henri Meslin, dans sa
Théorie et Pratique de la Magie sexuelle, écrit : « Maria de Naglowska
commença son apostolat à Montparnasse, en 1931. Elle prêchait avec
un rare talent l'avènement de l'Ère nouvelle, la régénération de Satan,
l'illumination par la Magie sexuelle, la religion de la Mère-Divine et le
culte des Prêtresses d'amour. Elle sacra publiquement deux de celles-ci
dans une chapelle du quartier Montparnasse, au cours d'une cérémonie
splendide et toute symbolique où des journalistes furent même conviés.
Les deux rituels de la secte qu'elle fonda sont publiés et ont pour titres
la Lumière du sexe et *le Mystère de la pendaison.* » Meslin ajoute alors :
« D'après Maria de Naglowska, la porte du Ciel est ouverte par le coït
sacré. Mais la femme doit s'offrir à l'homme sans égoïsme sexuel. Là
réside le grand secret de l'Amour magique et la raison d'être de la
morale de demain qui veut que la femme ne soit que mère ou prêtresse.
Si elle est mère, elle engendre physiquement, si elle est prêtresse, elle
donne naissance à la Lumière du sexe. Si elle se prostitue, elle commet
le plus abject des crimes contre la Nature et les lois suprêmes de
l'Univers. »

Maria de Naglowska, née vers 1885 en Russie, a passé sa jeunesse
dans un château des Carpates appartenant à sa famille. Il est possible
que son tempérament mystique ait été éveillé et fortifié par des récits
concernant les sectes russes qui florissaient à cette époque, comme celles
des Khlysty, des Prygouny, des Chalapoutes, des Nemoliaky [1]. Elle
connut d'ailleurs Raspoutine, mais c'est à une femme — « une haute
initiée » — qu'elle dut son initiation. Après avoir été initiée, elle
épousa un riche Polonais qui l'emmena vivre dans le Caucase et avec
qui elle eut un fils. Ensuite, elle voyagea et s'adonna à des travaux
littéraires ; elle commença à se signaler en 1912, quand elle publia à

---

1. Cf. N. Tsakni, *la Russie sectaire,* E. Plon, Nourrit et Cie, 1888.

Genève un recueil de poèmes, *le Chant du harem,* et une *Nouvelle Grammaire de langue française* (aux éditions Eggimann); la même année, elle traduisit en russe *Une révolution dans la philosophie,* de Frank Grandjean, professeur de l'université de Genève. En 1913, elle fit paraître à Moscou un ouvrage de pédagogie, *Causeries avec une mère.* Il semble qu'elle ait résidé en Suisse de 1916 à 1921, collaborant occasionnellement à divers journaux, publiant encore deux plaquettes de poèmes, et même une brochure politique, *la Paix et son Principal Obstacle* (1918). Elle dut séjourner quelque temps en Italie, car on trouve les traces de sa collaboration régulière au journal l'*Italia* de Rome, de 1921 à 1926. En Égypte, où elle demeura de mai 1928 à juillet 1929, elle fonda à Alexandrie un journal éphémère, *Alexandrie nouvelle.* Elle retourna à Rome, mais ne put pas y rester plus de deux mois, faute de moyens d'existence. C'était l'époque de l'élection du pape Pie XI, et elle rencontra un moine, venu à cette cérémonie, qui lui révéla le principe de l'évolution en trois temps de l'humanité : « Mon Chef se présenta à moi à Rome... Il était vêtu de bure et un vulgaire cordon ceignait ses reins. Il était nu-pieds et n'avait pas de chapeau sur la tête. Il me remit un carton sur lequel était tracé un triangle, il m'expliqua ce que je dévoile maintenant [1]. ». Elle arriva le 3 septembre 1929 à Paris et connut pendant quatre mois, selon sa propre expression, « la véritable lutte... *sur le pavé* ».

Elle trouva quelques appuis et s'employa comme traductrice; elle traduisit ainsi pour les éditions de la NRF le *Raspoutine* de Simanovitch (1930). Son action ne devint intéressante que dès la fin de 1930, lorsqu'elle prétendit créer une religion, comportant des grades initiatiques : Prêtresses, Balayeurs de la Cour, Magnifiques Chevaliers Invisibles, Guerriers-Vénérables, etc. Elle professait la doctrine du « Troisième Terme de la Trinité »; d'après elle, la divinité se composait de cette Trinité : le Père, le Fils et la Mère. La religion du Père est la religion hébraïque, dont le symbole est la Verge cachée dans l'Arche; sa morale protège la reproduction de l'espèce. La religion du Fils est la religion chrétienne, symbolisée par la Croix; elle fonde la vie spirituelle sur la renonciation à l'acte sexuel. Enfin, la religion de la Mère, ou du Troisième Terme, qui doit leur succéder, a pour symbole la flèche lancée vers le ciel; elle part de la chair pour s'élever jusqu'à la vérité suprême du cosmos. Grâce à la Mère se produit la conversion du Mal en Bien; elle seule parvient à réconcilier la puissance des ténèbres avec l'esprit des lumières : « La Mère apaise le combat entre le Christ et

1. « Mon chef spirituel », *La Flèche,* n° 10, 15 février 1932.

Satan, en ramenant ces deux volontés contraires sur la même voie d'ascension unique[1]. »

Maria de Naglowska affirma ses idées en créant d'abord la revue *la Flèche* qui, du 15 octobre 1930 au 15 décembre 1933, eut dix-huit numéros et dont le but, proclamé en épigraphe, était de « préparer l'humanité, par de nouvelles idées-formes, à l'érection du temple du Troisième Terme de la Trinité, en lequel seront célébrées les Messes d'or ». Ses premiers collaborateurs n'étaient pas des adeptes à proprement parler, plutôt des sympathisants : Julius Evola (qui se distinguera d'ailleurs plus tard par des ouvrages d'occultisme, *la Tradition hermétique, le Mystère du Graal et l'Idée impériale gibeline*), Abel T. Drexler, Pierre de Lestolle ; mais, bientôt, elle devint le centre d'un groupe d'adhérents. Les principaux membres de la Confrérie de la flèche d'or furent Auguste Apôtre, dont on sait seulement qu'il était un vieillard au grand front ; Frater Lotus, auteur du livre *le Retour d'Isis ;* Pierre Saint-Aubin (pseudonyme de l'ingénieur Philippe Cayeux), versé dans l'astrologie, qui faisait des prédictions sur demande ; la belle Hanoum, la disciple favorite, qui écrivit plusieurs textes initiatiques, *les Prêtresses de l'avenir, Horièse et Félix (récit symbolique, 6e arcane)* et surtout *la Tentation de la pitié,* montrant comment la femme peut initier l'homme.

Maria de Naglowska recevait chaque jour ses fidèles de cinq à sept heures, à l'American Hôtel, 15, rue Bréa ; mais elle vivait dans une modeste chambre de l'hôtel de la Paix, 225, boulevard Raspail. Elle donnait régulièrement des conférences au Studio Raspail, 46, rue Vavin, dans une salle où étaient affichés des tableaux schématiques de l'évolution humaine et de l'union magique des sexes.

La tentative de Maria de Naglowska éveilla tout de suite l'intérêt ou l'animosité des milieux spécialisés. Si Henri de Guillebert, dans un article de la *Revue internationale des sociétés secrètes* (janvier 1931), l'encouragea, René Guénon s'irrita en 1932, dans sa revue *le Voile d'Isis,* contre « les tendances plus que suspectes » qu'il lui supposait[2] : l'Église gnostique de Lyon, l'*Astrosophie* de Carthage, la combattirent. Elle répondit aux critiques en polémiste habile (son défi à René

----

1. *Le Rite sacré de l'amour magique,* Paris, Éd. de la Flèche, 1932.
2. René Guénon, dans le même numéro du *Voile d'Isis* (janvier 1932) où il invite ses lecteurs à ne pas prendre au sérieux Maria de Naglowska, définit les surréalistes « un petit groupe de jeunes gens qui s'amusent à des facéties d'un goût douteux ». Écrire cela en 1932, après la publication du *Second Manifeste!* Cet auteur estimable, obnubilé par sa propre aventure spirituelle, n'était pas toujours clairvoyant.

Guénon est d'une plaisante causticité), et passant même à l'attaque, houspilla certains qui ne lui demandaient rien, comme Krishnamurti : « Il faut construire, Krishnamurti, il ne suffit pas de chanter et de danser, en cette époque où tout croule[1]. » De petites sectes ésotériques de Paris, voulant s'informer sur son message, l'invitèrent à l'expliquer à leurs affiliés ; elle fit ainsi une conférence sur *la Polarisation des sexes et l'Enfer des mœurs modernes* devant le groupe de l'En-Dehors (le 8 février 1932, au café Bel-Air, place du Maine), une autre sur *les Messes blanche, noire et d'or* pour les addéistes (le 11 juin 1932, à l'École des Hautes Études) ; elle parla de *la Russie occulte,* à l'intention de l'Évolution mondiale (le 4 novembre 1932, Studio Raspail). Enfin, la collection du « Dragon vert », dont la publicité fut assurée par *la Flèche,* renforça son action par des ouvrages comme les *Rituels des sociétés de Magie sexuelle* de P. Kohout-Laslnic, avec quarante gravures, *Symbolique et Parures occultes,* ainsi que des livres sur la Mandragore et le Golem.

La première œuvre significative de Maria de Naglowska est sa traduction française de *Magia sexualis,* de P.B. Randolph. Il est probable que, sans déformer l'enseignement de celui-ci, elle l'a entièrement repensé et lui a donné un accent personnel. Pascal Bewerly Randolph, auteur américain du XIXᵉ siècle, né à New York, fit d'abord partie de l'Hermetic Brotherhood of Luxor à Boston, qui comptait plusieurs agents actifs en France, parmi lesquels Papus. Durant un séjour à Paris, entre 1857 et 1862, il fut introduit dans les milieux occultistes et se lia avec un grand nombre de personnalités maçonniques et rosicruciennes. Cependant, déçu par le charlatanisme régnant dans certains de ces milieux, il entreprit de vérifier leurs données surnaturelles par des expériences scientifiques — il était lui-même médecin —, ce qui lui valut les attaques et l'inimitié de maints sectateurs éminents, comme Hélène Blavatsky, la fondatrice de la théosophie. En 1864, on prétend que Randolph fut envoyé par le président Lincoln en Russie pour une mission secrète. C'est en Amérique qu'il créa sa propre loge, vers 1868, la Fraternité d'Eulis (*Eulis Brotherhood*), apprenant à ses disciples comment diriger les forces extérieures au moyen de la magie sexuelle. Il rédigea des romans qu'on ne connaît guère que par leurs titres *Master Passion, Asrotis, Dhoula-Bell, Magh-Tresor, She.* Maria de Naglowska, qui a incorporé dans *Magia sexualis* divers passages traduits de trois traités initiatiques de Randolph, *les Secrets intimes des mystères d'Eulis, le Mystère*

---

1. « Contre Krishnamurti », *La Flèche,* nᵒ 5, 15 février 1931.

ansèiritique et *les Miroirs magnétiques*, écrivit : « Randolph fut le premier qui souleva sans crainte le voile recouvrant la nudité d'Isis, et ce courage immense lui permit de proclamer fièrement que la clef de tous les mystères de l'univers se trouve dans le sexe. » En effet, *Magia sexualis* révèle en détail les opérations érotiques produisant ce qu'on nomme en magie « la fortune de l'âme ». Les leçons de Randolph ne manquent pas de beauté morale ; pour lui, l'acte sexuel est une prière cosmique que l'homme et la femme doivent effectuer dans les meilleures conditions d'innocence et de ferveur. Cette prière, lorsqu'elle est bien faite, régénère et accroît l'énergie vitale, dégage une influence magnétique aux nombreux pouvoirs : elle charge des « voltes », provoque des visions spirituelles, permet de déterminer le sexe de l'enfant à concevoir ou de réaliser un projet. Les exercices de *volancie*, de *décrétisme* et de *posisme* aident à la préparation de l'union charnelle, qui comprend cinq positions essentielles : la plus importante, baptisée « le cercle extérieur », assure la projection d'une influence active sur des personnes ou des réalités lointaines. Maria de Naglowska, en traduisant cet enseignement, formait le sien propre, qui évoque aussi la notion d'une chute dans la femme dont l'homme ressort en conquérant de l'univers.

Cependant, la qualité de son adaptation de *Magia sexualis* provoqua un malentendu dont Maria de Naglowska ne se délivra jamais tout à fait : on crut (ou feignit de croire) qu'elle était une simple disciple de Randolph, sans originalité distincte [1]. Elle dut protester avec énergie : « La lumière dont je m'éclaire n'est pas celle dont s'est éclairé Randolph. » Elle exposa, dans « Satanisme masculin, satanisme féminin », les différences de leurs enseignements respectifs ; elle lui reprochait de baigner dans « l'idolâtrie hindoue », de considérer l'univers comme une collection de parcelles animiques indépendantes, alors qu'elle-même déclarait : « Nous n'allons pas vers l'Unité, nous sommes l'Unité dès l'origine qui ne fut jamais [2]. » En outre, sa

---

1. Je me suis intéressé à Maria de Naglowska dès l'époque où j'étais étudiant, et je suis allé m'enquérir d'elle chez Chacornac, qui tenait une célèbre librairie d'occultisme au 11, quai Saint-Michel. Je le revois encore, coiffé d'une toque d'astrakan, levant vers moi son visage couperosé au gros nez rond : « Naglowska ? Elle a tout pris à Eulis ! », s'exclama-t-il. Il ne savait rien d'elle, sinon ce lieu commun tenace, dont il convient de faire justice. Dans une réédition de *Magia sexualis*, en 1970, entreprise sur l'initiative du Dr Gaston Ferdière, on minimise encore à contresens le rôle de celle qui fut bien plus que la continuatrice de Randolph.

2. « Satanisme masculin, satanisme féminin », *La Flèche*, n° 16, 15 mars 1933.

traduction est certainement supérieure à l'original, qu'elle vivifie et qu'elle met en ordre, si l'on en croit les précisions d'Allan F. Odell : « Les ouvrages de Randolph, dont quelques-uns furent publiés de son vivant, se présentent sous forme chaotique, sans plan précis ni construction exacte. Avant d'écrire, il restait plusieurs jours immobile et concentré, puis, tout à coup, saisissait une plume et·du papier et écrivait à la hâte, sans jamais se relire[1]. »

Après sa traduction de *Magia sexualis*, Maria de Naglowska publia un récit, *le Rite sacré de l'amour magique* (1932), qu'elle intitula « aveu »; c'est donc une espèce de confession symbolique. L'auteur nous invite à la reconnaître dans son héroïne, Xénophonta, jeune fille russe qui habite un château dans le Caucase. Au cours d'une tempête, elle voit se dresser dans son jardin un spectre douloureux qui se lamente sur ses possessions perdues : c'est le « Maître du Passé » — autrement dit Satan — dont l'aspect la bouleverse et à qui elle donne son cœur. Dès lors, elle a des dialogues avec la voix du Maître invisible; elle le sent partout autour d'elle; tantôt un baiser se pose sur ses lèvres, tantôt une caresse immatérielle l'enveloppe. Il lui annonce qu'il va la mettre à l'épreuve et lui donne rendez-vous à une heure du matin, sous un chêne géant. En attendant ce moment, elle rentre se reposer au château. Pendant son sommeil, un jeune Cosaque du voisinage, Micha Wassilkowsky, entre dans sa chambre et la viole. Horrifiée, elle lui crie : « Je ne suis pas à toi, mais à un autre, à un être immense auprès duquel tu n'es rien. » Il part furieux, décidé à découvrir qui est son rival; désespérée, elle met des vêtements de deuil, croyant avoir démérité de son Maître. C'est alors qu'elle entend la Voix qui lui ordonne de prendre du papier et des crayons de couleurs; sous sa dictée, elle trace une figure magique, l'horloge Aum. Les chiffres des heures ont une signification ésotérique, indiquant comment doit s'accomplir le « mystère de libération ». La Voix murmure : « Il me faut un homme et une femme pour renaître de ces deux. » Xénophonta comprend que le viol a été un sacrifice nécessaire. Elle sort à la recherche de Micha; elle le retrouve à un bal donné au château et l'emmène avec elle vers la forêt où le Maître lui a fixé rendez-vous. Au moment de partir, dans le parc, Micha en transe décrit des signes hiératiques avec son sabre, en prononçant des phrases bizarres. Le superbe gaillard un peu niais qu'il était se transforme en initié, discourant sur la symbolique des nombres : « Le chiffre 77 est celui de la libération... C'est la seconde consécration, celle du Maître

1. *La Flèche*, n° 7, 15 novembre 1931.

dans le mâle.... C'est aussi le second cinq... le cinq... l'*étoile* de l'Autre
Rive... » Tel un somnambule, il s'adresse à sa compagne : « Je t'invite
à remonter à travers moi du *Six* au *Un,* soit de 41 à 77... » Quand la
crise s'achève, Micha regarde avec d'autres yeux Xénophonta. Après
avoir élevé ses paumes vers le ciel, le fier Cosaque se prosterne devant
elle deux fois, front contre terre : « Je te rends hommage — ô
Xénophonta, ô chair bénie de Son désir! — car sans toi je n'aurais pas
su comment s'opère la Traversée. » Pour s'enfoncer en cette contrée
sauvage, il l'emporte passive dans ses bras. Elle ne peut plus ouvrir les
yeux; sa pureté est devenue telle qu'elle n'a même plus de curiosité :
« La chair est pure, lorsque l'intellect dort. » Elle devine qu'ils arrivent
au seuil de la forêt, où des chœurs chantent des hymnes en leur
honneur; on la place sur un autel, couverte d'une fourrure. Une
cérémonie s'accomplit, et c'est lorsque Micha déclame la formule
exprimant le « Triangle sacré » que Xénophonta sent ses paupières se
dessiller; elle le voit parvenu à un état de magnificence suprême. Avec
l'aube, la scène se dissipe, Micha reprend son apparence normale. Assis
ensemble sur l'herbe, mangeant des fraises des bois, ils tirent la
conclusion de cette aventure : « Ce que je ferai? dit-il enfin. Je
t'instruirai, Xénia. Je te dirai, en discours humains, la Vérité céleste qui
m'a été dévoilée cette nuit, grâce à toi... »

   Ce récit insolite nous laisse sur notre faim; on ne saisit bien que
l'idée générale, comment le mâle le plus brutal devient un roi et un
sage, au contact de la femme qui a fait le vœu de servir la Force
obscure, malheureuse et opprimée, qu'elle sent dans la nature. Elle
acquiert ainsi une puissance occulte qu'elle transmet à l'homme, à qui
elle donne qualité d'agir souverainement. Dans *la Lumière du sexe*
(1933) et *le Mystère de la pendaison* (1934), Maria de Naglowska fait le
développement théorique de cette idée, qu'elle désigne par « le
satanisme féminin ». Le but de sa religion consistait à redresser l'Esprit
du Mal, non pas en le combattant, mais en le délivrant, en le purifiant
par des rites, pour le faire servir au Bien de l'humanité : c'est ce qu'elle
appelait « le rachat de Satan ». Elle dit : « Il y a une vaste méchanceté
répandue dans le monde. Elle empêche les hommes d'être des hommes
et les femmes d'être des femmes. Et les enfants eux-mêmes ne peuvent
pas être enfants, naïfs, frais, joyeux, à cause de cette méchanceté qui
hurle à travers les êtres comme un inconsolable désespoir. Les noms les
plus divers ont été donnés à cette force méchante, car de tout temps on
a cherché à la paralyser. On l'appela Satan, on en fit le Diable, on dit
que c'était l'esprit-du-mal, l'esprit-de-la-destruction, que sais-je
encore!... Tous ces noms n'avaient rien de réel, et c'est pourquoi jamais

l'Ennemi ne fut dompté [1]. » La rédemption du Mal se fera par la femme, au moyen de la magie du Verbe et de la Chair : « Il suffirait de découvrir le vrai nom (la *correspondance essentielle*) de la méchanceté pour la localiser et la faire disparaître de ce fait. C'est un mystère, parce qu'il est difficile d'expliquer en termes vulgaires la vie et l'essence des noms, mais c'est vrai que si l'on savait prononcer, c'est-à-dire *accomplir*, le rite symbolisant l'Entrave-Suprême, toute sa force maléfique serait paralysée. Mieux encore : elle n'existerait plus [2]. » Maria de Naglowska puisait dans la foi de son enfance, et allait se recueillir souvent dans la chapelle de Notre-Dame-des-Champs. Elle attribuait au remords une valeur sacrée et voyait à cause de cela, dans la trahison et la pendaison de Judas, le grand mystère à approfondir : « On ne sera pas adepte de la religion du Troisième Terme de la Trinité si l'on n'accepte pas le dogme qui place l'Œuvre de Judas à côté de celle de Jésus, en la reconnaissant complémentaire de cette dernière de la même façon que l'effort de la jambe gauche est complémentaire de l'effort de la jambe droite, dans la formation d'un pas en avant [3]. » L'œuvre de Judas donna naissance au remords, « seconde morsure du Serpent symbolique », qui ôte le caractère destructeur de la volonté d'opposition et de progrès née de la première morsure.

« Le premier ouvrage de la nouvelle ère », commençant en 1933, est *la Lumière du sexe, rituel d'initiation satanique selon la doctrine du Troisième Terme de la Trinité*. Tiré à cinq cents exemplaires, illustré de huit planches symboliques de Lucien Helbé (sur des thèmes comme « la Danse de l'Eau », « les Coursiers blancs », etc.), il a eu une diffusion confidentielle. Maria de Naglowska y montre comment est organisée la Confrérie, quel est son but et la façon d'y entrer. L'adepte est reçu par un Affranchi qui, après son interrogatoire, lui lit un passage du texte de la « Morale satanique » qu'il devra observer :

« Vous combattrez en vous-même la Sauvagerie (= l'harmonie incohérente de la Durée), en domptant vos émotions de toute nature : les émotions provenant de la chair, les émotions provenant des sentiments, et les émotions provenant de la Vision des choses nouvelles. A tout instant vous serez froids intérieurement, mais extérieurement vous jouerez à la perfection votre rôle de la Comédie humaine, en vous conformant exactement au « Code du Pitre » qui vous est enseigné dans la Cour.

1. *Le Rite sacré de l'amour magique.*
2. *Ibid.*
3. *Le Mystère de la pendaison.*

« Aimables toujours, vous serez indifférents à l'égard de tous. Vous ne préférerez personne, vous n'aimerez personne car aimer c'est attirer en soi l'image fluidique d'un autre. Or, en attirant en vous l'image d'un homme ou d'une femme profanes, vous détruisez l'œuvre de la purification noire que vous avez entreprise ici, et il est écrit : " *Celui qui veut venir à Moi doit quitter son père, sa mère, ses frères et ses sœurs, ses enfants et ses amis du dehors.* " L'Affranchi de l'obéissance de la Cour des Chevaliers de la flèche d'or n'a pas de frères ailleurs qu'ici [1]. »

L'adepte répondra : « Je n'ai pas d'autres frères que ceux dont le cierge est allumé ici », et sera admis à allumer son propre cierge.

Le Mystère de la pendaison [2] a pour objet d'expliquer le rite qui va transformer l'Affranchi, après son « voyage » dans le monde profane (qui peut durer trois, sept ou douze ans), en Magnifique Chevalier invisible. Diverses considérations théoriques éclairent ce rite, la première étant la comparaison de l'humanité avec un arbre dont les hommes sont le feuillage : « Les humains que l'on rencontre dans les rues agitées de nos villes s'imaginent être des entités individuelles, dont l'égoïsme serait justifié. » Chaque individu, quelle que soit sa nationalité, fait partie de « l'arbre humain », et l'histoire de tous peut être ramenée au développement de ce produit unique : « Celui qui évolue à travers les races nombreuses et les triangles successifs de l'histoire humaine est Un Seul. »

Les rites que Maria de Naglowska a inventés partent du principe commun que certaines poses du corps, certains gestes déterminent des courants magnétiques dans le monde. Elle évoque ainsi la « cérémonie du cierge viril », ou « l'équerre magique » consistant dans « l'angle de base » formé par la prêtresse couchée nue aux pieds de l'adepte. La grande solennité de ce rituel est la « Messe d'or », célébrée par sept hommes et trois femmes devant les assistants qui chantent des cantiques. Durant la Messe d'or, les femmes initiées portent trois voiles superposés, le premier blanc, le deuxième noir, le troisième rouge; le voile blanc est enlevé en dernier, entre une et deux heures du matin :

« Dans le Temple du Troisième Terme, les prêtres et prêtresses de l'Ascension accompliront l'acte de la délivrance.

« On choisira sept hommes et trois femmes sains d'esprit, de cœur et

---

1. *La Lumière du sexe,* Paris, Éd. de La Flèche, 1933.
2. *Le Mystère de la pendaison* (Paris, Éd. de La Flèche, 1934) est illustré de huit dessins conçus par l'auteur et exécutés par R. Leflers (« Le cône blanc », « L'horloge cosmique », « La troisième naissance », etc.).

de corps et on leur dira d'accomplir l'acte d'amour pour la régé-
nérescence du genre humain.

« Ce sera un rite solennel, précédé de chants, de musique et de
discours conformes à la nouvelle vérité, et l'on boira le vin de la fête
pour apprendre à chacun que le rite est une joie couronnant de longues
tristesses.

« La grande prêtresse, annonciatrice du nouveau Terme, signalera à
l'assemblée le début et la fin du rite, et à travers elle se répandra sur
l'assistance l'énergie divine libérée à cause du contact des chairs dans le
sanctuaire.

« Les hommes et les femmes qui comprendront cela en éprouveront
un grand bien moral et spirituel et leur propre énergie vitale en sera
fortifiée et sanctifiée [1]. »

Il y a dans le livre de Pierre Geyraud, *les Petites Églises de Paris*
(1937), une interview de Maria de Naglowska dans laquelle on trouve
un portrait vivant de celle-ci, qu'il présente comme « une femme d'une
cinquantaine d'années peut-être, au front intelligent sous des cheveux
blonds, aux yeux d'un étrange bleu vert singulièrement profonds et
vifs ». Elle l'accueille dans sa chambre d'hôtel et il est frappé par le
contraste entre ses propos et sa tenue : « Je regarde cette femme assise
sur son lit. Une étonnante chasteté s'irradie de sa personne. On la sent
au-dessus des sens, au-dessus des étranges rites charnels qu'elle
préconise en public, au-dessus du langage, précis et cru comme un
langage de Père de l'Église, qu'elle tient tranquillement dans ses
conférences. Et elle est également au-dessus de l'esprit de lucre. Son
entourage me l'a dit : elle consacre le peu qu'elle gagne à soutenir son
bulletin mensuel d'action magique : *la Flèche*. Elle ne donne à son
corps menu et mince que peu de nourriture matérielle : généralement,
quelques croissants et une tasse de café, le soir, à la Rotonde, où elle
rédige ses articles en attendant ses amis. » Dans cette interview, on
retiendra la façon dont Maria de Naglowska résume sa conception du
sacerdoce féminin : « Il faut que la Prêtresse d'amour ait la vocation,
c'est-à-dire qu'elle puisse se donner avec la même ardeur physique à
tous les mâles qu'elle allume. Mais il ne doit pas être nécessaire qu'elle
les aime, les estime ou les admire individuellement, car en chaque
homme elle doit savoir aimer, vénérer et même adorer le Parfait de
l'avenir. Elle donne son corps en sacrifice. Elle doit mettre dans cette
création le même dévouement que celui d'une religieuse... Ce n'est

1. « Le livre de la vie, le troisième temple », *La Flèche*, n° 6, 15 mars 1931.

donc pas l'affinité physique réciproque entre deux corps qui contribuera nécessairement à la qualité magique de l'union, mais la sincérité du sentiment religieux qui animera la Prêtresse... La Prêtresse idéale doit savoir vibrer en résonance avec toutes les vibrations mâles qu'elle suscite, si diverses soient-elles. En plus de cette faculté d'accord physique vénusien presque universel, la Prêtresse, qui n'est ni la fille prostituée, ni la vicieuse se donnant au premier venu, transmet à tous les sublimes vibrations de son idéal. Et les vibrations sublimes de cet idéal étant créatrices, elles déterminent chez l'homme le réveil de la connaissance, que nous appelons Satan régénéré ou Lucifer. »

Cette conception d'un sacerdoce érotique est le fond original de la révélation de Maria de Naglowska ; ce titre de Prêtresse d'amour, qui remonte aux mystères les plus anciens, prend avec elle une signification révolutionnaire et devient la dignité supérieure de la femme. Mais une dignité qui ne peut se découvrir qu'au prix d'une ascèse de la part de celle-ci, qui ne doit pas voir dans cet état un moyen de satisfaire de frustes appétits sensuels, mais une action spirituelle de la féminité. La Prêtresse doit se garder d'engendrer, afin de rester toute à tous. C'est moins là une opinion arbitraire qu'un fait confirmé par les lois ésotériques. Du plus loin on en retrouve le principe, et c'est ainsi, par exemple, que dans le culte babylonien la Prêtresse a nom *nadîtu,* ou « l'inféconde », et la hiérodule *zer-mashîtu,* ou « celle qui oublie la semence ». D'après Maria de Naglowska, les Prêtresses de l'avenir posséderont une éternelle virginité, malgré la multiplicité des rapports sexuels, parce qu'elles se refuseront au plaisir localisé : « Les vibrations de la femme, au moment de l'acte d'amour, doivent lui donner le bonheur et non le plaisir localisé, car le plaisir appartient à l'homme et non à la femme [1]. » Elle justifie cette prescription par une raison cosmique : « La joie appartient au soleil et est le propre du soleil, tandis que le mont mystérieux de la femme est essentiellement lunaire, et comme la lune, il doit rester froid et muet [2]. » La sélection et l'éducation des Prêtresses d'amour seront rigoureuses : « On les choisira parmi les jeunes filles que le soleil n'a pas corrompues, parmi les femmes dont les rêves sont purs lunairement... On les baignera, comme des plantes précieuses, dans de l'eau douce et parfumée, et on soignera leur peau au moyen d'essences aromatiques, savamment préparées selon les formules éprouvées des Mages... On ne leur imposera aucun travail pouvant nuire à l'harmonie de leur corps, et on

1. *Le Mystère de la pendaison.*
2. *Ibid.*

Maria de Naglowska et le satanisme féminin

leur défendra sévèrement toute pose ou attitude inesthétiques [1]. »
Ajoutons qu'elles subiront un entraînement qui les rendra capables
d'exécuter des figures difficiles dans les danses liturgiques. Elles
deviendront ainsi des créatures merveilleuses qui apporteront à
l'humanité un épanouissement lyrique : « Alors, dans les chapelles
roses, ornées de fleurs et de cierges ardents, les femmes, initiées au
Sublime Mystère du Sexe, célébreront ouvertement les rites du
Triomphe, en répandant sur toute l'assistance l'influence bénéfique de
leur rayonnement [2]. »

   Maria de Naglowska veut utiliser l'énergie sexuelle de l'homme et de
la femme à des fins initiatiques; dans la vie quotidienne, elle ne leur
recommande pas de s'abandonner à corps perdu à tous leurs désirs,
mais au contraire de stimuler ces désirs sans les satisfaire, afin que leur
dynamisme profite à la vie de l'esprit. Ce qu'elle appelle « enfourcher
le coursier divin », c'est précisément maîtriser en soi l'animalité tout en
l'exaltant, avec une connaissance exacte de ses pouvoirs :

« Enfourcher le coursier divin (le désir naturel de la chair) signifie
refouler volontairement le besoin *excité,* afin d'en recevoir, au cours de
méditations spéciales, soutenues par un régime propice, des illuminations spirituelles.
« L'homme a en lui l'animal sublime qui n'a pas oublié la loi de la
Trinité qui veut la chute (Premier Terme) et la procréation. Mais le
cavalier sans peur, formé par la seconde initiation, sait se faire
conduire par sa superbe monture là où le baiser confère la parole de
Dieu (le Troisième Terme).
« Il reçoit alors l'illumination suprême, qui éclaire les quatre
mystères cardinaux : le mystère de la naissance, qui est l'entrée de
l'homme dans le cercle fermé de l'espèce humaine; le mystère du
premier mariage, qui est la prise de connaissance du coursier divin; le
mystère du divorce, qui est l'enfourchement victorieux de la bête; et
enfin, le mystère du second mariage, qui est l'entrée dans le Temple de
Dieu. Là commence l'acquisition des pouvoirs qui conduisent à
l'immortalité, c'est-à-dire à la rupture du cercle qui nous emprisonne
dans la nature de l'espèce humaine [3]. »

   Dans l'éthique du couple, Maria de Naglowska fait ressortir cette
idée prodigieuse, qu'elle est la première et jusqu'à présent la seule a

---

1. *Le Mystère de la pendaison.*
2. *Ibid.*
3. « Le coursier initiatique et le cavalier sans peur », *La Flèche,* n° 9,
15 janvier 1932.

avoir eue : ce n'est pas le mariage qui est le plus haut sacrement de l'union de l'homme et de la femme, c'est le divorce. Il faut considérer le divorce non comme l'expression d'une défaite sentimentale, mais comme une double victoire remportée de concert. Le couple futur divorcera par amour, non par haine. En principe, l'être humain est destiné à se marier deux fois : dans son premier mariage, il ne fait que se préparer, par un apprentissage plus ou moins conscient, à son second mariage initiatique, où il réalise pleinement ce qu'il a précédemment appris. Cette notion intéressante, qui pourrait être développée par la philosophie ou la psychanalyse (chacun trouvera des exemples de couples liés en second mariage d'une entente solide, à toute épreuve), Maria de Naglowska en dégage surtout la valeur héroïque :

« Aujourd'hui le divorce est une rupture insensée, qui en prépare une autre non moins stupide. Aujourd'hui le divorce n'a aucun but de perfectionnement occulte, c'est pourquoi personne n'entend cette formule : *le divorce est le troisième mystère, dont l'exploration sera offerte aux hommes de la troisième ère, lorsque le mariage les aura rénovés.* Il ne faut pas de vierges dans les hiérarchies, mais des héros renonçant volontairement au plaisir qu'ils connaissent. Et le héros quitte sa femme non parce qu'il la déteste, mais, au contraire, parce qu'il l'aime. Aux jours heureux qui s'approchent, le guerrier mystique quittera son foyer, sa femme et son enfant lorsque le mariage aura corrigé en lui toutes les mauvaises orientations de ses forces. Plus fort qu'avant, parce que plus droit et mieux concentré en lui-même, il se soumettra à la grande épreuve du refoulement conscient et voulu de son instinct primordial.

« Tous ne pourront atteindre cette hauteur et beaucoup d'hommes devront rester au niveau du mariage. Mais tous s'inclineront devant celui qui le pourra et participeront ainsi à sa gloire [1]. »

Maria de Naglowska fut sommée de s'expliquer sur sa position politique, et reçut à cet usage des lettres et des questionnaires qu'elle repoussa dédaigneusement. Elle n'accepta de se prononcer que sur le communisme et le féminisme. Si le communisme, précisa-t-elle, se présentait « simplement comme une méthode d'organisation pratique de la répartition des biens terrestres », elle n'y verrait rien à redire : « Il nous est parfaitement indifférent que les moyens de production et la production elle-même soient reconnus comme propriété individuelle ou

1. « Les mystères cardinaux et la Messe d'Or », *La Flèche*, n° 10, 15 février 1932.

collective. Ce qui importe, c'est l'ordre dans les affaires humaines. »
Elle reprochait au communisme de faire de la conquête du pain une
chose plus importante que la recherche de la Vérité (ce qu'elle niait non
seulement en paroles mais aussi en jeûnant fréquemment), et de
méconnaître la force révolutionnaire de la sexualité : « Ce qui nous
inquiète encore chez les bolchevistes, c'est leur incompréhension totale
du problème sexuel, qu'ils posent de la façon la plus absurde, à savoir :
comme une question du ʽʽ droit au plaisir ʼʼ. Nous avons dit et répété
dans tous les numéros de notre première série de *la Flèche* que l'amour
sexuel supérieur est une prêtrise et l'amour sexuel inférieur le devoir de
procréer. L'amour pratiqué pour le plaisir est un scandale, une
infamie [1] ! » Les communistes, selon elle, « ne comprendront jamais
que l'esprit est dans la chair et que le coït sacerdotal le réveille et le
porte au sommet de la tête, en le faisant ainsi rejaillir sur ce qu'il est
convenu d'appeler la conscience ». Quant au féminisme, Maria de
Naglowska en conteste les moyens, non le but : « La femme doit, en
effet et tout prochainement, remplacer l'homme dans la haute direction
des choses publiques, mais ceci non pas par la voie parlementaire. »
Elle oppose aux suffragettes sa propre doctrine : « Ce mouvement
remplace les ambitions politiques des femmes, militant pour le sort
meilleur de l'humanité, par des visées plus naturelles et plus spirituelles
à la fois : celles de la prêtrise [2]. »

Quand on lit, sous la plume de certaines meneuses de l'action
féministe, des revendications limitées au nivellement des sexes, appelant les femmes à lutter contre la phallocratie, mais non à la remplacer par de nouvelles structures de l'intimité, on est réconforté de
savoir qu'il y a eu une inspirée dans notre siècle, au moins une,
qui a rêvé d'une destinée plus grandiose pour ses semblables. Qu'on
la taxe ou non d'utopie, Maria de Naglowska est la théoricienne qui
a le mieux fait valoir que la femme est différente de l'homme, qu'elle
a donc des moyens différents de transformer le monde et de changer
la vie :

« Ne nous imaginons pas que la femme, telle qu'on la connaît
aujourd'hui, est prête pour assumer le grand rôle qui l'attend, mais qui
exige d'elle qu'elle redevienne femme essentiellement, c'est-à-dire
qu'elle se rende à l'évidence et reconnaisse que son intelligence jaillit du
sexe et non du cerveau. De nos jours, la femme voulant devenir l'égale
de l'homme a cultivé démesurément sa raison. C'est cela la grande
erreur du siècle et l'origine de tous les maux dont nous souffrons. La

1. *La Flèche*, n° 15, 15 février 1933. — 2. *Ibid.*

Raison remplace chez l'homme l'Intelligence. Elle lui est propre et il s'en sert convenablement. Mais la femme devient inférieure lorsqu'elle suit cet exemple qui lui est anormal.

« La femme doit réapprendre, avant de gouverner, à puiser la lumière spirituelle dans son sexe, en célébrant les rites que nous préconisons. C'est ainsi qu'elle redeviendra ce qu'elle a été à chaque époque ascensionnelle de l'histoire, c'est-à-dire chaque fois que se rétablissait (ou s'établissait) le matriarcat. En redevenant prêtresse, la femme redeviendra la mère-éducatrice de l'homme, lequel alors ne se perdra plus dans la débauche. Elle le fécondera spirituellement, au lieu de l'affaiblir dans tout son être, comme cela se fait aujourd'hui. Et redonnant à l'homme la santé morale et physique, elle l'orientera nécessairement vers l'action raisonnable et juste. Ainsi seulement l'humanité pourra guérir de ses souffrances actuelles.

« Succinctement, le programme doit être le suivant : 1) édification de la première chapelle provisoire du Troisième Terme de la Trinité; 2) rééducation de quelques femmes destinées à devenir ensuite les premières grandes prêtresses du nouveau Temple; 3) rééducation en même temps d'un groupe d'hommes en vue des rites à rétablir dans leur pureté des cycles précédents; 4) préparation du public à ces nouveaux usages au moyen de la propagande littéraire et philosophique.

« Si l'on accepte cela, trois à cinq années suffiront pour obtenir les premiers résultats palpables [1]. »

L'idée directrice de sa philosophie amoureuse est la double polarisation inverse des sexes : le cerveau de l'homme émet une électricité négative, celui de la femme une électricité positive, tandis qu'en même temps le sexe de l'homme est positif, celui de la femme négatif. Il s'agit de mettre en accord ces courants entre eux. Il en résulte une conséquence religieuse : « Dogme : le sexe de l'homme appartient à Dieu (affirmation de la Vie), le sexe de la femme à Satan (négation de la Vie). La tête de l'homme (la Raison) appartient à Satan, la tête de la femme ('l'Intelligence) à Dieu. C'est pourquoi l'homme a droit au plaisir sexuel, tandis que la femme n'a pas ce droit, et si elle l'usurpe, elle détermine la débauche. La femme doit s'offrir à l'homme sans égoïsme sexuel, comme un holocauste expiatoire [2]. »

---

1. « Le nouveau féminisme », *La Flèche,* n° 15, 15 février 1933.
2. *Ibid.* On pourrait croire que Maria de Naglowska fait l'éloge de la frigidité. Son point de vue rappelle plutôt celui de Simone de Beauvoir affirmant, dans *le Deuxième Sexe* (Paris, Gallimard, 1949, t. II, p. 161) que la femme

Dans son « organisation initiatique » (j'emploie ici la terminologie de René Guénon, qui voulait qu'on distinguât entre les « organisations initiatiques » et les « sectes », ces dernières ayant une action plus limitée), Maria de Naglowska prévoyait une série d'épreuves graduées ; ainsi, celle de la pendaison permet à l'Affranchi d'obtenir le titre de « Guerrier-Invincible ». Dans la cave située sous le Temple de l'Amour satanique, l'Affranchi descendra les trente-trois degrés de l'escalier : « Les profanes s'imaginent que les grades hiérarchiques représentent une ascension. Rien n'est plus faux! Pour connaître, il faut descendre[1]. » Il est introduit dans la pièce où se dresse un gibet et où dix-neuf initiés, témoins de l'épreuve, prennent place sur des sièges. Le Mage-Guérisseur passe la corde au cou de l'Affranchi, l'élève en l'air quelques secondes pour la « strangulation initiatique » et le laisse retomber sur une couche préparée à cet effet. L'auteur cite plusieurs déclarations de ceux qui ont subi l'épreuve ; l'un d'eux prétend : « Je fus, en cet instant sublime, le NON dans son pouvoir total. » Après diverses incantations, la prêtresse entre et se couche en sens inverse de l'éprouvé. Elle exécute un rite acrobatique pour « la neutralisation du feu noir ». On les recouvre d'un manteau de soie et on les laisse ensemble jusqu'à l'aube. Car voici la règle : « Seul l'Affranchi éprouvé par le rite de la pendaison peut être utilement marié avec une femme convenablement éduquée, car connaissant l'indicible félicité de la jouissance satanique, il ne peut plus se noyer dans la chair d'une femme, et s'il accomplit avec son épouse le rite de la terre, il le fait pour s'enrichir et non pour diminuer... On lui confère, après l'épreuve, le titre de Guerrier-Invincible, parce que telle est alors sa qualité[2]. »

Le rite idéal de la Messe d'Or, où sept officiants devaient faire l'amour en public, était envisagé pour l'avenir ; en attendant son instauration, Maria de Naglowska dirigea des rites plus modestes. Dans « Une séance magique[3] », on trouvera le compte rendu d'une cérémonie intime de la Confrérie. A minuit moins vingt, cinq personnages sont réunis dans une salle peinte en jaune, assis sur des sièges bas autour du tapis sacré, sous l'éclairage de cinq lampes à huile placées sur des socles derrière eux. Auguste Apôtre est à la place d'honneur, le

n'a pas besoin d'orgasme : « Pour elle le coït n'est jamais tout à fait fini : il ne comporte aucune fin. » Il y a toutefois cette différence : Naglowska préconise le refus de la jouissance *par ascèse*, pour extraire de la sexualité quelque chose de plus que le plaisir.

1. *Le Mystère de la pendaison.*
2. *Ibid.*
3. *La Flèche*, nº 12, 15 mai 1932.

dos tourné au nord; à sa gauche se trouve la brune Hanoum, tandis que la blonde Maria est à sa droite, c'est-à-dire à l'ouest; en face du vieillard, à l'extrémité sud du tapis, « les deux jumelles mineures : Xénophonta et Maria » se tiennent côte à côte. La séance commence par divers préparatifs : « Les cinq personnages échangent le salut rituel, en baissant le front jusqu'aux genoux. Ils se redressent ensuite et respirent profondément : les jumelles mineures trois fois, les sœurs supérieures six fois, Auguste Apôtre neuf fois. » Pendant onze minutes, ils forment la chaîne et font un « travail mental » (mains levées une minute vers le ciel, puis se touchant mutuellement) : « La chaîne est formée. Alors, les quatre femmes fixent leurs regards sur le front énorme d'Auguste Apôtre, lequel baisse lentement les paupières. Il accueille dans son triangle frontal la prière muette des femmes et évoque intérieurement la science mystérieuse du Cône. » A minuit deux, Maria pose la première question; les assistants élucident des points de doctrine et entreprennent la diffusion magique dans le monde de ce message : « *Que les passions des hommes se calment et que les femmes reçoivent dans leurs matrices respectives le pouvoir nouveau de compréhension.* » Auguste Apôtre donne le signal de la danse rituelle qui va envoyer au loin, sur toute la terre, cette injonction :

« La danse des quatre femmes est lente et souvent elles renversent la tête en arrière, tandis que la pointe de leurs doigts touche le tapis sacré derrière leurs talons. Elles se replient ensuite en avant et reprennent le pas cadencé aux sons d'une musique intérieure.
« Les Sœurs sont gracieuses et leurs corps souples et agiles.
« La légère tunique, leur seul vêtement, se soulève aux mouvements rapides des jambes et un arôme enveloppant se répand alors dans la salle. »

Cet influx, émanant du sexe surchauffé des quatre danseuses, est orienté vers les quatre points cardinaux par le vieux Mage. On croirait lire une page de Joséphin Péladan (qui s'inspirait d'ailleurs des pratiques de la Rose-Croix catholique), mais ce n'est pas là de la littérature; ce témoignage vécu révèle une mentalité de groupe. Auguste Apôtre, dont le rôle ici se précise, s'exprimait par des sentences de ce genre : « Il y a la pureté noire et il y a la pureté blanche, mais le gris est toujours impur [1]. »
La nouvelle d'Hanoum, « l'Équerre magique » [2], présente au

---

1. *La Flèche*, n° 14, 1932.
2. *La Flèche*, n° 11, 15 mars 1932.

contraire sous une forme romanesque une autre séance plus trouble, avec un sujet médiumnique, et peut-être une hallucination collective provoquée. Maria est devenue Véra Svetlan : « Elle exerçait autour d'elle une forme d'attraction indéniable et allumait en ceux qui l'approchaient des passions souvent violentes. » Hanoum se dépeint elle-même sous les traits de Vénéras, « une vague Américaine d'origine orientale, toujours très élégante et exquisement aimable ». L'entourage se compose d'un prophète grand et maigre, prédisant toujours des cataclysmes (Pierre Saint-Aubin); d'un Maître aux longs cheveux noirs, à la démarche ralentie par une blessure de guerre (Frater Lotus), qui dit dans un café : « Isis, la reine du Monde, s'incarnera prochainement. Elle choisira le corps d'une pauvre putain, d'une fille réprouvée, humiliée, malade. Elle pénétrera dans cette salle »; d'un ami de Véra Svetlan qu'on appelle Printemps à cause de sa gaieté; d'un peintre espagnol; de l'actrice Dorville et d'un couple inspiré, Marc et Marthe. Ils se réunissent pour une soirée de spiritisme où ils convoquent « le grand Guide ». Sur les paumes de Marthe, une tête lumineuse apparaît et répond aux questions des assistants. Véra se déshabille afin de pratiquer le rite de « l'équerre magique » en combinaison rose, culotte rose et longs bas clairs : « Véra s'inclina alors lentement jusqu'à terre. Elle s'étendit à plat ventre sur le tapis et passa la tête entre les pieds absolument insensibles de Marthe. Sa nuque se trouva ainsi sous le sexe de Marthe et la naissance de ses cuisses sous la tête lumineuse, dont la souffrance continuait. » Cet acte galvanise les participants : « Il y eut, dans le groupe, un transport sexuel immédiat qui précipita les hommes sur les femmes : trois contre deux!... »

Le léger parfum saphique que l'on subodore dans la Confrérie ne doit pas nous abuser. Si l'on entreprit dans *la Flèche* un éloge d'Édith Cadivec, qui raconta dans *Aveux et Expériences* (1932) ses aventures lesbiennes et les efforts qu'elle effectua pour faire un enfant sans le concours d'un homme, ce fut en critiquant l'insuffisance de ce comportement, car Maria de Naglowska recommandait « la pénétration, à travers le sexe opposé, dans la région de la gloire divine ». De même, si le biologiste Camille Spiess (qui, sous le nom de « psycho-synthèse », entendait préparer la formation de l'Androgyne futur) manifesta son intérêt aux théories de Maria de Naglowska, cela ne veut pas dire qu'elle se référait au mythe de l'Androgyne; cette notion, dans son enseignement, est dépassée.

Le 5 février 1935, Maria de Naglowska convoqua le public au Studio Raspail pour une « Messe d'Or préliminaire » solennisant la réception de deux adeptes; Pierre Geyraud en fait la description dans le livre précité. Elle était assistée par son fils, « un jeune homme qui ne paraît pas comprendre grand-chose à l'enseignement de sa mère, dont il est un auditeur assidu ». Un autel, composé d'une petite table recouverte d'une nappe, était édifié sur deux gradins ; à côté, Maria était assise dans un fauteuil, vêtue d'une robe d'or et couronnée d'un diadème. Les deux récipiendaires lui faisaient face (l'un d'eux était le poète Claude d'Ygé), et elle leur remit à chacun une timbale d'argent contenant du vin : « C'est le symbole de votre sang fécondateur » ; elle bénit les timbales, pour y faire passer le Principe Féminin. Les jeunes femmes et les hommes de la Confrérie chantaient des cantiques. « Elle s'étend sur la Table sacrificatoire, la tête à l'ouest, les pieds à l'Orient. Un silence. Elle demeure inerte et ne tarde pas à se figer dans un assoupissement magique. » Claude d'Ygé pose sa timbale de vin sur le pubis de Maria et prononce sa profession de foi, qui se termine par la devise : « Vers la Connaissance, par l'Amour. » Il boit et jette sa timbale dans la salle. Son camarade en fait autant. Maria se réveille, et procède au « lavage des pieds des Nouveau-Nés », afin de préserver de la boue du monde leurs pieds, qu'elle magnétise et essuie avec un linge de soie blanc. Elle décerne à chacun des hommes un diplôme de Balayeur de la Cour, dont elle donne lecture à l'auditoire, à qui elle déclare, en conclusion, que la Messe d'Or préliminaire sera célébrée le premier et le troisième mardi de chaque mois au Studio Raspail.

La trace de Maria de Naglowska se perd au début de la Seconde Guerre mondiale ; dans l'état actuel de nos connaissances, elle n'est qu'un météore dont on ne peut mesurer la trajectoire que sur un parcours réduit. Elle était pauvre, et il est évident que sa revue a finalement succombé à ses difficultés financières ; les livres qu'elle préparait et annonçait (*la Messe d'Or ou la Victoire de la vie, le Bien et le Mal en harmonie nouvelle*), pour faire suite à ceux que j'ai cités, n'ont jamais paru. A-t-elle pu rester à Paris durant l'Occupation, ou a-t-elle résidé dans une autre ville de France ? S'est-elle exilée dans un pays voisin et, à la faveur de son don des langues, a-t-elle poursuivi une activité littéraire sous un pseudonyme ? Julius Evola, dans sa *Métaphysique du sexe* [1], s'en tient sur elle à des généralités ; pourtant, comme il a publié dans le premier numéro de *la Flèche* un article sur « l'occidentalisme », on pouvait espérer de sa part plus de précisions. Rien n'est encore éclairci, et il faudra attendre, pour en savoir davantage, qu'un disciple, un témoin ou un descendant, enhardi par l'étude que je lui consacre, illustre de quelques documents la fin de sa vie singulière.

Il est facile d'ironiser sur l'action de Maria de Naglowska, mais ceux qui le feraient montreraient un esprit superficiel et une ignorance totale de ce qu'ont apporté, dans l'histoire des idées, les hérésies religieuses. Beaucoup de notions qui sont passées dans les mœurs ont eu pour origine des propositions soutenues aux temps de la Gnose et de la Réforme. Ses naïvetés de visionnaire, certaines anecdotes extravagantes dont elle appuie ses démonstrations, ont de quoi hérisser les rationalistes. « Quand vous aurez vu la boule de feu, la tête de feu rouler dans mes mains, quand vous aurez vu la Colonne lumineuse, serez-vous enfin convaincu ? », dit-elle à Pierre Geyraud. Et ailleurs, on peut se moquer de l'entendre déclarer : « J'écrase la tête du Serpent, le satanisme masculin, et je proclame le triomphe de la Verge solaire dans la bouche du satanisme féminin [1]. » Si tout n'est pas à admirer en Maria de Naglowska, elle mérite notre entière estime parce qu'elle disait à l'homme : « Tu ne peux retourner dans le ventre de ta mère pour en ressortir avec un autre nom, mais tu peux te replonger dans la femme qui t'accueille avec amour, pour puiser en elle la lumière qui te manque [2]. » On ne voit pas pourquoi l'on considérerait comme des maîtres spirituels Georges Gurdjieff et Aleister Crowley, ces aventuriers roublards qui ont recouvert leurs préoccupations orgiaques d'un placage ésotérique, et pourquoi l'on refuserait ce titre à Maria de Naglowska, qui a sur eux l'avantage d'être une femme, de servir la cause de la femme, et de colorer d'un mysticisme ardent, s'abreuvant aux sources de la Russie médiévale, son rêve de libération. Moins délirante que Mme Guyon, qui déclencha sans le vouloir la querelle du quiétisme, plus inspirée que Kate Millett et ses émules, qui s'insurgent contre le mâle sans aller au-delà du plan matériel, Maria de Naglowska a montré que la femme est nécessaire à l'homme *idéologiquement*. Elle a eu deux ambitions imposantes : elle a prétendu régler le problème du Mal par le rayonnement d'une activité sexuelle religieuse ; elle a assigné à la femme le rôle d'éducatrice de l'humanité, ce qui exigeait au préalable que la femme fût éduquée avec un soin particulier. Or cette dernière idée, qui est le bon sens même, on la trouve déjà exprimée par Fénelon dans son traité *De l'éducation des filles,* où il écrit : « Il est constant que la mauvaise éducation des femmes fait plus de mal que celle des hommes, puisque les désordres des hommes viennent souvent

1. *La Flèche,* n° 16, 15 mars 1933.
2. « Les mystères cardinaux et la Messe d'Or », *La Flèche,* n° 10, 15 février 1932.

et de la mauvaise éducation qu'ils ont reçue de leurs mères, et des passions que d'autres femmes leur ont inspirées dans un âge plus avancé. » On n'a donc pas affaire à une simple excentrique, dont on suit les élucubrations avec un demi-sourire, mais à une illuminée qui s'attache à dégager des vérités méconnues; on a l'impression qu'elle n'a pas été prise au sérieux *parce qu'elle était une femme*. Elle a peut-être préparé l'avenir, car si l'on invente une nouvelle religion dans les siècles futurs, les femmes y assureront inévitablement le sacerdoce, ce qu'elles n'ont pu faire jusqu'ici dans les temps modernes; celle-ci aura qualité de précurseur.

Maria de Naglowska, Princesse des Ténèbres de l'Amour, détentrice de la clef de transmutation grâce à laquelle le Logos se fait Sexe, la Fleur de la Passion à ses doigts chante.

8

André Breton
et l'amour surréaliste*

> Que le don absolu d'un être à un autre, qui ne peut
> exister sans sa réciprocité, soit aux yeux de tous
> la seule passerelle naturelle et surnaturelle jetée sur
> la vie.
> ANDRÉ BRETON

Lorsqu'on parle d'André Breton, on n'évoque pas un écrivain ordinaire, dont la vie peut se résumer en quelques détails biographiques : naissance à Tinchebray dans l'Orne en 1896, études de médecine qui lui permirent, pendant la Première Guerre mondiale, de se familiariser avec les travaux des psychiatres, initiation à la poésie sous le parrainage de Paul Valéry et de Guillaume Apollinaire, direction de quelques-unes des plus inspirantes revues du siècle, comme *Littérature*, *la Révolution surréaliste* ou *Minotaure*, action menée énergiquement dans ses écrits pour libérer la pensée de l'emprise de la raison, voyage au Mexique en 1938 qui le mit en rapport avec Trotski, séjour aux États-Unis de 1941 à 1945 où il découvrira en Arizona l'art des Indiens Hopi, retour à Paris avec l'intention de renouveler les impératifs de sa jeunesse, invention de jeux poétiques donnant un sens inattendu à la réunion d'un groupe, retraite intermittente dès 1950 à Saint-Cirq-Lapopie dans le Lot, mort à Paris en 1966. On évoque avant tout le fondateur du surréalisme, l'homme qui insuffla à une communauté de poètes et d'artistes son exigence de rigueur. Sa conception de l'amour, de même que sa conception de la beauté, ne se retrouva pas exclusivement dans son œuvre mais aussi dans celle de la plupart de ses compagnons. Il a pu dire justement : « Nous pensons avoir fait surgir une curieuse possibilité de la pensée, qui serait celle de sa *mise en commun* [1]. » Ainsi les créations de Breton ne sont pas seulement des

---

* Cette étude précise et complète, grâce à des documents nouveaux et des incidences différentes, le chapitre sur « l'amour fou » de mon *André Breton par lui-même* (Paris, Éd. du Seuil, 1971). On trouvera également des indications sur les représentations surréalistes de l'amour dans mes livres *l'Art surréaliste* (Paris, Hazan, 1969) et *le Surréalisme et le Rêve* (Paris, Gallimard, 1974).

1. *Second Manifeste du surréalisme.*

livres, ce sont surtout des hommes ; et l'on peut citer ceux-ci, pour illustrer l'évolution de l'amour surréaliste, comme si l'on citait Breton lui-même. Ce que dit l'un engage tous les autres, ce que disent les autres commente, prolonge, diversifie la parole du premier. Sans Breton, les outrances passionnelles d'Aragon, de Desnos, de Benjamin Péret, d'Éluard, d'Artaud, de Crevel, de René Char, de Michel Leiris, à l'origine, n'auraient pas eu les mêmes accents. Quel qu'ait été le génie propre de chacun d'eux, ils furent encouragés à se délivrer des contraintes de l'expression par la présence électrisante de celui qui déclarait en leur nom : « Nous voulons, nous aurons " l'au-delà " de nos jours. Il suffit pour cela que nous n'écoutions que notre impatience et que nous demeurions, sans aucune réticence, aux ordres du merveilleux [1]. »

A ses débuts, tout nous laisse croire que Breton fut un jeune homme passionné, dont les élans du cœur se confondaient avec les illusions des sens. Encore enfant, une passante le fascina au point qu'il se comporta avec elle en amoureux : « J'avais éprouvé un vif désir pour une jeune fille d'origine russe près de qui je faisais en sorte de m'asseoir à l'impériale de l'autobus qui me conduisait au collège. Cette jeune fille s'appelait Olga [2]. » A seize ans, la visite du musée Gustave-Moreau lui apporta une révélation décisive ; à travers ces femmes idéalement belles, somptueusement nues ou parées, ces Dalila et ces Salomé portant leur luxure comme un halo lumineux, ou ces fées aux poses abandonnées, il lui sembla que l'essence secrète de la féminité lui était découverte, et que le suprême bonheur serait de voir s'incarner pour lui une créature de ces tableaux. Il chercha dans la vie de telles apparitions, en se heurtant d'abord aux apparences. Quand il commença ses études de médecine, il était surtout attiré par sa cousine germaine, qu'il avait lui-même surnommée Manon : « J'ai éprouvé pour elle, vers dix-neuf ans, un grand attrait sexuel que je prenais alors pour l'amour [3]. »

L'influence de Jacques Vaché, le jeune révolté élégant, froidement excentrique, qu'il rencontra à Nantes en 1916, allait modifier quelque peu le sens donné par Breton à la vie privée. Vaché lui enseigna « l'importance des gestes » et un style de contestation fondé sur l'Umour (sans h), comme s'il valait mieux être umoureux qu'amoureux. Son nouvel ami l'éblouissait en déclarant : « Je rêve de bonnes Excentricités bien senties, ou de quelque bonne fourberie drôle qui fasse beaucoup de morts, le tout en costume moulé très clair, sport,

1. *La Révolution surréaliste*, 1925, n° 4.
2. *Les Vases communicants*, Paris, Éd. des Cahiers libres, 1932.
3. *Ibid.*

voyez-moi les beaux souliers découverts grenat? [1] » L'attitude de Vaché avec celle qu'il appelait « ma maîtresse » l'étonna : « Il habitait place du Beffroi une jolie chambre en compagnie d'une jeune femme dont je n'ai jamais su que le prénom : Louise, et que, pour me recevoir, il obligeait à se tenir des heures immobile et silencieuse dans un coin. A cinq heures, elle servait le thé et, pour tout remerciement, il lui baisait la main. A l'en croire, il n'avait avec elle aucun rapport sexuel et se contentait de dormir près d'elle, dans le même lit. C'est d'ailleurs, assurait-il, toujours ainsi qu'il procédait [2]. » En juin 1917, lorsqu'il retrouve à Paris Jacques Vaché, habillé en officier anglais, celui-ci s'est fait le chevalier servant d'une prostituée mineure : « Aux environs de la gare de Lyon, il avait été *assez heureux* pour porter secours à une " petite fille " que deux hommes brutalisaient [3]. » Breton, qui soupçonne qu'en échange d'une nuit passée avec elle, son ami a attrapé la syphilis, admire sa crânerie. En seigneur indifférent à tout, Vaché traite la première venue comme si elle était une princesse, et Breton resté déconcerté par cette attitude énigmatique : « Pourquoi aimes-tu faire affluer le sang bleu aux joues de cette petite [4]? »

La principale liaison que noua Breton, à l'époque où il fonda la revue *Littérature* (en mars 1919) avec Louis Aragon et Philippe Soupault, porta sans doute la marque d'une désinvolture imitée de Vaché. Il s'agit de la liaison avec G.D., la « femme-fleur » qui lui écrira nostalgiquement, trente-cinq ans après : « Où est le temps où, timidement, vous glissiez la date anniversaire de vos vingt-quatre ans sur le côté d'une jolie carte postale? Pour moi qui n'ai tout de même pas vécu selon votre intensité, c'est hier. » Leurs rapports furent orageux, et quand il vint la voir à sa résidence de campagne, elle hésita à lui révéler les sites où elle se promenait :

« A votre passage à P.-C., en 1919, j'ai résisté au désir de vous montrer un de ces endroits maudits. Au lieu de cela, je vous ai conduit le soir auprès d'une petite chapelle où brûlaient des cierges, dans un bois appelé « Roscudon »; autrement dit le bois des saveurs.
« Vous avez soufflé sur l'un de ces cierges en disant cyniquement : « De quoi vais-je bien pouvoir payer ce geste! » La soirée était douce. Je ne me rappelle rien de ce que nous avons pu échanger comme

1. Jacques Vaché, *Lettres de guerre,* Paris, Au sans pareil, 1919.
2. « La Confession dédaigneuse », *Les Pas perdus,* Paris, NRF, 1924.
3. *Ibid.*
4. « Jacques Vaché », *Les Pas perdus.*

propos, que cette remarque insolente. Mais il me semble que c'est moi qui ai payé, la première, l'imprudence du geste que j'avais facilité, sans le vouloir [1]. »

La femme-fleur, qui aimait dessiner et portait au poète une passion jalouse, se dépitait de son indépendance; elle lui prédit qu'il ferait un mariage bourgeois, et il éclata de rire. Elle lui annonça aussi par un dessin quasi médiumnique qu'il rencontrerait la folie (Nadja) sur son chemin.

Les poèmes de *Mont de Piété,* en 1919, trahissent la sensibilité de Breton dans ses « années d'apprentissage ». Aucun d'eux n'est dédié à une femme aimée (alors que plusieurs rendent nommément hommage à ses amis André Derain, Marie Laurencin, Pierre Reverdy, Tristan Tzara); le poète n'est donc ému par la femme que d'une manière générale. Dans « Façon », il imagine que les « fillettes » auxquelles il s'intéressa jusqu'alors agitent leur mouchoir mouillé de larmes, tandis qu'il s'éloigne vers « un avenir, éclatante Cour Batave » :

> Elles
> font de batiste : A jamais! — L'odeur anéantit
> tout de même jaloux ce printemps,
>
> Mesdemoiselles.

C'est pourquoi Aragon appellera Baptiste Ajamais, dans son roman *Anicet ou le Panorama,* le personnage qui y représente Breton.

« Hymne » est dans le goût de l'*Après-midi d'un faune,* avec un éloge de la vierge perverse, de la fausse ingénue, de la femme mi-chair mi-poisson, tentatrice-tentée comme Sapho :

> Qui se noie
> — Des plus folles! — sous les rochers d'aventurine
> A Leucade? (Frivole alliance marine,
> On s'en doute, mais l'art de se feindre ingénue
> L'absout.)
>   « Tu vois qu'un cerne aimable diminue
> Aux paupières. La peur que fraîchissent les touffes
> Désertes, l'une ou l'autre, en vain, si tu l'étouffes,
> Promit ta chevelure aux fleurs d'écaille, bleue...
> Trêve d'héliotrope où s'irise une queue
> De sirène, le flot te cajole. »

---

1. « Magie quotidienne », *Perspective cavalière,* Paris, Gallimard, 1970. C'est l'entourage de G.D. qui l'a nommée la « femme-fleur », non Breton. Pour simplifier, nous appellerons sa lettre « la lettre de la femme-fleur ».

La sensualité l'emporte encore sur la passion, si l'on en croit les allusions scabreuses qu'il se plaît à faire çà et là, par exemple dans « Décembre » :

> Tes yeux prêchent l'amour impatient des Mages
> Où compliqué t'aima je sais trop quel amant.
>
> . . . .
>   Fantassin
> Là-bas, conscrit du sol et de la hampe, y être!
> — Et mes bras, leur liane chaude qui t'a ceint?
> — J'aurai mordu la vie à tes seins d'ange piètre.

En ce dernier vers, le poète répond à une amoureuse, mais sa réponse pourrait aussi bien s'appliquer à une mère qu'il repousse, ou qu'il met en accusation. Cette ambiguïté est intéressante. C'est avec « l'An suave », « D'or vert », que Breton montre le mieux son intérêt pour un type de femme proche des fées de Gustave Moreau, dont il caresse d'une main légère les contours. La volupté qu'on met à dévêtir une femme, il la met à la vêtir. Ainsi, dans « l'An suave » :

> Un châle méchamment qui lèse ta frileuse
> Épaule nous condamne aux redites. Berger,
> Tu me deviens l'à peine accessible fileuse.
> (A l'ordinaire jeu ce délice étranger.)
>
> Qu'aimablement ta main dissipe tout léger
> Nuage vers ce front où la mèche boucleuse
> N'aspire, avec les brins de paille, qu'au danger
> De lune!
>   Ai-je omis la nymphe miraculeuse,
> Icare aux buissons neigeux, tu sais, parmi
> Les douces flèches — l'an suave quel ami! —
> Et, criblé de chansons par Écho, le silence
>
> Que déjà ton souhait de plumes, n'oscillant
> Pour se moquer de grèbe en paradis, s'élance
> — Ah! quel ami c'est l'an suave! — au toquet blanc?

On comprend la situation évoquée par cette délicate pièce mallarméenne : une exquise jeune femme, dont la blondeur défie les « brins de paille », le « danger de lune », blottit après l'amour sa nudité frissonnante dans un châle; son amant songe qu'elle va se recoiffer bientôt, mettant son toquet blanc par un « souhait de plumes », pour s'en aller comme un oiseau s'envole. « L'heure du berger » est devenue « l'an suave », car l'année où la femme se donne pour la première fois reste tout embaumée dans le souvenir. On remarquera l'insistance sur la blancheur, pour indiquer l'innocence de leurs rapports, et peut-être un temps d'hiver. A l'inverse, « D'or vert » débute par la vision d'une femme qui rajuste sa chevelure défaite, et se termine au moment où elle choisit la robe qu'elle va passer :

> D'or vert les raisins mûrs et mes futiles vœux
> Se gorgent de clarté si douce qu'on s'étonne.
> Au délice ingénu de ceindre tes cheveux
> Plus belle, à n'envier que l'azur monotone,
>
> Je t'évoque, inquiet d'un pouvoir de manteau
> Chimérique de fée à tes pas sur la terre,
> Un peu triste peut-être et rebelle plutôt
> Que toute abandonnée au glacis volontaire.
>
> Étourdiment parjure aux promesses de fleur
> Ton col s'effile, orné de rinceaux par la treille.
> Il semble, à voir tes mains, qu'elles brodent couleur
> De feuillage une soie où te fondre, pareille.
>
> Je sens combien tu m'es lointaine et que tes yeux
> L'azur, tes bijoux d'ombre et les étoiles d'aube
> Vont s'éteindre, captifs du ramage ennuyeux
> Que tôt figurera ton caprice de robe.

Le poète déplore le « caprice de robe » qui va dissimuler la nudité d'une femme, si féerique dans la lumière indéfinie qui la nimbe; elle hésite entre diverses toilettes, et rompt l'enchantement par des propos concernant ce choix; le « ramage ennuyeux » se rapporte au dessin de la soie qu'elle palpe et au langage frivole qu'elle emploie (de même Breton dénonce ailleurs « le ramage turquin, ma sœur, des noms en *zée* »).

Par conséquent, la poésie présurréaliste de Breton implique une attitude envers la femme où il y a moins de ferveur que de curiosité voluptueuse, et même de douce ironie pour la frivolité d'un être charmant. C'est de cette disposition d'humeur que vont le tirer brusquement la découverte de l'écriture automatique et l'expérience dada.

Dada éclata à Paris le 23 janvier 1920 et y fit déferler une vague de mystification agressive jusqu'à la fin de 1921. Ce mouvement se proposait de tout détruire de fond en comble, aussi ne doit-on pas s'attendre à le voir respecter une seule valeur, pas plus l'amour que le reste. Breton le précisait : « Dada ne se donne à rien, ni à l'amour, ni au travail [1]. » Et Soupault répétait à la cantonade : « Pourquoi s'obstiner. Il n'y a rien. Il n'y a jamais rien eu [2]. » Dans les séances publiques, on porta des coups bas à la morale établie; ainsi au Festival dada, salle Gaveau, le 26 mai 1920, le programme promettait « de la musique sodomiste », et le clou du spectacle fut l'apparition du Sexe de Dada, gigantesque phallus en carton blanc érigé sur des ballons. Le même soir, la pièce de Breton et Soupault, *S'il vous plaît,* interprétée par leurs auteurs, railla les poncifs amoureux du théâtre de boulevard. Au premier acte, Valentine, dont le mari François prend congé pour un voyage, s'offre à son amant Paul, en lui disant : « Le grand feu de bois qui nous éclaire dans notre chair et qui chante fait tomber de nous comme une écorce des ombres sans volonté. L'amour ne me fait pas peur. Il n'existe peut-être que le désir et je suis enfin la plus forte. » Mais quand, renversée sur son siège, les yeux fermés, elle demande à Paul : « Que fais-tu de moi? », celui-ci sort un revolver et la tue. Au deuxième acte, le commissaire Létoile, symbolisant Dieu (rôle écrit et joué par Breton), met le monde à l'envers; il ordonne à ses inspecteurs de se déguiser pour se suivre en filature les uns les autres. Il déconseille à une femme de divorcer et, quand elle n'en a plus envie, il l'y oblige; il promet à un jeune homme de lui présenter bientôt la femme de sa vie, et dès que celui-ci le remercie, il le fait arrêter pour le meurtre supposé de sa maîtresse; il trouble sa dactylo par des propos incongrus. Au troisième acte, on assiste à un marivaudage, dans un café, entre un consommateur, Maxime, et une inconnue qu'il y aborde, Gilda; leur conversation se termine sur un trait sublime, moins scandaleux que tragique :

MAXIME : Où habites-tu?

GILDA : Mais non, mais non.

MAXIME : Qu'est-ce que tu as?

GILDA, *lui donnant la main :* Laisse-moi partir seule.

MAXIME : Garçon.

LE GARÇON : C'est trois francs, monsieur. (*Ils se lèvent.*)

GILDA : N'insiste pas, mon petit. Tu regretterais. J'ai la vérole.

MAXIME : Ça ne fait rien. (*Ils sortent.*)

En regard de Picabia, qui suit son bon plaisir avec les femmes, de Duchamp, qui est contre le mariage, Breton semble avoir un comporte-

---

1. « Deux manifestes dada », *Les Pas perdus.*
2. « Machine à écrire dada », *Littérature,* n° 13, mai 1920.

ment amoureux plus conventionnel à l'époque dada : il fait une cour en
règle à une jeune fille abonnée à *Littérature*, Simone Kahn (jusqu'à lui
écrire une lettre par jour, dans l'été 1920, quand elle est en vacances à
Dinard), la présente à ses parents comme sa fiancée (se réconciliant
avec eux à cette occasion) et, en fin de compte, se marie en 1921.
Cependant, on ne doit pas se laisser abuser par ce détail et penser que
Breton est moins émancipé que ses amis. André et Simone Breton
seront un couple sans enfant; un couple qui, par une décision
philosophique commune, se refuse à la procréation, est plus libre qu'un
homme qui, par exemple, sème partout des enfants naturels. Breton,
lorsque débute le surréalisme, a déjà résolu pour lui le problème de
l'amour, en choisissant une compagne qui, au témoignage de tous, le
seconde parfaitement. Youki Desnos, dès qu'elle entra en contact avec
le groupe surréaliste, le remarqua : « Ce qu'il y avait de surprenant,
c'est le rôle muet que tenaient les femmes. Aucune d'elles n'ouvrait la
bouche, sauf Simone Breton lorsque son mari, se tournant vers elle, la
questionnait. Car elle était une petite encyclopédie vivante. Je crois
que, de tout le groupe, elle était la seule à avoir lu *le Capital* de Karl
Marx en entier [1]. »

Entre mars 1922 et octobre 1924, dans l'espace qui sépare la fin de
dada et l'avènement du surréalisme, a eu lieu ce qu'on appelle le
« mouvement flou ». C'est seulement là que le groupe commence à
considérer l'amour comme une promesse de merveilleux, que des
couples s'organisent; Renée, l'amie de Péret, se conduit en convulsion-
naire aux séances de Sommeils, Man Ray se lie avec Kiki de
Montparnasse, Gala se partage entre Max Ernst et Eluard, Roger
Vitrac et son amie Suzanne s'entre-dévorent. Dans la nouvelle série de
Littérature, en avril 1922, le questionnaire des préférences eut pour
objet de redéfinir les attitudes humaines; les trente-sept questions
auxquelles chacun dut répondre concernaient aussi bien le personnage
historique, le lieu de Paris, que la danse que l'on aimait le mieux.
Breton, à vingt-six ans, y témoigne de goûts dont il ne se déjugera pas :
la femme qu'il préfère est : *Marguerite de Bourgogne;* l'objet de
vêtement : *chemise de femme noire;* la fourrure : *renard blanc;* le geste :
œillade; la divinité : *Pan;* l'excitant : *jupes plissées;* l'âge : *trente ans;*
la partie du corps : *yeux;* la manière de faire l'amour : *69.* L'année
précédente, jamais les dadaïstes n'auraient admis de donner d'eux un
signalement affectif et intellectuel. Au cours du « mouvement flou »,
Breton écrira aussi « la Mort rose », poème automatique sur le thème

1. Youki Desnos, *Les Confidences de Youki,* Paris, Fayard, 1956.

de l'acte sexuel, où la pénétration de l'homme, l'orgasme de la femme, sont évoqués en images impressionnantes :

> Mes rêves seront formels et vains comme le bruit
>   de paupières de l'eau dans l'ombre
> Je m'introduirai dans les tiens pour y sonder
>   la profondeur de tes larmes
> Mes appels te laisseront doucement incertaine
> Et dans le train fait de tortues de glace
> Tu n'auras pas à tirer le signal d'alarme
> Tu arriveras seule sur cette plage perdue
> Où une étoile descendra sur tes bagages de sable.

Le poème s'achevait sur une invite à l'onanisme féminin : « La lectrice excitée éteint l'électricité. » Ce dernier vers sera supprimé dans l'édition définitive. On remarquera que la jouissance amoureuse n'est pas présentée ici comme la fusion de deux êtres : la femme se retrouve seule sur une plage perdue, où toutes ses préoccupations quotidiennes (*bagages de sable*) sont anéanties par l'étincelle cosmique du plaisir.

Celui qui, aux yeux de tout le groupe du « mouvement flou », exprimait le mieux l'idée moderne de l'amour était Joseph Delteil dans son roman *Sur le fleuve Amour*, qu'un placard publicitaire dans *Littérature* recommandait en ces termes : « C'est l'amour en 1923, pervers, sensuel et trois fois mortel. » Ce roman raconte une aventure conduisant en Chine des combattants de la Révolution russe, mais ce n'est qu'un prétexte à dérouler des tableaux barbares et exotiques, chargés de senteurs, de couleurs intenses, et à mettre en scène une amazone cruelle, Ludmilla Androff, qui commande un régiment de femmes ostiaques et qui cause la perte de deux amis, Nicolas et Boris. La dédicace du livre, « A Maman, à la Vierge Marie et au général Bonaparte », parut à tous un acte de dérision contre les bons sentiments. René Groos souligna que *Sur le fleuve Amour* était « assez riche en péripéties pour qu'on y ait pu relever d'une plume diligente quinze meurtres humains, huit fornications (dont un inceste), un accouchement, six scènes de pédérastie, quatre perruches, quatre tourterelles et un gros poisson saignés, une couleuvre étranglée, plusieurs bœufs égorgés, de beaux jeunes hommes samoyèdes et plusieurs centaines de chevaux noyés, des flagellations de nègres et quatre femmes nues ayant en de drôles d'endroits huit cierges verts enfoncés et allumés [1] ».

1. René Groos, préface à *De J.-J. Rousseau à Mistral*, de Joseph Delteil, Paris, Éd. du Capitole, 1928.

Ce premier roman de Joseph Delteil doit beaucoup à l'influence du groupe de *Littérature;* ce jeune homme, qui travaillait au ministère de la Marine marchande, a été déniaisé par les futurs surréalistes. Il a reconnu lui-même qu'ils lui ont appris à recourir aux ressources de l'inconscient, à devenir ce violateur du langage qui proférait : « J'empoignai la littérature à la gueule et je lui passai sur le ventre. » C'était un lyrique assez hâbleur, disant : « Je rêve de faire le tour du monde *à pied* », mais se contentant d'une simple marche de Vintimille à Marseille. Sa faconde, gâtée plus tard par des facilités et des trivialités, avait des éclats qui font comprendre pourquoi il participa aux débuts du surréalisme. Son deuxième roman, *Choléra,* fut également apprécié de l'entourage de Breton : « Chauves, lisez *Choléra,* vos cheveux repousseront », écrivait Drieu La Rochelle. C'est de *Choléra* que fut extraite la phrase du « papillon » surréaliste collé sur les murs de Paris : « Joie énorme comme les couilles d'Hercule. » Choléra est le nom de l'héroïne qui, avec ses deux sœurs Alice et Corne, fait les délices du narrateur. Corne est la plus lascive, qui croit que faire l'amour est un acte héroïque : « Elle pleura et s'évanouit d'apprendre que l'épicier du coin le faisait comme Napoléon », mais Choléra, « l'éloquente et la pathétique », lui offre le plaisir supérieur de la copulation du regard : « Nous nous regardions intensément, sans une parole, sans un geste. Nous nous regardâmes ainsi pendant une heure et quart, pleins l'un de l'autre, reliés par un fluide étrange et cordial et comme accouplés au moyen d'une verge spirituelle. » André de Richaud verra dans *Sur le fleuve Amour* et dans *Choléra* des exemples de ces « faux romans » conseillés par Breton [1]. Delteil se transformera bientôt en personnage tapageur, aux déclarations redondantes (« Impossible n'est pas delteillien », « L'Art, c'est moi », etc.), recevant ses admirateurs dans un cabinet de travail au décor étudié : « Au mur : des tableaux à incendier tous les pompiers du monde, des portraits, l'empreinte de sa main, une enveloppe adressée : saint Joseph Delteil, une empreinte de rouge à lèvres [2]. » Il donnait des leçons de style à ses imitateurs, ainsi à celui qui, évoquant une princesse, parlait des boucles blondes de son pubis : « A aucun moment je n'aurais écrit *les boucles blondes de son pubis. Ce n'est pas de moi, ça. J'aurais mis ou la toison d'or ou les poils du cul.* Mais point de périphrase entre les

---

1. André de Richaud, *Vie de saint Delteil*, Paris, Nouvelle société d'édition, 1929.
2. Maryse Choisy, *Delteil tout nu,* Paris, Montaigne, 1930.

deux [1]. » Il y a ici un désaccord flagrant entre « l'imagerie delteillienne » et l'imagerie surréaliste, qui n'acceptera jamais aucune de ces expressions mineures.

Les poètes et les peintres groupés dès 1924 sous l'égide du *Manifeste du surréalisme* et qui eurent pour organe *la Révolution surréaliste*, poursuivirent systématiquement le saccage des valeurs bourgeoises. Ils firent la guerre au travail, à la religion, à la famille, à l'armée, à la patrie, à la littérature, traitèrent avec impertinence la politique et la science ; tout était soumis à leur fureur iconoclaste et à leur volonté de réorganisation du monde. Mais Breton, dans *Qu'est-ce que le surréalisme ?*, convint qu'ils avaient au moins un espoir commun : « Plus j'y songe, plus je m'assure que rien à nos yeux n'était épargnable si ce n'est... si ce n'est au loin " l'amour la poésie " pour reprendre le titre fulgurant et tremblant d'un livre de Paul Eluard, " l'amour la poésie " tenus pour inséparables dans leur essence et considérés comme le seul bien [2]. »

Il était convenu que, dans *la Révolution surréaliste*, une chronique régulière serait consacrée à l'amour, et elle fut confiée à Joseph Delteil ; mais la façon dont celui-ci aborda sa chronique, parlant de l'amour comme d' « une chose si rare, si surannée, si vieille lune, si clownerie, si muflerie, si mucosité », déçut beaucoup. On fut agacé de le voir écrire : « La balistique et l'amour ont beaucoup de points communs. A la base de l'amour, il y a un problème de mécanique. " Solutionner " ce problème : tout est là ! Nul n'ignore, par exemple, que les armes à feu sont un excellent arsenal d'images pour les poètes en proie à Vénus [3]. » Quelques mois après, ce sera la rupture ; Breton, dans une lettre à Delteil, lui reprochant entre autres ses « plaisanteries infâmes sur l'amour comme celles qu'a publiées *la Révolution surréaliste* », lui signifia : « La question serait de savoir si vous êtes un porc ou un con (ou un porc et un con) [4]. »

L'activité des surréalistes, dès cette année, s'inscrit pour ainsi dire dans ce schéma dynamique : ils ont une *méthode* de libération de l'être, combinant la pratique du rêve et de l'écriture automatique ; une *arme*, l'humour objectif (qui ne deviendra « l'humour noir » qu'en 1938) ; un *plaisir intellectuel*, le merveilleux ; une *foi* se substituant à toute foi religieuse, l'amour-désir ; une *nécessité d'action* pour transformer le

1. Maryse Choisy, *op. cit.*
2. André Breton, *Qu'est-ce que le surréalisme ?*, Bruxelles, Henriquez, 1934.
3. Joseph Delteil, « L'amour », *La Révolution surréaliste*, n° 1, décembre 1924.
4. *La Révolution surréaliste*, n° 4, 1925.

monde, la révolution. Ils appellent poésie non pas la création de poèmes, mais le rapport d'ensemble entre ces différentes instances, le rêve, le merveilleux, l'amour-désir, l'humour objectif, la révolution : l'œuvre écrite ou peinte n'aura d'autre but que de rendre sensible ce rapport.

A partir de 1924, les options surréalistes sur l'amour se développèrent d'une façon continue, se ramifiant en autant de variantes qu'il y avait de créateurs dans le groupe, et apportant leurs solutions propres à des problèmes que nous allons maintenant examiner point par point.

Les rencontres merveilleuses.

L'homme et la femme, dans le surréalisme, sont à la merci des rencontres de la rue. Il y a une différence essentielle qui apparaît dans les textes : la femme est faite pour être rencontrée, et l'homme pour la rencontrer. Elle est, sans même le vouloir, une énigme vivante, il est celui qui la déchiffre ou se désespère de ne pas en saisir le sens. Ces rencontres appartiennent à la « poésie involontaire », elles sont *les images vécues de l'écriture automatique des gestes*. Le premier compte rendu de rencontre a été fait à l'époque dada, sous le titre significatif de *l'Esprit nouveau*; il y avait effectivement là une manière singulière, toute moderne, de s'ouvrir aux êtres qui passent. Breton et Aragon, ayant rencontré chacun de leur côté à Saint-Germain-des-Prés une jeune fille en tailleur à carreaux beige et brun, « avec on ne sait quoi dans le maintien d'extraordinairement *perdu* », n'arrivent pas à s'expliquer son comportement et partent ensemble à sa recherche. « Aragon et Breton avaient beaucoup de mal à comprendre l'intérêt passionné qu'ils portaient tous deux à cette aventure manquée [1]. » Une autre fois, intrigué par une jeune fille au chapeau de feutre blanc qui lui a joué « un drame de coquetterie », Breton la fait aborder par Jacques Rigaut à la terrasse d'un café, afin de savoir si elle recommencera avec lui le même jeu [2]. Tous ont été sensibles à de semblables rencontres, les ont notées. René Crevel s'est enflammé pour « la fille au caraco rouge », pour « la dame au cou nu ». Michel Leiris a énuméré les diverses « Judith » qu'il a croisées dans sa vie de noctambule, parfois sans oser leur parler. René Char a écrit un poème sur Lola Abba; il avait vu ce nom sur une tombe et, quelques jours

---

1. André Breton, *Les Pas perdus*.
2. Jacques Rigaut a fait le récit inachevé de cet incident dans ses *Écrits*, Paris, Gallimard, 1970, p. 149.

après, une inconnue s'était présentée à sa mère pour lui demander du travail, en déclarant se nommer Lola Abba ; il avait couru à sa poursuite, en vain. La rencontre est d'autant plus exaltante qu'elle est « une aventure manquée », car elle met en branle l'imagination et la connaissance, les induit à des hypothèses sur le destin.

Le poème « Pleine Marge » déroule le cortège de ces figures qui, aperçues par Breton à travers la ville, ont été des révélations d'un instant, lui donnant prise sur l'éphémère :

Je n'ai vu à l'exclusion des autres que des femmes qui avaient maille à partir avec leur temps
Ou bien elles montaient vers moi soulevées par les vapeurs d'un abîme

Ou encore absentes il y a moins d'une seconde elles me précédaient du pas de la Joueuse de tympanon
Dans la rue au moindre vent où leurs cheveux portaient la torche

Entre toutes cette reine de Byzance aux yeux passant de si loin l'outre-mer
Que je ne me retrouve jamais dans le quartier des Halles où elle m'apparut
Sans qu'elle se multiplie à perte de vue dans les glaces des voitures des marchandes de violettes

Entre toutes l'enfant des cavernes son étreinte prolongeant de toute la vie la nuit esquimau
Quand déjà le petit jour hors d'haleine grave son renne sur la vitre

Entre toutes la religieuse aux lèvres de capucines
Dans le car de Crozon à Quimper
Le bruit de ses cils dérange la mésange charbonnière
Et le livre à fermoir va glisser de ses jambes croisées [1].

La plus importante de ces rencontres merveilleuses pour Breton fut Nadja. On a tendance à croire que Nadja est une femme qu'il a aimée, et je me suis déjà élevé contre cette erreur : *Nadja* n'est pas une histoire d'amour. C'est justement parce que ce n'est pas une histoire d'amour que cette aventure a un tour aussi étrange ; on y voit ce qu'apporte à un homme une femme qu'il n'aime pas, mais qui est un *don de la rue*, à la fois épave miroitante et créature sibylline, occasion d'admirer passionnément ce que la vie met de sublime à travers la découverte d'un être

---

1. « Pleine Marge », *Poèmes*, Paris, Gallimard, 1948.

inconnu. Les quelques privautés amoureuses que Breton prendra avec Nadja n'auront pas de sens étroitement sexuel ; l'indice de leur intimité sera le baiser, et encore le baiser échangé comme une sorte de communion immatérielle d'esprits (« avec respect je baise ses jolies dents »), aussi innocent que le tutoiement qu'ils emploient dès le premier jour. Depuis cet après-midi du 4 octobre 1926 où il rencontre rue Lafayette cette jeune femme pauvre, « si frêle qu'elle se pose à peine en marchant », qui lui dira au terme de leur entretien : « Je suis l'âme errante », jusqu'au début de 1927 où elle disparaît définitivement de sa vie, ils connaissent ensemble un état de « poursuite éperdue » qui met en œuvre « tous les artifices de la séduction mentale ». Pour ma part, je crois non seulement que Breton n'a jamais eu de relation sexuelle avec Nadja, mais encore que c'est cette abstention qui a précipité le drame psychique latent en la jeune femme. On la voit tout tenter pour rendre amoureux ce poète dont elle ne comprend pas les intentions, « se livrer de-ci de-là à quelques coquetteries déplacées », tâcher de le rendre jaloux en lui parlant de ses anciens amants (au risque de le voir « réagir avec une affreuse violence »), le menacer même de s'adonner à la prostitution ; et, comme elle sent que la seule manière de lui plaire est de se conformer à ce rôle de voyante qu'il attend d'elle, elle se jette dans le délire, prononce des phrases surréalistes telles qu'il les aime, fait des dessins bizarres, l'identifie au soleil, invente pour lui « la Fleur des amants ». Sachant qu'il admire les fées, elle joue le personnage de Mélusine, au point de se grimer, « en obtenant à tout prix de son coiffeur qu'il distribuât ses cheveux en cinq touffes bien distinctes, de manière à laisser une étoile au sommet du front ». Et lui, discutant sans cesse du cas de Nadja avec sa femme Simone et ses amis, inconscient d'être un puissant magnétiseur manipulant un médium fragile (comme Théodore Flournoy avec Hélène Smith), lui marquant impitoyablement son ennui quand elle parle ou agit en personne ordinaire, il la contraint à l'extraordinaire, inflexible, la menant insensiblement au point de rupture de ses facultés. L'accusation d'avoir rendu folle Nadja a été lancée à Breton plus tard par Suzanne Muzard ; c'est trop dire, car il est évident qu'un élément schizoïde préexistait en elle. Il lui a donné du génie, sans se douter qu'elle n'avait pas la force de soutenir toujours le poids de cette couronne. Dans *Nadja*, il nous est prouvé que la rencontre merveilleuse peut être dangereuse, et même fatale ; mais qu'on y atteint, au prix de la déraison, le sommet de l'être. Nadja n'a été rencontrée par Breton que pour resplendir de tous ses feux secrets, pendant quelques mois, et pour être immortalisée ; Breton n'a rencontré Nadja que pour découvrir une notion nouvelle de la beauté (« Ni dynamique ni statique, la beauté je la vois comme je t'ai vue »), la beauté convulsive, « faite de saccades, dont beaucoup n'ont guère d'importance, mais que nous savons destinées à amener une *Saccade* qui en a ». Tel est le principe des rencontres merveilleuses : elles servent « à planter une étoile au cœur même du *fini* ».

Il y a les rencontres inattendues et les rencontres attendues. Ces dernières, Breton les a aussi cultivées, depuis le temps où il laissait la nuit la porte de sa chambre grande ouverte, à l'hôtel des Grands-Hommes, en espérant trouver au réveil une inconnue dans son lit. Il eut ensuite le fantasme de voir une femme nue lui apparaître dans un bois, fantasme assez concret pour que, perdu au cours d'un orage dans une forêt près du Manoir d'Ango, il communiquât son angoisse à Marcel Duhamel qui l'accompagnait : « Un éclair aveuglant illumine devant nous un paysage fantastique, suivi aussitôt d'un coup de tonnerre qui nous pétrifie. Breton, pris de panique, me saisit la main :
— Elle est là, me dit-il, lorsqu'un autre éclair nous découvre le tournant noir du chemin creux. Je le sens... [1] » On peut même s'ingénier à faire des rencontres provoquées. « J'en étais parfois à déplorer de ne pouvoir faire passer une annonce dans quelque journal idéal », dira Breton [2]. Cette solution extrême, provoquer la rencontre d'une femme par une annonce dans la presse, a été aussi envisagée par d'autres membres du groupe. Ainsi, Jacques Rigaut lancera cet appel dans *Littérature* :

« Jeune homme pauvre, médiocre, 21 ans, mains propres, épouserait femme, 24 cylindres, santé, érotomane ou parlant l'annamite. Écr. Jacques Rigaut, 73, boulevard du Montparnasse, Paris (6e). »

L'énormité de la proposition, le cynisme affecté, sont un défi à la société entière. La femme qui se laisserait prendre au jeu serait la plus subversive des partenaires. Il est possible d'aller plus loin dans la provocation poétique :

« Femmes qu'on ne voit pas, attention!
« POÈTE CHERCHE modèle pour poèmes. Séances de pose exclusive pendant sommeil récipr. René Char, 8 *ter* rue des Saules, Paris (Inut. ven. avant nuit complète. La lumière m'est fatale) [3]. »

1. Marcel Duhamel, *Raconte pas ta vie,* Paris, Mercure de France, 1972.
2. *Les Vases communicants.*
3. Breton et Eluard, Prière d'insérer d'*Artine.*

Imaginez qu'au lieu de ces piteuses annonces matrimoniales des journaux spécialisés, de ces invitations à peine déguisées à la débauche ou à l'escroquerie sentimentale, se mettent à fleurir de telles « demandes d'emploi » : une curieuse révolution se ferait dans les mœurs amoureuses, subissant sans pouvoir passer outre les sommations de la poésie.

Le désir et les perversions.

« Le désir, seul ressort du monde, le désir, seule rigueur que l'homme ait à connaître [1] », a été le principe fondamental de l'éthique surréaliste. Le groupe de Paris et après lui les groupes yougoslave, belge, roumain, tchécoslovaque, firent diverses expériences pour le mettre en valeur. Si la surprise, le hasard objectif, l'insolite, la trouvaille, ont été à ce point célébrés dans le surréalisme, c'est parce qu'ils attisaient le désir, l'empêchaient de languir ou le lançaient sur de nouvelles pistes. Dès l'époque dada, Breton se définit dans *la Confession dédaigneuse* comme un homme « n'ayant au monde d'autre défi à jeter que le *désir*, ne recevant de plus grand défi que la mort ». De son côté, Picabia formulait cet axiome dadaïste : « Le désir s'évanouit si vous possédez, ne possédez rien [2]. » Quand les surréalistes yougoslaves, dans leur *Enquête sur le désir* en six questions, demandèrent : « Quelle valeur donnez-vous aux désirs de l'homme et à ses exigences les plus immédiates, et particulièrement à vos propres désirs et à vos exigences? », Breton répondit : « Les désirs de l'homme me paraissent être le moyen dont use en général la nature pour se faire connaître de l'homme en l'*affectant* par rapport à ce qui est (concurremment à ce qui n'est pas), pour se traduire spontanément à lui en tant que nécessité réalisée embrassant tous les êtres, réels ou possibles, à la fois. C'est par ses désirs et ses exigences les plus directes que tend à s'exercer chez l'homme la faculté de connaissance, ou plus exactement de médiation [3]. »

Le rapport du désir et de l'amour ne sera considéré en objet de connaissance qu'à partir des « Recherches sur la sexualité », qui eurent lieu en deux soirées dans l'atelier de Breton ; la sténographie des débats

1. *L'Amour fou,* Paris, Gallimard, 1937.
2. *Cannibale,* n° 1, 1920.
3. Enquête de la revue yougoslave *Nadrealizam danas i ovde (le Surréalisme maintenant et ici),* n° 3, 1932. La réponse de Breton y est traduite en serbo-croate ; je donne ici une citation du manuscrit original (Bibliothèque Jacques-Doucet).

fut publiée dans *la Révolution surréaliste*. La première soirée, le 27 janvier 1928, réunissait Jacques Prévert, Benjamin Péret, Raymond Queneau, Max Morise, Pierre Naville, Yves Tanguy, Pierre Unik. A la seconde soirée, le 31 janvier, s'ajoutèrent Aragon, Marcel Duhamel, Jacques Baron, Georges Sadoul, Marcel Noll, Man Ray. Les deux séances commencèrent par la discussion du même problème : quand un homme et une femme font l'amour, dans quelle mesure l'homme se rend-il compte de la jouissance de la femme, et la femme de la jouissance de l'homme? On voit que les surréalistes se préoccupent avant tout d'établir comment l'homme et la femme peuvent se comprendre en ce qu'ils ont chacun de plus secret, et quelle est la qualité authentique du dialogue dans un lit. Aragon poussera l'investigation plus loin que Breton, en demandant dans quelle proportion l'homme et la femme arrivent à jouir simultanément. Cette simultanéité est-elle souhaitable? Peut-elle être produite par des moyens artificiels? Qu'est-ce que la non-jouissance ou la jouissance simulée? Quelles sont les possibilités de constatation de la jouissance chez l'homme et chez la femme?

Le groupe surréaliste passe du simple au complexe et, après avoir déterminé l'acte sexuel ordinaire, va examiner une par une ses variations extraordinaires. Les perversions sont alors mises en cause, et Breton montre que la liberté n'est pas de leur donner crédit sans discernement. Ses positions sont nuancées. L'onanisme féminin? « J'en pense le plus grand bien. J'y suis extrêmement favorable. » L'exhibitionnisme? « J'y suis hostile, mais je ne suis pas hostile à un demi-exhibitionnisme. » Le fétichisme? « J'ai une conception toute fétichiste de l'amour d'une façon générale. J'ai un grand goût cérébral pour le fétichisme en matière d'objets; mais finalement je ne m'y adonne pas du tout. »

La question des goûts intimes va être traitée avec la plus grande minutie dans les détails :

BRETON : Dans l'ordre de vos préférences, Queneau, quelles sont les attitudes passionnelles qui vous sollicitent le plus?

QUENEAU : Eh bien, la sodomie, la position dite « en levrette », le 69. Les autres indifféremment. Je pose la même question à Breton.

BRETON : La femme assise de face perpendiculairement à l'homme couché, le 69, la sodomie.

NAVILLE : Quel rôle accordez-vous aux paroles durant l'acte sexuel?

BRETON : Un rôle de plus en plus grand au fur et à mesure que je me déprave.

QUENEAU : Qu'entendez-vous par dépravation?

BRETON : Je citerai de mémoire Théodore Jouffroy : « A vingt ans, j'aimais les blondes ; à trente, je préfère les brunes : je me suis donc dépravé. »

QUENEAU : Quel est l'ordre de préférences de Naville ?

NAVILLE : Je n'en ai pas.

QUENEAU : Péret ?

PÉRET : La position dite « à la paresseuse », la femme assise de face perpendiculairement à l'homme couché, la sodomie, le 69.

QUENEAU : Tanguy ?

TANGUY : Je n'en ai pas.

PÉRET : Morise ?

MORISE : Occasionnelles et variables, suivant un système qui m'est inconnu.

BRETON : Que pense Prévert de la masturbation de l'homme devant la femme, accompagnée de celle de la femme devant l'homme ?

PRÉVERT : Je trouve cela très bien.

NAVILLE : Que penses-tu de la masturbation mutuelle ?

PRÉVERT : C'est encore mieux.

Si l'activité sexuelle est passée au crible, on n'omet pas d'étudier ce qui la conditionne et la caractérise. Aragon est celui qui demande : « Qu'est-ce qui vous excite le plus ? », et la réponse de Breton : « Tout ce qui, dans l'amour physique, est du ressort de la perversité », sera approuvée par Sadoul, Baron et Aragon lui-même. Chacun définit l'excitant par rapport à une partie du corps féminin — bouche, seins, aisselles, fesses, etc. — ou à une situation insolite :

ARAGON : Que pensez-vous du danger extérieur (par exemple de mort) pendant que vous faites l'amour ?

PRÉVERT : Cela ne peut être qu'un stimulant et les gens qui n'ont pas connu ce danger n'ont jamais fait l'amour.

BRETON : Je trouve ce propos tout à fait excessif. Il n'est pas question d'avoir la conscience du danger extérieur dans l'amour physique avec une femme qu'on aime.

On voit combien Breton pondère ses compagnons et n'admet pas les à-peu-près romantiques. Il ne s'agit pas, avec lui, de proférer n'importe quelle outrance, mais d'aller le plus loin possible sur la route de la poésie vécue. L'erreur serait de croire qu'il veut hiérarchiser le plaisir. Quand les Yougoslaves lui demanderont s'il distingue en lui des désirs « coupables, immoraux, bas » et des désirs « élevés », il répondra : « Incapable d'une hiérarchie de mes propres désirs, naturellement je ne puis non plus me connaître de désirs " élevés ". Toutefois ma sympathie, mon estime, mon admiration, vont aux êtres chez qui se manifestent librement les désirs les plus originaux et cela parce que l'exercice de la plus grande liberté subjective dans ce domaine me paraît devoir engendrer les doutes les plus salutaires sur le principe de la liberté " rationnelle ", telle qu'elle est entendue dans une société fondée pour l'inégalité, parce qu'il me paraît être pour cette société un facteur puissant de dissolution [1]. »

. Cette attitude remarquable semble en contradiction avec son point de vue sur l'homosexualité :

PÉRET : Que penses-tu de la pédérastie?

QUENEAU : A quel point de vue? Moral?

PÉRET : Soit.

QUENEAU : Du moment que deux hommes s'aiment, je n'ai à faire aucune objection morale à leurs rapports physiologiques.

Protestations de Breton, de Péret et d'Unik.

UNIK : Au point de vue physique, la pédérastie me dégoûte à l'égal des excréments, et, au point de vue moral, je la condamne.

PRÉVERT : Je suis d'accord avec Queneau.

QUENEAU : Je constate qu'il existe chez les surréalistes un singulier préjugé contre la pédérastie.

BRETON : J'accuse les pédérastes de proposer à la tolérance humaine un déficit mental et moral qui tend à s'ériger en système et à paralyser toutes les entreprises que je respecte. Je fais des exceptions, dont une hors ligne en faveur de Sade et une, plus surprenante pour moi-même, en faveur de Lorrain.

NAVILLE : Comment justifiez-vous ces exceptions?

BRETON : Tout est permis par définition à un homme comme le marquis de Sade pour qui la liberté des mœurs a été une question de vie ou de mort. En ce qui concerne Jean Lorrain, je suis sensible à l'audace remarquable dont il a fait preuve pour défendre ce qui était, de sa part, une véritable conviction.

La condamnation de l'homosexualité masculine par les surréalistes n'est donc pas une restriction puritaine. Man Ray dira : « Je ne fais pas grande distinction physique entre l'amour d'un homme avec une femme et la pédérastie. Ce sont les idées sentimentales des pédérastes qui m'ont toujours éloigné d'eux : les conditions sentimentales entre hommes m'ont toujours paru pires qu'entre hommes et femmes. »

1. *Réponse à l'enquête sur le désir*, manuscrit (Bibliothèque Jacques-Doucet).

L'intolérance (mitigée) de Breton envers l'homosexualité a été mal comprise, et l'a même fait accuser d'étroitesse d'esprit. Il est probable que s'il n'avait pas repoussé cette perversion par tempérament, il l'aurait repoussée aussi bien par diplomatie, en tant que chef d'une communauté d'hommes. On ne se doute pas du magnétisme émanant de Breton, qui faisait que certains le vénéraient, l'adoraient, se soumettaient aveuglément à ses décrets; si l'on n'avait pas su qu'il répugnait à de telles pratiques, il aurait vu venir à lui bien des adhésions suspectes et aurait essuyé d'étranges déclarations d'amour. Son intérêt pour les êtres de rencontre aurait été interprété en mauvaise part. Breton était un don Juan de l'amitié, capable de s'enthousiasmer pour un homme dont la révolte lui plaisait, puis de le planter là, quitte à revenir à lui s'il en valait la peine. L'amitié passionnée des surréalistes, sujette aux brouilles et aux raccommodements (Breton, théoricien de l'amour fou, a connu aussi la folle amitié), prêtait à assez de critiques : que n'eût-on pas dit s'ils s'étaient faits les défenseurs de l'homosexualité! L'attitude de Queneau est celle qu'on attend d'un esprit non prévenu; mais on ne peut donner tort à Breton, qui, étant donné son ascendant sur les membres du groupe, avait de plus grandes responsabilités.

Les prostituées et le bordel.

Breton est le premier écrivain qui a osé écrire : « Il ne m'est *jamais* arrivé de coucher avec une prostituée, ce qui tient, d'une part, à ce que je n'ai jamais aimé — et à ce que je ne crois pas pouvoir aimer — une prostituée; d'autre part, à ce que je supporte fort bien la chasteté, quand je n'aime pas [1]. » En lisant cette déclaration admirable à vingt ans, j'ai cru respirer une bouffée d'air pur. Tous ces fanfarons sexuels de la littérature — Montherlant, Roger Vailland, et même Henry Miller — qui racontaient comme des exploits prodigieux leurs coucheries avec des filles du trottoir me paraissaient pitoyables. Qu'ils s'y frottent, je n'avais aucune objection là contre; mais qu'ils fondent tout un art de vivre sur cette manie, qu'ils se donnent pour des foudres d'amour parce qu'ils payaient d'un billet de banque les complaisances d'une malheureuse, c'était vraiment trop facile. Seuls des êtres déchirés, éternellement insatisfaits (Baudelaire, Bataille), avaient le droit de s'en prévaloir. Le poète révolutionnaire avait une rigueur, une tenue autrement superbe; il ne méprisait pas la prostituée — puisqu'il

1. *Les Vases communicants.*

admettait qu'on pût l'aimer —, et il n'envisageait les raffinements du vice qu'avec une femme aimée, spontanément consentante.

Dans leur ensemble, les surréalistes de « l'époque raisonnante » ont été plutôt défavorables à l'amour vénal, comme en témoigne cette discussion :

BRETON : Que pense Prévert du bordel?

PRÉVERT : Cela ne m'intéresse pas beaucoup. Cela pourrait être mieux. C'est inutile.

BRETON : Queneau?

QUENEAU : C'est comme ça. Ce n'est pas très bien, mais c'est toujours ça.

BRETON : Unik?

UNIK : J'en pense le plus de mal possible.

BRETON : Morise?

MORISE : Même réponse.

BRETON : Tanguy?

TANGUY : Très, très bien.

BRETON : Naville?

NAVILLE : C'est une organisation à réformer, et qui pourrait donner de bons résultats.

BRETON : Péret?

PÉRET : Le plus de mal possible.

QUENEAU : Réflexion faite, je trouve que c'est très bien.

BRETON : Je rêve de les fermer.

NAVILLE : Pourquoi?

BRETON : Parce que ce sont des lieux où tout se paye, et aussi quelque chose comme les asiles et les prisons.

Breton est donc le plus catégorique dans la réprobation du bordel, en usant d'arguments qui font honneur à sa sensibilité. Comment approuver l'existence des bagnes de l'amour? Comment se délecter à l'idée que des femmes sont cloîtrées, asservies, pour satisfaire aux exigences bestiales des impuissants psychiques et des brutes? Et même si elles sont parvenues à un tel point de déchéance qu'elles se disent contentes de ce sort dérisoire, comment les croire sur parole?

Cependant, Aragon avait la position inverse de celle de Breton, et vantait bien haut le commerce des prostituées, en usant de brillants sophismes : « On m'accuse assez volontiers d'exalter la prostitution, et même, car on m'accorde certains jours un curieux pouvoir sur le monde, d'en favoriser les voies. Et cela ne va pas sans que l'on soupçonne l'idée qu'*au fond* je pourrais me faire de l'amour. Eh quoi,

ne faut-il pas que j'aie de cette passion un goût et un respect bien
grands, et que tout bas je crois uniques, pour qu'aucune répugnance ne
puisse m'écarter de ses plus humbles, de ses moins dignes autels[1] ? »
Aragon anathématisait les noceurs qui se rendaient en bande au
bordel, « pour la rigolade », et se flattait d'accomplir un rite : « Il ne
me vient pas à l'idée, la gauloiserie n'est pas dans mon cœur, que l'on
puisse aller autrement au bordel que seul, et grave. J'y poursuis le
grand désir abstrait qui parfois se dégage des quelques figures que j'aie
jamais aimées. Une ferveur se déploie. Pas un instant je ne pense au
côté social de ces lieux : l'expression *maison de tolérance* ne peut se
prononcer sérieusement. C'est au contraire dans ces retraites que je me
sens délivré d'une convention : en pleine anarchie, comme on dit en
plein soleil. Oasis. » Il décrira avec lyrisme son arrivée chez Mme Je-
hane, passage de l'Opéra, l'accueil de la sous-maîtresse fripée, la
traversée de l'antichambre, la convocation de ces dames, le choix de
l'élue, « une blonde, aux cheveux bouclés, avec une dent en or bien
visible sur le côté », la chambre sale, les bruits mitoyens :

« La porte s'ouvre, et vêtue seulement de ses bas, celle que j'ai
choisie s'avance, minaudière. Je suis nu, et elle rit parce qu'elle voit
qu'elle me plaît. Viens petit que je te lave. Je n'ai que de l'eau froide, tu
m'excuses? C'est comme ça, ici. Charme des doigts impurs purifiant
mon sexe, elle a des seins petits et gais, et déjà sa bouche se fait très
familière. Plaisante vulgarité, le prépuce par tes soins se déplie, et ces
préparatifs te procurent un contentement enfantin[2]. »

Aragon, qui avoua sans ambages dans les conversations sur la
sexualité ses déficiences physiologiques, cherchait en fait à y échapper
en se confiant à une sorte d'infirmière du sexe : « La femme épouse
docilement mes volontés, et les prévient, et, dépersonnalisant tout à
coup mes instincts, désigne avec simplicité ma queue, et me demande
avec simplicité ce qu'*elle* aime. »

Il y eut ainsi des surréalistes qui, loin d'imiter la conduite de Breton
à l'égard des prostituées, se firent comme Aragon les habitués des
bordels parisiens. Michel Leiris, par exemple, considérait ce genre
d'établissement comme un lieu saint, où il commettait un sacrifice
analogue à ceux qu'il étudiait en tant qu'ethnologue; René Crevel, tout
en les tenant pour des institutions infâmes de la société capitaliste, les
fréquentait, et fit un éloge de « la négresse du bordel » parce qu'il la

1. Aragon, *Le Paysan de Paris,* Paris, Gallimard, 1927.
2. *Ibid.*

trouvait apte à pervertir la bourgeoisie. Breton est le seul à manifester devant la prostitution une attitude nette et originale.

Néanmoins, Breton ne s'interdit pas de parler des prostituées dans son œuvre, en usant toujours de métaphores gracieuses. Il ne déteste pas rêver à un type idéal de prostituée angélique, comme celle qui est assise dans un théâtre : « J'aperçois, derrière la cinquième rangée de spectateurs, une femme très pâle qui s'adonne à la prostitution. L'étrange est que cette créature a des ailes [1]. » Il fait encore mieux, car il est plus aisé de nier une réalité que de concevoir ce qui doit la remplacer. Il décrit l'anti-bordel, c'est-à-dire le « lieu poétique » où les hommes et les femmes ne se rencontreront pas pour l'exploitation charnelle d'un sexe par l'autre. L'anti-bordel, qu'il se contente d'appeler l'Antre, est une maison d'accueil près de Paris, « un relais dans lequel ceux qui, d'après moi, y ont droit, pourront toujours venir prendre des idées harassantes en échange d'idées harassées ». La distribution des pièces, l'ameublement, les femmes singulières qui y séjournent, produiront « une source de *mouvements* curieux, en grande partie imprévisibles ». Le désir y sera mis en état de frustration violente : « Il sera formellement interdit, sous peine d'expulsion immédiate et définitive, à qui que ce soit, et cela en dépit de toutes les provocations auxquelles il pourra se trouver en butte, d'accomplir, dans les limites de l'encerclement par le mur du parc, l'acte de l'amour. » Au contraire du bordel, où tous sont esclaves des réalités, l'Antre est une demeure qui permet aux esprits de s'en libérer par la mise en transe.

Le libertinage poétique.

Aragon publia *le Libertinage* en 1924, l'année même du *Manifeste du surréalisme;* on pourrait croire que ce titre recouvrait un défi amoureux et qu'il affichait une préoccupation du groupe à ce moment-là. En réalité, Aragon, déjà fin lettré, utilisait le mot de libertinage au sens classique où l'emploie Mme de Sévigné, qui avoue : « Je suis tellement libertine quand j'écris que le premier tour que je prends règne tout au long de ma lettre [2]. » Libertiner, pour Aragon, c'est donc se maintenir en état de spontanéité pure, c'est laisser vagabonder son humeur, son désir, sa pensée dans la vie, comme on laisse vagabonder

1. *Poisson soluble;* voir *Manifeste du surréalisme,* suivi de *Poisson soluble,* Paris, Simon Kra, 1924.
2. Lettre du 20 juillet 1679.

sa plume dans l'écriture automatique. Les divers récits de ce livre sont des allégories, et on aurait tort d'y chercher des préceptes de morale sexuelle : « La Demoiselle aux principes » est une satire contre André Gide, « Madame à sa tour monte » est un éloge de la peinture de Matisse (symbolisée par une femme rousse nommée Matisse). Dans *Lorsque tout est fini,* histoire allégorique du mouvement dada, Clément Grindor dit : « Éléonore Farina avait plusieurs amants avec lesquels je faisais bon ménage et parfois nous allions tous ensemble aux environs de Paris déjeuner dans les bois ou sur les bords de la rivière. » Ici, Éléonore Farina représente la Poésie moderne, tout comme dans la pièce *Au pied du mur,* le Rêve est incarné par Mélanie, « une fille à tout le monde, sans doute, qui a roulé avec les rouliers, les mauvais garçons, mais qui seulement une fois a fermé les yeux de plaisir », Mélanie dont le pouvoir est supérieur à celui de trois fées, et qui déclare : « Je secoue mon manteau et voici que d'un pli tombent cent hommes et cent femmes dans le désordre du plaisir. Au réveil ils ne sauront plus le nom qu'ils auront murmuré jusqu'à l'aube. »

Mais *le Libertinage* rassemblait exclusivement des textes de l'époque dada, d'un esprit purement anarchique; le surréalisme, en réclamant que les droits du rêve soient sanctionnés d'une « preuve par l'amour », dévalorisa tout ce qui relevait de la simple débauche. Breton se prononça catégoriquement devant ses amis :

PRÉVERT : Breton, qu'entendez-vous par libertinage?
BRETON : Goût du plaisir pour le plaisir.
QUENEAU : Approuvez-vous ou réprouvez-vous?
BRETON : Je réprouve formellement.
UNIK : Pensez-vous que le libertinage chez un homme enlève à cet homme toute possibilité d'aimer?
BRETON : Sans aucun doute [1].

En conséquence de cette conviction, l'enquête sur l'amour sera formulée par Aragon et Breton contre « les spécialistes du " plaisir ", les collectionneurs d'aventures, les fringants de la volupté, pour peu qu'ils soient portés à déguiser lyriquement leur manie, aussi bien que les contempteurs et les " guérisseurs " du soi-disant amour-folie et que les perpétuels amoureux imaginaires ». Ceux-ci seront invités à se tenir à distance, leurs réponses n'étant pas dignes de figurer sous des questions qui avaient pour but de faire prendre conscience au public du « drame de l'amour ».

1. « Recherches sur la sexualité », *La Révolution surréaliste,* n° 11, mars 1928.

Toutefois, il y a eu des cas de libertinage dans le surréalisme, comme il y a eu des exceptions à la règle posée envers les prostituées et le bordel. Le principal « libertin » parmi les surréalistes de la première période fut Paul Eluard, et cela lui fut reproché par Breton et Péret aussi violemment que son stalinisme. Paul Eluard considérait le libertinage comme un piment introduit dans ses rapports avec la femme aimée, mais cela pouvait se borner au luxe équivoque de la toilette. Il écrivait à Gala en 1930, dans une ébauche de son poème « Pour une nuit nouvelle » : « Il te faudrait un manteau rouge, des bas noirs, des gants rouges, un masque rouge ; des cheveux fuyants, la tête renversée et nue sous ton manteau et moi mort à tout le reste, à tout ce qui n'est pas toi, ma vie véritable, l'amour que j'ai de tes yeux simples et doux, de tes mains bonnes et belles [1]. » Le libertinage d'Eluard dérive donc de sa conception de l'amour, et non l'inverse ; André Thirion le confirme : « La photographie de Gala nue ne quittait pas son portefeuille et il la montrait volontiers : on y voyait un corps admirable qu'Eluard n'était pas peu fier d'avoir mis dans son lit [2]. » De même, dans *Facile,* il voudra que le lecteur apprécie le corps de Nusch, photographiée nue par Man Ray. Ce que Thirion rapporte des incartades d'Eluard est de peu de conséquence : la femme de chambre dont il partagea les faveurs avec René Char, ses rapports avec la Pomme, jeune Berlinoise mariée, etc. « Il aimait le libertinage, les bordels, l'amour en groupe plutôt comme spectateur que comme acteur », ajoute le même auteur.

Le culte que le surréalisme rendait au marquis de Sade ne pouvait pas lui faire totalement décrier le libertinage. C'est d'ailleurs le premier des « sadistes », Gilbert Lély, celui qui a été encore plus loin que Maurice Heine dans la compréhension du divin marquis, que l'on peut considérer comme le seul libertin authentique du surréalisme. Ayant dit à André Breton mon admiration pour l'auteur de *Ma civilisation,* il me répondit avec indulgence et humour : « Oui, c'est un érotomane distingué. » Je l'ai entendu traiter aussi d' « érotomanes distingués » Pierre Louÿs, Henry Miller, c'est-à-dire des écrivains dont le libertinage lui semblait compatible avec la poésie. Gilbert Lély est bien supérieur à Roger Vailland, cet être sec, sans ampleur, qui n'a rien compris à Sade (comme le prouve le scénario du film *le Vice et la Vertu* qu'il fit pour Roger Vadim), et qui a mal interprété Laclos ; au contraire, Gilbert Lély est un grand lyrique, avec un enthousiasme de

1. Paul Eluard, *Livre d'identité,* Paris, Tchou, 1967.
2. André Thirion, *Révolutionnaires sans révolution,* Paris, Laffont, 1972.

feu pour le corps féminin, une gratitude infinie pour la femme qui se donne. Dans les fragments du carnet où il a noté ses conquêtes, aucune gloriole, aucun souci de domination : d'Odette, « le sexe de la liqueur », à Gilberte, « la sertisseuse du cri », de la gouvernante qui est « la belette du petit jour » à l'institutrice d'Avignon, « l'estuaire des sèves noires », il voit en toutes des « filles de la dignité du hasard », conservées dans le musée secret de sa mémoire : « Cambrées, intactes en mon cœur, comme des jeunes pompéiennes immobilisées à jamais dans l'attitude de l'amour [1]... » Rien ne surpasse le style de ses fantasmes, de ses rêves érotiques, de ses complications perverses : « Dans le cerveau de ce jeune homme il y avait un film documentaire permanent qui représentait en gros plans les infidélités de sa maîtresse, tandis qu'un haut-parleur déclamait sans cesse le théorème XXXV de l'Éthique [2]. » Un surréaliste peut être libertin, mais alors, il l'est à la façon de Gilbert Lély, avec une flamme poétique qui le consume et éclaire au loin l'univers inconscient.

A la fin de sa vie, Breton relâcha un peu son opposition rigoureuse au libertinage, montrant par de discrètes allusions qu'il jugeait la femme en objet de plaisir. Quand il commenta la lettre de la femme-fleur, en février 1955, il dit : « Elle émane d'une femme qui fut jadis non pas mon amie — il s'en faut de beaucoup — mais ma maîtresse comme on ne craignait pas de dire alors, et c'était autrement exaltant. Elle avait dans l'amour un côté *fusée*. Nous nous sommes séparés il y a si longtemps dans les pires termes — sur une crise de jalousie, d'ailleurs totalement injustifiée de sa part [3]. » Je crois que Breton n'aurait pas fait auparavant une telle considération sur le « côté fusée » d'une maîtresse, qui ne déparerait pas un livre libertin.

En fait, il y a toujours eu un libertinage visuel chez Breton, qui s'est accusé dans son âge mûr. L'homme le plus fidèle en amour, le plus fervent au culte d'une femme élue, est susceptible de libertinage visuel, qui consiste à posséder du regard de jolies passantes, à les déshabiller presque involontairement en imagination comme pour comparer leur corps à celui de l'être désiré. Breton a dit combien il était sensible à « la personne collective de *la* femme, telle qu'elle se forme, par exemple, au cours d'une promenade solitaire, dans une grande ville », combien il était séduit, entraîné hors de lui-même, par « le mystère toujours assiégeant des variétés de corps qui se laissent deviner [4] ». Ce

---

1. *Ma civilisation*, Paris, l'auteur, 1949.
2. *Ibid.*
3. *Perspective cavalière.*
4. *Les Vases communicants.*

libertinage visuel, se nourrissant de figures de rencontre, utilisera savamment les sensations d'art, et aboutira au conseil inattendu qu'il donne aux amateurs de la peinture de Pierre Molinier : « Ces tableaux souffrant incontestablement au voisinage de tous les autres, qu'un homme jeune ou dans la force de l'âge, libre d'attache, voire une femme quitte de tout préjugé, emporte pour quelques jours *les Dames voilées, Cosmac, Comtesse Midralgar* ou *Eunazus* dans le secret d'une chambre d'hôtel (sans l'exposer au regard des domestiques) : il nous en dira des nouvelles [1] ! »

L'amour indivisible, l'amour admirable.

Breton a revendiqué « une certaine conception de l'amour unique, réciproque, réalisable envers et contre tout », et il a avoué lui-même qu'il se l'était formée dès sa jeunesse et qu'il l'avait défendue, « plus loin peut-être qu'elle n'était défendable, avec l'énergie du désespoir ». En réalité, il a d'abord cru à l'amour unique, et il n'y a introduit qu'après coup la notion de réciprocité, au moment où commença sa liaison avec Suzanne Muzard. En janvier 1928, il déclare : « Il est nécessairement réciproque. J'ai longtemps pensé le contraire, mais j'ai récemment changé d'avis [2]. »

Il fut amené à douter de la réciprocité de l'amour à cause, d'une part, de son aventure avec Nadja, où il prit tardivement conscience qu'elle l'aimait, alors qu'il avait pour elle un intérêt purement poétique ; d'autre part, de la passion sans espoir que Robert Desnos avait nourri jusque-là pour la chanteuse Yvonne George. Passion ardente, merveilleuse de Desnos, qui le liait d'un lien mystique à celle dont il disait : « Ce n'est pas une femme, c'est une flamme, elle est mieux qu'intelligente : sensible, plus que belle : émouvante », et qui lui faisait rendre compte ainsi, dans le journal *le Soir,* d'un de ses récitals : « Elle paraît et des yeux qui n'avaient jamais pleuré pleurent, la poésie morte dans la plupart des cœurs avec la vingtième année se réveille tyrannique et miraculeuse, l'amour trahi ou méconnu pose sa main fatidique sur l'épaule des assistants et remémore le chemin parcouru et le carrefour où l'on bifurqua [3]. »

Quelques critiques se sont étonnés de ce que Breton, théoricien de l'amour unique, se soit marié trois fois, démentant ainsi que la vie

1. *Le Surréalisme et la Peinture,* Paris, Gallimard, 1965, édition définitive, revue et augmentée.
2. « Recherches sur la sexualité ».
3. *Yvonne George ou la Main de gloire* (Bibliothèque Jacques-Doucet).

puisse être vouée à l'adoration d'un même être. A ses trois femmes successives — Simone, Jacqueline et Élisa — à qui il a dédié des poèmes et des livres, comme si chacune marquait une étape importante de son accomplissement amoureux, s'ajoutent aussi, dans les périodes intermédiaires, les noms de Suzanne Muzard, de Valentine Hugo, ou de Marcelle (*dite* Lila) que l'on rencontrait encore après guerre aux réunions du café de la place Blanche. Il y eut aussi son idylle platonique avec Thérèse Treize, qui rêvait d'habiter 13, rue Thérèse et dont il comparait le rire à un galop de cheval sauvage. Les ennemis de Breton ont beau jeu de voir là une contradiction entre la théorie et la pratique. C'est parce qu'ils se font une idée simpliste de l'amour unique, supposant qu'il s'agit de l'union de deux êtres qui se sont pris vierges tous deux, et qui se conservent une fidélité invariable jusqu'à la mort. C'est là une situation idéale qu'un homme et une femme, soumis aux erreurs, aux repentirs, n'atteignent que bien rarement. Du reste, les romantiques, à commencer par Senancour, ont fait valoir que l'amour unique était souvent réalisé après un ou deux essais malheureux. On ne peut pas demander au surréalisme de rétrograder, d'aller en deçà des positions conquises par le romantisme. Breton s'est beaucoup préoccupé d'étudier la compatibilité entre l'amour unique et les amours successives. « Ce que j'ai aimé, que je l'aie gardé ou non, je l'aimerai *toujours* », a-t-il dit [1].

L'enquête sur l'amour, en décembre 1929, a été publiée dans *la Révolution surréaliste* quand Breton, séparé de sa première femme, vivait avec Suzanne Muzard. Le questionnaire posé — à savoir, entre autres, si l'on ferait à l'amour le sacrifice de sa liberté, si l'on consentirait par calcul à l'absence de l'être aimé —, s'achevait sur cette mise en demeure : « Croyez-vous à la victoire de l'amour admirable sur la vie sordide, ou de la vie sordide sur l'amour admirable? » Breton ne répondit pas à cette enquête, mais écrivit sous la réponse de Suzanne Muzard : « Aucune réponse différente de celle-ci ne pourrait être tenue pour la mienne. » L'opinion de Suzanne Muzard est assez curieuse, car elle dit : « Je ne désire pas être libre, ce qui ne comporte aucun sacrifice de ma part. L'amour tel que je le conçois n'a pas de barrière à franchir ni de cause à trahir. »

C'est Suzanne Muzard, selon Aragon, qui inspira le poème « l'Union libre », cet hymne inoubliable où la passion charnelle d'un homme pour une femme est portée à son point d'incandescence. Mais on doit tenir compte que ce poème a paru en 1931, alors que celle-ci

---

1. *L'Amour fou.*

avait quitté Breton, et qu'il l'a mis en librairie sans nom d'auteur, comme s'il s'agissait du chant anonyme de l'amour humain. Aragon, poète de circonstance s'il en fut, était incapable de comprendre cet élan du particulier à l'universel. « L'Union libre » est un poème adressé à une femme idéale, *à venir,* et la preuve en est que Breton l'a offert à celle qu'il a aimée après Suzanne Muzard et avant Jacqueline Lamba. Il existe un exemplaire de « l'Union libre » ainsi dédicacé par lui : « A Marcelle, ma femme ici prédite, la liberté continuant à n'être que la connaissance de la nécessité [1]. » Marcelle, qui partagea assez peu de temps la vie du poète, fut par la suite la compagne de l'écrivain surréaliste Jean Ferry; je ne fais cette révélation que pour mettre fin, une fois pour toutes, aux élucubrations concernant « l'Union libre », où l'on voit trop souvent un hymne inspiré par une créature existante.

En revanche, on peut constater dans *les Vases communicants* qu'à partir de sa rupture avec Suzanne Muzard (qu'il appelle X), il fut amené à reconsidérer des problèmes qu'il croyait résolus. Pour la première fois, l'initiative de rompre ne venait pas de lui : il était plaqué, comme on dit, dans des circonstances humiliantes, parce qu'il était trop pauvre pour assurer à sa compagne la sécurité matérielle [2]. Le désarroi qui en résulte lui révèle combien est grave l'absence d'amour dans la vie d'un homme; il est alors en état de *manque,* comme un drogué privé de sa drogue, condamné à traverser le monde en somnambule blessé à mort. Breton, interdit d'amour, erre désemparé dans Paris, prêt à se raccrocher à n'importe quelle passante; il tente de faire passer, à une jeune fille aperçue dans un café, une carte où il la demande en mariage; il se promène une rose rouge à la main, pour l'offrir à celle qui la mérite le mieux; il va jusqu'à aborder huit femmes de suite, faubourg Poissonnière, sans même les choisir, rien que pour s'assurer que tout est encore possible.

Il commença d'écrire *l'Amour fou* au début de 1934, dans l'intention

1. Cet exemplaire se trouve à la Réserve de la Bibliothèque nationale. « L'Union libre » est une plaquette oblongue, tirée à soixante-quinze exemplaires, dont dix sur japon nacré, et soixante-cinq sur papier couché mat gris. L'achevé d'imprimer est du 10 juin 1931. L'exemplaire de la Nationale porte le numéro 24.

2. André Thirion décrit ainsi Suzanne Muzard : « Elle était versatile, coquette, frivole, prête à des aventures alors que le caractère exclusif de Breton ne lui permettait que les tentations. Breton était trop lucide, trop intellectuel et trop passionné pour une telle femme » (*Révolutionnaires sans révolution,* p. 278).

de concilier théoriquement les contradictions qui s'opposent à l'expansion de l'amour unique. Il veut repousser le conflit, combattre le sentiment de malédiction qui affectent les rapports de l'homme et de la femme, « l'esprit s'ingéniant à donner l'objet de l'amour pour un être *unique,* alors que dans bien des cas les conditions sociales de la vie font justice d'une telle illusion ». Il illustre cette difficulté par le fantasme qui lui fait voir, sur une scène du théâtre mental : « Un rang de femmes assises, en toilettes claires, les plus touchantes qu'elles aient portées jamais. La symétrie exige qu'elles soient sept ou neuf. Entre un homme... Il les reconnaît : l'une après l'autre, toutes à la fois? Ce sont les femmes qu'il a aimées, qui l'ont aimé, celles-ci des années, celles-là un jour. Comme il fait noir! » L'homme peut donc aimer « sept ou neuf fois » dans sa vie, ce qui implique qu'il sera sept ou neuf fois un autre (au reste, le même fantasme représente aussi ces hommes assis, et échangeant ensemble des propos « singulièrement décousus »). Breton avoue qu'il n'y a « rien de plus pathétique au monde » que cette situation d'un homme revoyant en mémoire les femmes qu'il a aimées, les hommes qu'il a été en aimant : « L'intéressé — dans tous ces visages d'hommes appelé pour finir à ne reconnaître que lui-même — ne découvrira pareillement dans tous ces visages de femmes qu'un visage — le *dernier* visage aimé. » Breton admet que « ce jeu de substitution d'une personne à une autre, voire à plusieurs autres », est commandé par la recherche d'un type physique défini « en qui viendraient se composer un certain nombre de qualités particulières tenues pour plus attachantes que les autres et appréciées séparément, successivement, chez les êtres à quelque degré antérieurement aimés ». Pour qu'on puisse encore parler d'amour unique et non pas de libertinage, il ne faut pas aimer plus de « sept ou neuf fois » dans sa vie, et seulement si cela est justifié par la quête du Toi absolu.

A peine venait-il d'écrire son premier chapitre qu'il fit la connaissance, le 29 mai 1934, de Jacqueline Lamba, et que la théorie de l'amour fou allait trouver son immédiate application. L'idée de prédestination en devint le ressort primordial, du fait qu'il reconnut, dans un poème écrit auparavant, avoir annoncé cette rencontre, la promenade qu'ils firent tous deux la nuit jusqu'aux Halles, et même la qualité d'ondine de la jeune femme, qui effectuait alors un numéro de natation dans un music-hall. Breton épousa Jacqueline Lamba le 14 août 1934, et rédigea pour ses amis un faire-part sur papier vert. Une photo peu banale commémora cette journée. Dans un bois aux environs de Paris, Breton organisa un pique-nique avec les deux témoins, et sa femme se mit nue pour poser à côté d'eux une scène imitant *le Déjeuner sur l'herbe* de Manet ; ce fut Man Ray qui photographia ce tableau vivant [1].

Il fit un voyage avec elle à Ténérife, et là, dans le jardin de la Orotava, il la compara aux fleurs tropicales, diverses et pourtant ramenables à l'unité du merveilleux : « Parce que tu es unique, tu ne peux manquer pour moi d'être toujours une autre, une autre toi-même. A travers la diversité de ces fleurs inconcevables, là-bas, c'est toi changeante que j'aime en chemise rouge, nue, en chemise grise. » La notion d'amour fou comporte une rencontre sous les auspices de l'insolite ; un affrontement sexuel d'un lyrisme éperdu engageant les ressources du règne animal, du règne végétal, du cosmos : « La chambre emplie de duvet de cygne que nous traversions tout à l'heure, que nous allons retrouver, communique sans obstacle avec la nature. » Les amants tendent à « retrouver la grâce perdue du premier instant où l'on aime », et dans les poèmes de *l'Air de l'eau*, Breton va aussi montrer qu'il s'agit d'une découverte permanente :

> J'ai trouvé le secret
> De t'aimer
> Toujours pour la première fois

L'amour fou n'est possible que si l'on sait varier indéfiniment les plaisirs que procure la femme unique :

> Je caresse tout ce qui fut toi
> Dans tout ce qui doit l'être encore
> J'écoute siffler mélodieusement
> Tes bras innombrables
> Serpent unique dans tous les arbres
> Tes bras au centre desquels tourne le cristal de la rose des vents
> Ma fontaine vivante de Sivas

« J'entends justifier et préconiser, toujours plus électivement, le *comportement lyrique* tel qu'il s'impose à tout être, ne serait-ce qu'une heure durant l'amour », disait Breton. Et tous ses amis ont fourni des exemples de ce comportement lyrique, même quand ils se sont séparés de lui, tant il avait su leur en donner la nécessité profonde.

---

1. J'ai appris de Jacqueline Lamba elle-même l'existence de cette photo du *Déjeuner sur l'herbe*, mais elle ne la possédait pas. Et il n'était pas question de l'obtenir de Man Ray qui, voulant qu'on le considère comme un peintre, refusait de rien laisser sortir de ses archives photographiques. J'espère qu'elle sera exhumée un jour.

Les métamorphoses de la femme.

Il y a une « vision surréaliste de la femme », et il ne faut pas la réduire à la conception de la « femme-enfant » exprimée dans *Arcane 17*. Les auteurs qui, comme Simone de Beauvoir, ont fait grief à Breton d'avoir célébré la femme-enfant, ne se sont pas avisés que c'était là une conviction d'homme mûr. Sa rencontre à New York avec Élisa, quand il avait quarante-sept ans, la motiva. Il faut une virilité en pleine maturité, ayant fait la fusion entre courant de tendresse et courant de sensualité, pour s'exalter à cette image féminine ; ce n'est pas l'idéal d'un jeune homme, et aussi bien les surréalistes dans leur jeunesse ont admiré un tout autre type de femme. On doit comprendre d'abord qu'il y a eu une évolution affective et théorique, qui a mené le surréalisme de Rrose Sélavy et la Femme 100 têtes à Splendeur, en passant par Artine, Appliquée et la Poupée de Hans Bellmer ; ensuite, que Breton n'a pas forgé une notion arbitraire qu'il a imposée à tout son groupe, mais qu'il a tiré une conclusion qui lui semblait évidente de l'orientation récente de ses amis ; d'autres surréalistes ont évoqué la femme-enfant encore mieux que lui.

« Le problème de la femme est au monde tout ce qu'il y a de merveilleux et de trouble », disait le *Second Manifeste du surréalisme*. Dès l'époque dada, le groupe de *Littérature* apprécie surtout en la femme celle qui apporte le *trouble* et le *merveilleux* dans la société. Le trouble sexuel, en premier lieu, ce qui est normal pour des poètes dont la moyenne d'âge est de vingt-cinq ans ; et le merveilleux de la beauté, de l'élégance vestimentaire ou du scandale, qui sont d'ailleurs les meilleures possibilités de la femme pour créer chez les hommes un état de saisissement ou de ravissement. En aucun cas, ils n'y ont vu une idole exigeant d'eux une prosternation dévotieuse : « Si nous nous mettons encore à genoux devant la femme, c'est pour lacer son soulier », affirmait Breton en 1920[1]. Elle est *l'égale,* mais aussi *la différente*. On ne doit la traiter ni grossièrement, ni idéalement. Les surréalistes se séparèrent de Joseph Delteil qui déclarait brutalement : « La peinture est une femme : ce que je lui demande en premier lieu, c'est qu'elle me fasse jouir[2]. » La femme n'est pas un objet de consommation ; elle n'est pas destinée à faire jouir, mais à faire rêver. La jouissance est envisagée ensuite, comme une conséquence du rêve qu'elle inspire et d'autant plus intense que ce rêve a été plus engageant.

Le type initial, chez Breton et ses amis, est la femme-sphinx,

1. « Jacques Vaché », *Les Pas perdus.*
2. Joseph Delteil, *Mes amours... spirituelles,* Paris, Messein, 1926.

souvenir de Gustave Moreau dont il dira encore à soixante-trois ans :
« Nul n'a su faire jaillir du creuset de sa longue légende la Femme plus
pernicieuse et plus belle [1]. » Elle a pour effet de mettre l'homme dans
un état d' « extraordinaire nostalgie », comme la prostituée aux yeux
violets qu'il rencontra avec son père lorsqu'il était enfant, à l'angle des
rues Réaumur et de Palestro : « Jamais plus par la suite, et peut-être
était-ce fort heureux, car je ne me fusse plus soucié d'autre chose en
elle, ni en une autre, je ne m'étais retrouvé devant un pareil sphinx [2]. »
Pourtant, évoquant la jeune fille de la rue Bonaparte, aperçue aussi par
Aragon, il parle de « l'irrésistible appel qui nous porta, Aragon et moi,
à revenir aux points mêmes où nous était apparu ce véritable
sphinx [3] ». La femme-sphinx introduit l'irrationnel dans la vie de
l'homme infatué de logique et d'action pragmatique. Elle passe, et tout
l'édifice des « bonnes raisons » s'écroule. Devant elle, le plus expérimenté, le plus sûr de lui perd ses certitudes. « La légende d'un homme ?
Le premier collégien venu, je te dis. Mais c'est moi qui suis la légende,
le mystère et l'enivrement », dit « la femme française » à son amant [4].
A la femme-sphinx sont apparentées la fée, la Chimère, toutes celles
près de qui l'on oublie qu'elles peuvent être mères, sœurs ou épouses, et
soumises à la nécessité. En 1925, la plus jeune recrue du groupe
surréaliste, Jacques Baron, dans son roman *Décadence de la vie*,
abonde en ce sens : « Les femmes ne sont pas des êtres ordinaires dont
on s'imagine la pire horreur. Enfantement, maladies, servitude. Les
femmes ne sont pas ces femmes laides ni même les femmes laides. Elles
n'ont pour elles que la joie du jour des larmes de la lune ou la pluie des
déluges d'acier. Femmes parfaites du temps et de l'espace, habillées
d'églantines ou de liscrons, femmes maudites au front pur, à l'œil clair.
Femmes accourues au bord de la Seine de l'Orient comme un sang
d'une belle rougeur [5]. »

Après la femme-sphinx, les surréalistes ont révéré au début du
mouvement la Perturbatrice, la Révoltée, quels que soient les moyens
qu'elle emploie, mais d'autant mieux si ces moyens sont érotiques ; celle
que Breton désigne comme « l'ennemie de la société » et qu'il appelle
intentionnellement Solange (pour indiquer qu'elle est un *ange* qui
touche le *sol*, qui a les pieds sur terre) ; ou celle que Balzac appela la
Belle Noiseuse, sujet du portrait auquel le peintre du *Chef-d'œuvre*

1. *Lexique succinct de l'érotisme*, Paris, Le Terrain vague, 1971.
2. *Les Vases communicants*.
3. *Nadja*, Paris, NRF, 1928.
4. Aragon, *Le Libertinage*, Paris, NRF, 1924.
5. *La Révolution surréaliste*, n° 5, octobre 1925.

inconnu a consacré sa vie. La Belle Noiseuse, qui cherche noise, ou qui apporte noise involontairement, voilà le modèle qu'instinctivement ils revendiquent, et auquel ils rendent hommage quand ils en rencontrent une incarnation dans la vie. Breton admira en Nadja « un principe de subversion totale, plus ou moins conscient », et fit de ce principe une des séductions de la femme.

La mise à l'honneur des Perturbatrices justifie l'éloge des hystériques, telles qu'elles sévirent à la Salpétrière dans le service du docteur Charcot, dont Aragon et Breton louèrent « les attitudes passionnelles, soi-disant pathologiques, qui leur étaient, et nous sont encore, humainement, si précieuses [1] ». Elle justifie également l'intérêt pour les criminelles, que l'on défendra contre l'opinion si elles ont été animées par Perturbation. « Je trouve le crime admirable, mais l'assassin me dégoûte », disait un dadaïste (Picabia). Un surréaliste dira plutôt : « Le crime me dégoûte, mais la criminelle m'excite. » Le premier numéro de *la Révolution surréaliste* contient, sur toute une page, la photo de Germaine Berton qui a assassiné Plateau, un Camelot du Roy, entourée par les photos des surréalistes comme d'autant de chevaliers servants. Pourtant, elle a un faciès de mégère assez déplaisant, avec un rictus très prononcé ; mais c'est une Noiseuse, à qui son acte met une auréole. Aragon, au nom de tous, s'incline respectueusement, et, désapprouvant les anarchistes qui l'applaudissent parce qu'elle sert leur cause, non parce qu'elle se révolte, salue « cette femme *en tout admirable* qui est le plus grand défi que je connaisse à l'esclavage, la plus belle protestation élevée à la face du monde contre le mensonge hideux du bonheur » [2].

Bien des fois, les surréalistes ont levé leurs boucliers pour défendre une Perturbatrice, mais jamais plus ardemment que dans la plaquette consacrée à Violette Nozières, qui avait tué son père par qui elle avait été violée. Breton demanda à plusieurs poètes de s'associer à lui pour composer cette guirlande votive de poèmes, et dans le sien, il attaque violemment la famille, la société, l'amant de rencontre à qui elle tenta en vain de se confier :

> Dans un lit un homme qui t'avait demandé le plaisir
> Le don toujours incomparable de la jeunesse
> Il a reçu ta confidence parmi tes caresses

1. *La Révolution surréaliste,* n° 11, mars 1928. Divers instantanés d'une hystérique en crise, sous le titre : *Les attitudes passionnelles en 1878,* illustrèrent ce texte commémorant le cinquantenaire de l'hystérie.
2. *La Révolution surréaliste,* n° 1, décembre 1924.

Fallait-il que ce passant fût obscur
Vers toi n'a su faire voler qu'une gifle dans la nuit blanche [1]

Le surréalisme s'est également préoccupé de l'action des femmes imaginaires sur les hommes, et il a même cru aux succubes. Le problème du succubat a été posé par Aragon, repris par Breton, discuté en groupe, appuyé sur des exemples personnels [2] ; il fut admis que la succube était une démone venant hanter les nuits de son élu, qu'elle soit l'émanation psychique d'une femme réelle, la concrétisation d'une femme inventée par un poète, ou toute autre apparition née dans une hallucination hypnagogique. On décrivit des créatures qui étaient des variétés de succubes, comme les « polaires » de Georges Malkine : « A l'heure où l'heure se demande, j'entrouvris la main d'une passante magnifique. Elle était d'origine polaire, et toujours sur le point de s'enfuir ou de parler. Quand l'habitude parut la rassurer, elle commença de me conduire. Mes innombrables questions muettes la développaient à mes yeux débutants, et lui faisaient, selon la question, un chemin de bure ou d'écarlate [3]. » La croyance aux succubes fut si durable en Breton qu'il en donnera plus tard une définition de dictionnaire :

« *Succube :* Créature féminine de tentation qui hante l'autre versant de la vie, celui qu'on aborde les yeux fermés. Bien que décrite d'ordinaire d'aspect répulsif, elle peut être admirablement belle. Quoi qu'il en soit, il est peu probable qu'aucun homme soit à même de se soustraire à ses avances, qu'elle choisisse de l'épuiser dans ses bras ou de lui fausser compagnie en chemin. Identifiables parmi les succubes Mmes d'Uctil, d'Ouçamer, la D'Ilu, etc. [4] »

Qu'elle soit sphinx, révoltée, perturbatrice, succube, la femme n'était pas considérée en fonction d'un âge précis. On verra se former, à l'époque de *Minotaure,* une imagerie du fruit vert, de la fillette perverse, qui trouvera son apothéose dans *la Poupée* de Hans Bellmer.

Le premier surréaliste à introduire le thème de la femme-enfant fut

1. « Violette Nozières », *Poèmes.*
2. Voir ce que je dis du succubat dans *le Surréalisme et le Rêve,* Paris, Gallimard, 1974, p. 169-173.
3. Georges Malkine, « Texte surréaliste », *La Révolution surréaliste,* n° 1, décembre 1924.
4. *Lexique succinct de l'érotisme.* Mlle Olla a-t-elle été une succube hantant Breton ? Il a mentionné sous les récits de rêves qu'il publia dans *Littérature* (mars 1922) : « sténographie de Mlle Olla ». J'ai fait une enquête pour savoir qui était Mlle Olla et personne, pas même Simone Collinet, n'a pu me dire de qui il s'agissait.

Paul Eluard qui, dès ses premiers recueils, n'a pas caché son goût des
vierges. Dali, en décrivant son fantasme de Dulita, a mis à l'honneur
une petite compagne de jeux érotiques. Mais l'influence prépondérante
fut celle de Bellmer, qui illustra par une photo de petites filles nues
Appliquée d'Eluard, par des dessins de nymphettes *Œillades ciselées en
branche* de Georges Hugnet. Sa *Poupée* est une représentation de
« l'objet aimé », combinant toutes les attitudes désirables, solution
idéale aux frustrations ; il avait d'ailleurs, quand il l'a fabriquée, une
cousine-poupée, une femme-poupée.

Enfin, des jeunes filles, en adhérant au surréalisme, lui communi-
quèrent un sens nouveau de la féminité ; Méret Oppenheim avait vingt
ans lorsqu'elle exposa pour la première fois en 1933 avec les
surréalistes ; une écolière de quinze ans, en 1935, Gisèle Prassinos,
commença à charmer le groupe par ses poèmes automatiques ; Léonora
Carrington devint à dix-neuf ans, en 1936, l'amie de Max Ernst qu'elle
suivit de Londres à Paris, et s'exprima tout de suite en des tableaux et
des récits merveilleux. La conception de la femme-enfant s'est donc
formée à la faveur des jeunes filles, pleines de génie poétique et de
révolte, qui se joignaient au mouvement.

Dans *Arcane 17* (1944), Breton développa l'idée du salut de
l'humanité par la femme-enfant, mais il n'en fit pas une question d'âge ;
il ne songeait pas à confier le monde aux décisions d'une fillette, Alice
ou Lolita. Celle qu'il venait de rencontrer dans son exil à New York,
Élisa, bien que plus jeune que lui, n'était pas une enfant ; elle avait déjà
été mariée, avait perdu récemment une fille adolescente et restait
meurtrie de ce grand chagrin. Il y a, dans maints passages d'*Arcane 17*,
une exhortation tendre à la résurrection du cœur ; Breton veut
convaincre la bien-aimée du pouvoir de la « jeunesse éternelle », la
consoler en lui montrant que sa fille n'est pas tout à fait morte,
puisqu'elle se continue en elle. Par une analogie des plus touchantes, il
réunit dans une même image ces deux êtres. Il isole une certaine qualité
de l'esprit féminin, qui illumine son physique, même dans la maturité,
et communique à son entourage un rayonnement fécond. C'est à Élisa
qu'il expose tout d'abord sa théorie de la femme-enfant, pour lui
prouver de quel charme elle dispose sur lui. Puis, par induction, il en
arrive à se dire que la Seconde Guerre mondiale n'aurait peut-être pas
eu lieu si de telles femmes étaient intervenues auprès des hommes :
« Quel prestige, quel avenir n'eût pas eu le grand cri de refus et
d'alarme de la femme, ce cri toujours en puissance et que, par un
maléfice, comme en un rêve, tant d'êtres ne parviennent pas à faire
sortir du virtuel. » On doit tout espérer de la femme, tout préparer

pour lui permettre de s'exprimer : « Le temps serait venu de faire valoir
les idées de la femme aux dépens de celles de l'homme, dont la faillite
se consomme assez tumultueusement aujourd'hui. » Évidemment, cette
œuvre de régénération ne sera pas conduite par de simples femelles,
complices serviles du sérieux patriarcal, ou par celles qui s'insurgent
contre les hommes en copiant les hommes ; il faut que la femme
apporte des vues qui lui sont propres, *auxquelles jamais l'homme
n'aurait pu penser tout seul.* « Je choisis la femme-enfant non pour
l'opposer à l'autre femme, mais parce qu'en elle et seulement en elle me
semble résider à l'état de transparence absolue l'*autre* prisme de vision
dont on refuse obstinément de tenir compte. » C'est une femme en qui
se sont conservés intacts l'anarchie de l'enfance, sa perversité poly-
morphe, son innocence, son don d'émerveillement. Ce qui la définit
échappe à la pensée masculine : félinité, rêverie active, feu intérieur,
« espièglerie au service du génie », « calme étrange parcouru par la
lueur du guet ».

On voit donc combien se trompent lourdement ceux qui prétendent
que le poète a voulu assigner comme sort à la femme des occupations
puériles, ou le babillage insensé d'Ophélie. On ne doit pas oublier
quelle place Breton faisait à l'enfance, symbole de la « vraie vie ».
Seule la femme a assez de finesse naturelle pour prolonger l'état
d'enfance dans l'état d'adulte, et c'est en cela qu'elle se distingue de
l'homme qui, vers sa vingtième année, perd sans espoir ses grâces
premières. Elle n'a d'efficacité qu'en tant qu'elle le rappelle, par sa
présence, à l'ordre de tout ce qu'il n'est pas. C'est pourquoi le
surréalisme n'a jamais accepté de faire l'éloge de la « travailleuse »,
c'est-à-dire de la femme aliénée par nécessité économique ; contestant
violemment que le travail soit la « noblesse » de l'homme, il ne va pas
croire que « désaliéner » la femme c'est l'accabler de devoirs profes-
sionnels, l'enrégimenter, lui mettre un uniforme, en faire la chienne de
garde d'un système dogmatique. Il proclame qu'elle n'est jamais plus
libre que dans la vacance et la disponibilité de son être. « Ton
désœuvrement m'emplit les yeux de larmes », dit Breton à l'aimée, loin
de la considérer comme une ménagère [1]. Et ailleurs, observant les
jeunes ouvrières qui, dans les rues, sortent du travail comme d'un
cauchemar : « Sous la blouse de coutil qui est encore un moule,
l'ouvrière parisienne au chignon haut regarde tomber la pluie du
plaisir [2]. »

1. *L'Air de l'eau*, Paris, Cahiers d'art, 1934.
2. *Poisson soluble.*

La plus belle apparition de femme-enfant du surréalisme se trouve sans conteste dans *Un balcon en forêt*, le roman de Julien Gracq. Le lieutenant Grange, affecté pendant la guerre à la maison forte des Hautes Falizes, au bord de la Meuse, rencontre sous la pluie, en traversant la forêt des Ardennes, ce qui lui semble une petite fille vêtue d'une pèlerine à capuchon et chaussée de bottes de caoutchouc. Intrigué, amusé par sa démarche de gamine faisant l'école buissonnière, il la suit : « C'est une fille de la pluie, pensa Grange en souriant malgré lui derrière son col trempé, une fadette — une petite sorcière de la forêt. » Quand il l'aborde, il apprend avec stupéfaction qu'elle est veuve : « Elle avait épousé au début de l'année un jeune médecin qui, sans doute étonné de sa beauté, l'avait enlevée sans plus attendre aux bancs de son collège : deux mois après il l'avait laissée veuve. » Mona l'emmène dans sa maison, une ancienne ferme où elle vit avec sa servante Julia, une autre femme-enfant ; il est en face de « deux démones rieuses ». Elle le tutoie immédiatement, lui fait prendre le thé, lui demande d'ôter ses bottes ; dès qu'il chauffe dans ses mains ses pieds froids, les baise, elle s'abandonne : « Soudain Mona détendit ses reins d'une secousse affolée de gibier dans le piège, et se renversant sur le divan l'attira contre elle de ses deux mains ; il sentit sa bouche sur la sienne, et contre lui tout un corps de femme, lourd et gorgé, ouvert comme une terre enfondue. » Enfant par ses attitudes — elle fait toujours ses prières avant de se coucher —, femme par ses désirs, elle apportera à Grange un sentiment de libération, de fraîcheur : « Quand Mona s'éveillait, avec cette manière instantanée qu'elle avait de passer de la lumière à l'ombre (elle s'endormait au milieu d'une phrase, comme les très jeunes enfants), cinglé, fouetté, mordu, étrillé, il se sentait comme sous la douche d'une cascade d'avril [1]. » Celui qui ne comprend pas la conception de la femme-enfant de Breton doit lire *Un balcon en forêt* de Gracq : il verra comment une telle créature entraîne son élu dans le « château étoilé ».

Le couple, la famille.

Dans le surréalisme, le but suprême pour lequel un couple se constitue n'est pas la procréation. Éluard et Nusch, Desnos et Youki, Dali et Gala, Aragon et Elsa, et d'autres encore, furent des couples sans enfant, dont l'entente ne fut pas fondée sur la création d'une famille. « Adulte, je n'ai jamais pu supporter l'idée d'avoir un enfant,

---

1. Julien Gracq, *Un balcon en forêt*, Paris, Corti, 1956.

de mettre au monde un être qui, par définition, ne l'a pas demandé et qui finira fatalement par mourir, après avoir, à son tour, procréé », écrivait Michel Leiris [1]. Les surréalistes dénoncèrent « le plus répugnant poncif des magazines idiots, l'image de la maman qui appelle *papa* son amant légitime, et cela dans le seul but de prélever sur cet homme un impôt [2] ». Ils n'ont jamais tenu pour enviable et même honorable le sort du couple promenant sur les routes sa progéniture braillante, avec accompagnement de belles-mères, de beaux-pères, d'oncles, de tantes et de cousins ; quand on rencontre une de ces tribus du dimanche, on surprend parfois dans les yeux du mari ou de la femme une vague détresse, comme si l'un ou l'autre pensait que leur aventure humaine pourrait avoir des perspectives plus vastes. Beaucoup d'êtres attendent, sans le savoir, l'avènement de l'Harmonie de Fourier. Enfin, la plupart des membres du groupe eurent à affronter des conflits familiaux qui leur firent mettre en accusation les notions de père et de mère. Le beatnik Allan Ginsberg, invoquant sans cesse sa maman dans ses poèmes, qui ressemblent de ce fait à des vagissements de nouveau-né, est un piètre révolté en regard des surréalistes, qui poussent de véritables cris de révolte, n'épargnant pas ce que Dali nommait « la chambre des parents, non ventilée le matin, dégageant l'affreuse puanteur d'acide urique, de mauvais tabac, de bons sentiments et de merde [3] ». La révolte est avant tout un refus des conditions de la naissance, et s'attaque aussi bien aux contingences de la vie privée qu'à celles de la vie publique.

Breton, s'il a engagé ses amis à cribler de sarcasmes la famille, n'est pas celui qui a écrit contre elle les déclarations les plus fracassantes. Aragon, il faut le dire, le surpassa en violence quand, dans sa *Réponse aux flaireurs de bidet*, il chanta le plaisir stérile, ou quand, s'en prenant à l'enfant que le cercle de famille applaudit, il conspua ce lieu commun attendrissant :

> Cependant le gosse obligatoire
> Celui qui faisait bien sur les pas du papa
> Ce petit suintement de pipi hors des langes
> Ce chialement qui fait dire aux voisins à tour de rôle
> Merde et le gentil enfant
> Cette chiure ambulante qu'on fagote afin
> De l'exhiber aux relations le dimanche

1. *L'Âge d'homme*, Paris, Gallimard, 1946.
2. « Hands off love », *La Révolution surréaliste*, nᵒˢ 9-10, octobre 1927.
3. Salvador Dali, *La Femme visible*, Paris, Éd. surréaliste, 1930.

A pris doucement forme humaine et malhabile
Commence l'œil vague à se branler
La tête pleine d'images interdites de lueurs [1]

Évidemment, tout le monde n'a pas l'audace de s'affranchir de cette loi de nature, et il est bon de proposer aussi une ligne de conduite à ceux qui s'y soumettent. Breton lui-même a souhaité avoir un enfant, avec sa deuxième femme Jacqueline, mais quand sa fille Aube est née en 1936, il lui écrivit une lettre à lire dans la fleur de l'âge, pour lui préciser : « Vous saurez alors que tout hasard a été rigoureusement exclu de votre venue, que celle-ci s'est produite à l'heure même où elle devait se produire, ni plus tôt, ni plus tard. » Le poète a l'impression qu'un être ne peut se sentir satisfait de sa naissance que si ses parents lui affirment : « Dans l'amour le plus sûr de lui, un homme et une femme vous voulaient. » Ce n'est pas le souci de fonder une famille qui l'anime, mais une exigence de son tempérament de créateur : « Vous êtes issue du seul miroitement de ce qui fut assez tard pour moi l'aboutissement de la poésie [2]. »

Il est faux de soutenir, comme Xavière Gauthier, que l'amour surréaliste a été motivé par « le désir de reconstitution de l'Androgyne primordial [3] ». Le mythe du retour à l'Androgyne, qui a beaucoup servi aux poètes de la Renaissance et du romantisme allemand, n'est pas un mythe usuel du surréalisme. Breton s'y est référé une fois, en passant ; il ne s'agit pas d'une découverte qu'il a faite dans sa jeunesse et qui l'a obsédé. Il n'en parle même pas dans *Arcane 17,* où pourtant il définit le couple comme « un seul bloc de lumière », qui « déjoue tout facteur de division par sa structure même », et se caractérise « par cette propriété qu'entre ces composantes existe une adhérence physique et mentale à toute épreuve ». Il n'est pas question ici que l'homme et la femme deviennent ensemble un archange à deux sexes. Trois surréalistes ont accordé de l'importance à l'Androgyne : René Crevel, Antonin Artaud et Victor Brauner. Aucun d'eux ne s'en est servi pour s'expliquer l'amour et justifier la formation du couple. René Crevel a parlé de son « hermaphroditisme psychologique » pour dire qu'il se

1. Aragon, *La Grande Gaieté*, Paris, Gallimard, 1926.
2. Il existe une première version de la lettre à Écusette de Noireuil, encartée dans l'exemplaire-reliquaire de *l'Amour fou,* offert par Breton à sa femme, contenant des souvenirs du voyage aux Canaries, et relié par Georges Hugnet avec une incrustation de miroir au signe de Vénus.
3. Xavière Gauthier, *Surréalisme et Sexualité*, Paris, Gallimard, « Idées », 1971. Cet ouvrage, dépréciateur jusqu'à l'ineptie, témoigne d'une haineuse incompréhension du surréalisme.

sentait homme et femme à la fois, et de ce fait, voué à des aventures sentimentales d'une grande ambivalence. Antonin Artaud, hanté par un complexe de castration, a envisagé l'avènement d'un être solaire, pareil à Héliogabale, en qui les principes mâle et femelle seraient également actifs. Il s'agissait d'une théorie de la personnalité, qui permettait à l'individu un épanouissement cosmique, non d'une théorie de l'amour. Quant à Victor Brauner, il a représenté souvent l'Androgyne dans les tableaux de sa période hermétique, en le prenant pour symbole de la conciliation des contraires. Il est bon qu'une telle précision soit faite, puisqu'on a été jusqu'à dire que Duchamp était un panégyriste de l'Androgyne, sous prétexte qu'il s'est déguisé en Rrose Sélavy [1] ; il ne faut pas ainsi mélanger les thèmes romantiques et surréalistes. L'Androgyne est une exception dans le surréalisme, et il n'y symbolise pas l'état idéal de fusion d'un couple ; il y est évoqué dans un sens alchimique, ou décrit comme la possibilité suprême de l'individualisme.

C'est l'idée d'égrégore, plutôt que celle d'androgyne, qui rend compte de la valeur du couple surréaliste. Pierre Mabille appelait *égrégore*, selon les hermétistes, l'être moral formé par la réunion de plusieurs personnes ; le couple est l'égrégore réduit à sa plus simple expression, et il est exemplaire parce qu'on y observe ce qui est souhaitable dans une civilisation. Le couple n'est pas *l'individu parfait*, mais *la société élémentaire*. Au lieu d'être l'assemblage de deux moitiés qui se recollent, il est la synthèse de deux antinomies par une interaction dialectique. Il y a donc une dynamique permanente du couple, où le rôle de chaque partenaire est nettement défini : l'homme doit porter la femme au sommet, et la femme doit éveiller en l'homme le désir de cette ascension commune, et la stimuler de diverses façons. Ce que Breton résume en indiquant qu'ils vont ensemble vers « un point sublime dans la montagne », tout en précisant qu'il n'est pas possible de se fixer à demeure en ce point, qu'il est déjà admirable de s'élever sans jamais le perdre de vue.

L'érotisme léonin.

L'érotisme, dans les écrits de Breton, a été poétique avant d'être théorique, attestant la prééminence de l'univers sensible sur l'univers

---

1. Se déguiser en femme est une plaisanterie typiquement dadaïste. Man Ray, à quatre-vingt-deux ans, m'a montré une photo de groupe prise dans une *party*, en me défiant de trouver où il était. Et devant mon hésitation, il me désigna triomphalement une vieille dame assise sur un canapé : c'était lui, grimé à s'y méprendre.

intelligible. Il affleure en ses poèmes comme la veine d'un filon inépuisable. L'érotique, chez un poète, tient aux images par lesquelles il évoque le nu féminin et réévalue l'acte sexuel. Or, Breton procède par touches délicates, discrètes, en n'appuyant jamais sur le trait, comme s'il aspirait à rester à la limite de l'émerveillement. Il veut montrer que la conjonction physique des amants est une cérémonie magique, non une prise de corps. Il cherche à lever un coin du rideau qui le sépare d'un théâtre de lumières. « L'érotique-voilé », dont Breton a fait un des trois caractères de la beauté convulsive, réside plutôt dans le dévoilement rapide et furtif de la chair. L'érotique-voilé consiste en « l'adorable leurre qu'est, au musée Grévin, cette femme feignant de se dérober dans l'ombre pour attacher sa jarretelle et qui, dans sa pose immuable, est la seule statue que je sache avoir des *yeux :* ceux mêmes de la provocation [1] ». Il a pour symbole « une fleurette, toujours la même, échappée à une *toile de Jouy* idéale, celle qui, dans la langueur des rues, étoile par surprise la pointe d'un sein [2] ».

Son blason du corps féminin nous révèle, mieux que ses réponses à des enquêtes, les zones d'attraction de son érotisme. Les seins et les cuisses lui sont les parties les plus délectables. Le sein est agressif, il quête insolemment le regard, la cuisse est passive, on y parvient insidieusement par le chemin de la jambe : « La jambe parfaite, très volontairement découverte par le croisement bien au-dessus du genou, se balançait vive, lente, plus vive dans le premier pâle rayon de soleil — le plus beau — qui se montrait de l'année [3]. » Le poème à Violette Nozières s'achève sur l'évocation d'une femme « assise les jambes en x sur une chaise jaune ». L'homme est ainsi pris au piège des cuisses, et placé en attente devant un sexe floral. Parlant des femmes de Molinier, il les compare à ses fleurs, et il subodore « le parfum de leurs cuisses, d'autant plus ravissantes que damnantes d'hybridité [4] ». La mise à nu d'un corps de femme est comme la visite d'un jardin d'outre-monde : « On assiste à un fabuleux " strip-tease " découvrant une gaine de noctuelles au repos sous une combinaison de cristaux de neige. Tous les astres se sont mis de la partie : à la caresse rêvée les seins dardés comme crête de coq de roche, sur chaque ongle le rubis d'une lèvre, le pubis rendant à Lautréamont le regard si appuyé qu'il lui donna [5]. »

1. *Nadja.*
2. « Pierre Molinier », *Le Surréalisme et la Peinture.*
3. *Les Vases communicants.*
4. « Pierre Molinier ».
5. « Svanberg », *Le Surréalisme et la Peinture.*

Dans « l'Union libre », où les beautés de la femme sont détaillées une à une, la lecture du poème correspond à un regard de haut en bas et de bas en haut sur son corps : Breton va de « la chevelure de feu de bois » jusqu'aux « pieds d'initiales », de là remonte « au cou d'orge imperlé » pour redescendre « au sexe d'algue et de bonbons anciens », et après s'y être attardé, revient définitivement « aux yeux d'eau pour boire en prison », afin d'y trouver la réponse à cette prise de possession visuelle. « L'Union libre » exprime la double lecture du corps féminin par l'homme désirant : lecture du corps habillé, avec insistance sur ce qui reste visible (tête, mains, taille, jambes); puis, lecture de la nudité (poitrine, ventre, dos, hanches, fesses, sexe). Ces deux lectures corrélatives se terminent sur la rencontre des yeux, c'est-à-dire par une lecture de pensée où le lecteur est lu à son tour.

Je pense que le comportement amoureux d'un homme, les théories qu'il se forge sur la sexualité, dépendent de l'emblème animal par lequel il les symbolise. La sexualité est une invasion de l'animalité dans la vie humaine, aussi, quand un homme évoque l'acte sexuel, il le rapporte *inconsciemment* à ce que font deux animaux ensemble, et la qualité de ce qu'il ressent est liée en quelque sorte à cette image. Pour certains, l'acte sexuel est ainsi représenté par un coq cochant une poule, un étalon saillissant une jument, un chien couvrant une chienne; cet acte leur paraît sale ou magnifique, rapide ou lent, délicieux ou douloureux, en fonction du bestiaire qui lui correspond. Or, pour Breton, l'acte sexuel a été d'abord symbolisé par l'accouplement de deux hermines, ensuite par le coït du lion. « Le souvenir impérissable que j'ai gardé d'un coït de lion auquel j'ai assisté lors d'une visite au jardin zoologique d'Anvers (comment oublier le spasme splendide de la lionne blessée, à l'inimaginable cri de laquelle répond un grondement unique provenant à la fois de toutes les cages environnantes) [1]. » L'admiration qu'il a pour le coït du lion nous explique pourquoi il prétend à la dignité dans une situation où l'on accepte ordinairement de la perdre; il veut bien que l'acte sexuel soit l'exercice de l'animalité, à condition que ce soit celle de l'animal noble.

Ayant pour emblème le coït du lion, Breton estimera qu'un tel phénomène est indescriptible. Il n'écrira pas de livres totalement érotiques comme Aragon, qui publia sous le manteau *Voyageur, le Con d'Irène* et *1927* (ce dernier en collaboration avec Man Ray et Benjamin Péret), ni même comme Robert Desnos dont *la Liberté ou l'Amour* fit

1. *Trajectoire du rêve*, Paris, GLM, 1938.

l'objet de poursuites judiciaires. Son texte le plus « érotique » est sa description des trente-deux positions amoureuses, dans *l'Immaculée Conception* qu'il écrivit avec Eluard :

« 1. Lorsque la femme est sur le dos et que l'homme est couché sur elle, c'est la *cédille*.

2. Lorsque l'homme est sur le dos et que sa maîtresse est couchée sur lui, c'est le *c*.

3. Lorsque l'homme et sa maîtresse sont couchés sur le flanc et s'observent, c'est le *pare-brise*.

4. Lorsque l'homme et la femme sont couchés sur le flanc, seul le dos de la femme se laissant observer, c'est la *Mare-au-Diable*. »

Et la suite. Ces « positions », recherches d'accords surprenants entre le mot et la chose, ne sont pas des exercices gratuits ; il y a un plaisir mental dans le plaisir physique, et il est accru par l'emploi déréglé du langage. Il en ressort clairement que l'érotique chez Breton, au même titre que le don passionnel de soi, est une poétique ; il le suggère par un choix de mots purs, et d'images exaltant l'œuvre de chair comme un poème.

Le « *cynisme sexuel* ».

Parmi les consignes données par Breton à ses amis, celle de « braquer sur l'engeance des « premiers devoirs » l'arme à longue portée du cynisme sexuel », dans le *Second Manifeste du surréalisme,* pourrait prêter à confusion. Aucun surréaliste, Breton encore moins que les autres, n'a jamais été cynique ; ils avaient de trop belles natures pour cela. Ce que cette phrase préconise en fait, c'est d'exprimer la passion amoureuse avec tant de violence, sous des formes si agressives, qu'elle éclate à la face de la société inique et médiocre comme un chant séditieux. Toutes les audaces verbales seront permises. Cependant, on ne trouvera pas trace chez Breton de ce « cynisme sexuel ». Benjamin Péret publia des récits obscènes assez extraordinaires, *l'Auberge du « Cul volant »* (dans *Littérature* de mai 1922) et *les Rouilles encagées* (dont le titre est fondé sur une contrepèterie). Breton, quant à lui, ne se départit pas de son parler noble et grave, tout au moins dans ses écrits : il lui arriva, dans des incidents de rue, de s'emporter avec autant de rudesse que de morgue.

Le cynisme sexuel est une arme noire, au même titre que l'humour ; il vise d'abord à opposer aux impératifs sociaux (politiques, religieux, etc.)

les besoins de plaisir de l'individu ; ensuite, à délivrer les rapports amoureux de leur empois sentimental. Il éclate dans les premiers recueils d'Aragon, en particulier dans le poème inspiré par sa rupture avec Nancy Cunard. Il brille de tout son éclat chez Jacques Rigaut, soit dans l'évocation des attitudes de son Lord Patchogue, soit dans l'histoire de ses propres relations avec Mme X. Salvador Dali associa le cynisme sexuel à la scatologie, allant jusqu'à déclarer dans *la Femme visible* : « On aime intégralement quand on est prêt à manger la merde de la femme aimée. » Son poème « l'Amour et la mémoire », célébrant sa rencontre de Gala, « femme violente et stérilisée », est imprégné de ce cynisme sexuel qui ne rabaisse pas l'amour, mais veut lui donner une expression brutale, spasmodique, l'identifiant à la révolte la plus ardente.

Les grands principes susdits de l'amour surréaliste, on les retrouve développés aussi fortement dans la troisième période du mouvement, qui s'étend de l'Exposition internationale du surréalisme de 1947 à la galerie Maeght jusqu'à celle de 1965 à la galerie de l'Œil. A son retour des États-Unis, André Breton se préoccupait de pousser ses anciens amis et ses récents adeptes à créer un « mythe nouveau » impliquant une « initiation ». Je suis bien placé pour en témoigner, puisqu'en 1947 Breton me désigna comme le porte-parole de la jeunesse dans le groupe, et me fit répondre plusieurs fois à ce titre aux enquêtes de la presse et de la radio [1]. Il m'invita par lettre à participer à cette exposition de Maeght, en me demandant d'y exprimer les idées sur « la mystique érotique » dont je lui avais fait part [2]. J'étais un hypersurréaliste, contre le mariage, la procréation, la famille, la religion, la politique, tout ; je recommandais le célibat des poètes, l'union libre des amants sur la base de « l'érotisme dialectique », c'est-à-dire en perpétuel devenir. Quand je me dégageai de l'aventure collective, je traduisis une partie de ces idées dans un roman, *l'Homme des lointains,* dont le héros Simon Fontainier, un « libertin moderne », mène avec une des héroïnes, Constance Tessigny, « l'expérience du non-amour ».

1. Notamment à l'enquête sur l'avenir du surréalisme menée par Francis Dumont dans *la Gazette des lettres* (5 avril 1948).
2. Cf. Sarane Alexandrian, « Amour, révolte et poésie », dans *le Surréalisme en 1947* (Éd. Maeght). Ce manifeste, avec sa juvénile outrance, attira sur moi l'attention de Georges Bataille, qui m'écrivait : « J'avais été frappé de lire, dans une publication surréaliste, un texte de vous qui montrait une aptitude à serrer les problèmes inévitables, mais bien souvent évités. » D'autres auteurs remarquèrent mon manifeste : Ferdinand Alquié le mentionna dans sa *Philosophie du surréalisme*, Claude Mauriac en cita un extrait dans son *André Breton*.

Ils décident que leurs relations seront circonscrites à l'érotisme pur, et qu'ils se sépareront lorsque l'un des deux sera tenté de dire à l'autre : « Je t'aime. » La rupture aura lieu lors du Bal de la Contradiction, organisé par un financier cosmopolite, où chaque invité doit se déguiser en ce qu'il ne voudrait pas être ; c'est là que Constance, déguisée en religieuse, a une crise de jalousie devant Simon en smoking (car ce qu'il ne voudrait pas être, c'est lui-même), qui subit les sollicitations d'une jeune fille travestie en bébé. Le pacte se dénoue à regret entre ces deux êtres convaincus de la grandeur du célibat à deux et ne voulant pas s'aliéner l'un à l'autre [1].

La position de Breton, dans sa dernière période, est éclairée par de rares textes : le poème « Sur la route de San Romano » qui pose en principe l'identité de l'étreinte poétique et de l'étreinte de chair, la préface au *Concile d'amour* d'Oscar Panizza, où il redéfinit le rapport de l'amour et du désir. Son rôle se concentre, plus que jamais, à influer sur un groupe, à être le catalyseur des recherches des autres. Son influence occulte s'étendit sur des œuvres aussi différentes que les poèmes d'Octavio Paz ou ceux, d'un érotisme cruel et exaspéré, de Joyce Mansour. C'est la présence de Breton qui se profile derrière l'*Anthologie de l'amour sublime* de Benjamin Péret, où celui-ci définit l'amour sublime comme une force quasi mystique, qui s'oppose à la religion, particulièrement au christianisme, et qui tend à « sexualiser l'univers ». L'amour fou est devenu, avec l'assentiment de Breton, l'amour sublime, *qui se substitue à toutes les formes du sacré :* « Jusqu'ici l'humanité n'a conçu qu'un seul mythe de pure exaltation, l'amour sublime, qui partant du cœur même du désir vise à sa satisfaction totale. C'est donc le cri de l'angoisse humaine qui se métamorphose en chant d'allégresse. Avec l'amour sublime, le merveilleux perd également le caractère surnaturel, extra-terrestre ou céleste qu'il avait jusque-là dans tous les mythes [2]. »

Sur le plan de l'action commune, le surréalisme de l'après-guerre a eu des initiatives qui valent bien les « recherches sur la sexualité » des années héroïques : l'enquête sur le strip-tease en 1958, l'Exposition internationale sur l'érotisme en 1959 et l'enquête sur les représentations

---

1. Dans la version initiale, des scènes associaient le dandysme sexuel à l'obsession de la mort et illustraient la fondation d'une religion orgiaque. L'éditeur, en raison de leur audace, me demanda de retrancher les quatre chapitres qui les contenaient. Tel qu'il est, on peut regarder ce roman comme une synthèse de l'amour dada et de l'amour surréaliste.

2. Benjamin Péret, *Anthologie de l'amour sublime*, Paris, Albin Michel, 1956.

érotiques en 1964. L'enquête sur le strip-tease comportait six questions, soit trois questions pour les hommes, et trois pour les femmes. Parmi les réponses des hommes, à qui l'on demandait si le strip-tease était plus apte à « éveiller l'appétit érotique » que le livre ou le cinéma, et surtout : « Le strip-tease vous découvre-t-il une marge de tentation qu'avec la complicité de la femme que vous aimez vous pourriez envisager de donner — ou souhaiteriez donner à votre vie intime », on doit distinguer celle de Bellmer qui réprouvait le strip-tease auquel il préférait les films « totalement obscènes » à condition d'y assister en compagnie féminine, car ils ont « un effet explosif à retardement, libérant et de longue portée heureuse sur les variations de la vie intime à deux ». Aux femmes, il fut demandé si elles tiraient une leçon du strip-tease, si elles s'identifiaient à la strip-teaseuse et si elles prendraient plaisir au dévêtement méthodique d'hommes sur scène. Méret Oppenheim répondit : « C'est là un spectacle agréable comme une visite au zoo... Mais de même qu'on n'a pas besoin d'enlever la fourrure d'un animal pour voir qu'il est beau, une femme (ou un homme) n'a pas moins d'attrait pour moi lorsqu'il est habillé(e). » Et Joyce Mansour : « Je me rends dans ces endroits en général enfumés, mal éclairés et moites des puérils désirs anonymes, mue uniquement par cet implacable instinct de piraterie qui caractérise les kleptomanes [1]. » Françoise de Ligneris, Nora Mitrani, Michèle Perrein, Monique Watteau, Nelly Kaplan, apportèrent aussi des vues exprimant la révolte poétique féminine.

Le but de l'Exposition internationale du surréalisme de 1959, chez Daniel Cordier, réalisée sur le thème de l'érotisme, était de « faire porter l'accent sur les œuvres, tant du passé que du présent, qui gravitent autour de la tentation charnelle ». On le voit, l'érotisme était pris dans le sens antichrétien d'éloge de la tentation. Breton adopta le point de vue de Bataille sur la transgression de l'interdit, mais refusa d'y inclure les séquelles de la croyance au péché, et insista sur la nécessité d'éliminer du langage érotique « les mots qui sentent mauvais » (selon une expression qu'il emprunte à Alcide Bonneau) : « C'est bien seulement à ce prix que l'érotisme, sauvé de la honte, peut revendiquer la place majeure à laquelle il a droit. Ces mots — les représentations qu'ils entraînent – –, notre plus grand souci aura été de les bannir de cette exposition [2]. »

L'allégorie centrale de l'Exposition de l'érotisme était le Festin

1. *Le Surréalisme même*, n° 4, printemps 1958.
2. *Le Surréalisme et la Peinture*.

cannibale, groupe de figures de cire représentant des convives assemblés pour manger un repas servi sur une femme nue. Méret Oppenheim, auteur de ce groupe, était irritée des articles où l'on parlait à ce propos d' « humour noir », de « femme-objet de consommation ». Elle s'en est plainte à moi dans une lettre intéressante : « Ce festin, qui était pour moi une chose importante, ne suscite que des malentendus. » Et elle m'expliqua son intention précise : « Le dîner sur la femme nue était une fête de printemps. Autour de la femme-table, il y avait autant de femmes que d'hommes. A la fête originale (la femme était une vraie femme, pas un mannequin), la table était parsemée de petites anémones blanches (des bois) et elle s'est passée en avril. Si on tient à analyser l'idée, cela va plutôt vers " la terre qui nous nourrit " [1]. »

Dans le lexique de *Boîte alerte* accompagnant le catalogue de cette exposition, Breton choisit de définir les mots : fétichisme, Freud, Gustave Moreau, scabreux, succube. Tout ce qui lui tenait à cœur, en somme. Telle fut sa définition du scabreux : « Ce qui côtoie tout au long le précipice, l'évitant de justesse pour en entretenir le vertige. Exemple : l'intenable, l'inoubliable fin du premier acte des *Détraquées* de P.-L. Palau (19 février 1921). » Le scabreux est donc une valeur qui va au-delà de l'érotique-voilé, y ajoute une sensation de perdition.

L'enquête sur les représentations érotiques, en 1964, montre encore l'intérêt que Breton accordait, deux ans avant sa mort, à ce genre d'investigations [2]. Elle cherchait à cerner « l'espoir de cette fusion du réel et de l'imaginaire dont la rencontre des amants forme l'allégorie ». La première question entrait dans le cœur du sujet : « Comment se caractérisent vos représentations imaginaires dans l'acte d'amour? Justifient-elles un jugement de valeur? Sont-elles spontanées ou volontaires? Se succèdent-elles dans un ordre fixe? Lequel? » Les trois autres questions étaient pour savoir si ces représentations interféraient avec la conscience objective du partenaire, si elles nourrissaient le « spectacle intérieur » et si elles avaient une relation avec la création poétique. Les réponses de Jacques Abeille, Jacques Brunius, Gérard Jarlot, Roger Cardinal, Pierre Molinier, Pieyre de Mandiargues, Jean Malrieu, Thérèse Plantier, Philippe Sollers, aidèrent à expliciter ces phénomènes.

Ainsi, il existe un amour surréaliste, comme il y a eu un amour courtois, un amour précieux, un amour romantique, comportant une sélection de valeurs, un ensemble complexe de problèmes débattus, de

1. Lettre du 8 mai 1973.
2. *La Brèche,* n° 6, juin 1964. Cette enquête fut dirigée par le poète Vincent Bounoure.

solutions proposées, une ligne idéologique illustrée par une variété d'exemples personnels fascinants. Cet amour surréaliste est sans doute ce que le XXe siècle laissera aux temps futurs de plus exaltant pour déterminer les relations de l'homme et de la femme. Breton tenait à marquer sa différence avec « les poètes romantiques, qui semblent pourtant s'être fait une conception moins dramatique que la nôtre ». La conception surréaliste est plus dramatique, parce qu'elle met en jeu les forces agissantes du désir, qu'elle croit que la chair a ses raisons qui font pièce à la raison. Ce qui caractérise le romantisme, c'est l'amour-passion; le surréalisme, spécifiquement, est défini par l'amour-désir, « cet amour où le désir porté à l'extrême ne semble amené à s'épanouir que pour balayer d'une lumière de phare les clairières toujours nouvelles de la vie [1] ». Le plaisir des sens y est la voie d'une connaissance approfondie de l'Autre, et d'une conciliation de l'univers intérieur et de l'univers extérieur.

1. *L'Amour fou.*

9

Georges Bataille
et l'amour noir

> Un au-delà insensé souvent nous déchire
> alors que nous semblons lascifs.
>
> BATAILLE

Lorsque Georges Bataille publia *l'Érotisme,* vers la fin de sa vie, cet événement revêtit presque aussitôt une double signification : d'une part, il apparut que ce livre riche et austère contenait l'une des plus belles méditations philosophiques sur ce sujet; d'autre part, on y découvrit le couronnement de son œuvre, qui révélait à travers un tel écrit sa cohésion profonde et son sens définitif. Georges Bataille a été le grand *jeteur d'idées* de la littérature contemporaine; il écrivait comme on jette les dés ou les sorts. Il s'ensuivit un enseignement dispersé, fait d'éclats de pensée et de ruptures de langage, d'illuminations opaques et d'obscurités radieuses. Dans ces confessions haletantes, ces discours fragmentés et explosifs, tout ce qui avait trait à l'érotique semblait ressortir à une expérience exceptionnelle et ne valoir qu'en fonction de la personnalité de l'auteur. Il eut des formules éblouissantes, obsédantes : « L'acte sexuel est dans le temps ce que le tigre est dans l'espace [1] », ou : « La nudité féminine aspire à la nudité mâle aussi avidement que le plaisir à l'angoisse [2] »; mais on croyait que, ce disant, il parlait de lui ou pour lui. Notamment, son association constante de la volupté et de la mort pouvait passer pour l'exagération personnelle d'un attrait fatal : « Ma rage d'aimer donne sur la mort comme une fenêtre sur la cour [3]. » Or, dans *l'Érotisme,* toutes ces réflexions particulières se sont fondues dans des considérations générales, applicables à l'humanité dans son ensemble : « La sexualité et la mort ne sont que les moments aigus d'une fête que la nature

---

1. *La Part maudite,* Paris, Éd. de Minuit, 1949.
2. *Le Coupable,* Paris, Gallimard, 1944.
3. *Sur Nietzsche,* Paris, Gallimard, 1946.

célèbre avec la multitude inépuisable des êtres, l'un et l'autre ayant le sens du gaspillage illimité auquel la nature procède à l'encontre du désir de durer qui est le propre de chaque être [1]. » Dans les deux cas, il s'agit d'une « dissolution » que Bataille explicite dans une remarquable analyse phénoménologique du continu et du discontinu : « Nous sommes des êtres discontinus, individus mourant isolément dans une aventure intelligible, mais nous avons la nostalgie de la continuité perdue. Nous supportons mal la situation qui nous rive à l'individualité de hasard, à l'individualité périssable que nous sommes... Cette nostalgie commande chez tous les hommes les trois formes de l'érotisme [2]. » Les différents états qu'il distingue — l'érotisme des corps, l'érotisme des cœurs et l'érotisme sacré — impliquent chacun à leur façon « l'arrachement de l'être à la discontinuité ». Par conséquent, quand il affirme : « Essentiellement, le domaine de l'érotisme est le domaine de la violence, le domaine de la violation », il le justifie en établissant qu'il est, comme la mort, destructeur : « Toute la mise en œuvre érotique a pour principe une destruction de l'être fermé qu'est à l'état normal un partenaire de jeu [3]. »

Georges Bataille a été le fils de l'inquiétude et du tourment. Né en 1897 dans le Puy-de-Dôme, la vision de son père aveugle et paralytique fut, dans son enfance, un spectacle atterrant qui accentua son sens du tragique. Élevé dans l'athéisme, il crut trouver un apaisement à son instabilité en se convertissant jeune au catholicisme; malade et réformé lors de la Première Guerre mondiale, il songea même à devenir moine. Il y renonça pour entrer à l'École des Chartes, afin d'être archiviste paléographe. Après avoir perdu la foi dans un éclat de rire en 1920 — épisode qu'il a raconté d'une façon inoubliable dans *l'Expérience intérieure* —, il fit un séjour en Espagne, et il revint à Paris occuper un poste à la Bibliothèque nationale. Ses amitiés littéraires, ses travaux, ne l'empêchèrent pas de connaître une période de dépression, dont il ne sortit qu'en se faisant psychanalyser. Il fonda la revue *Documents* (1929-1931), à laquelle se rallièrent les surréalistes en dissidence avec Breton. Ensuite, soucieux de politique, il adhéra au « Cercle communiste démocratique », de tendance antistalinienne, et publia dans l'organe de ce groupe de remarquables études sur le fascisme, la philosophie de Hegel, la notion de dépense. A la disparition de ce Cercle, il organisa en 1935 le mouvement « Contre-attaque » en vue de réunir les intellectuels de gauche. Puis, se détournant de l'action

1. *L'Érotisme*, Paris, Éd. de Minuit, 1957.
2. *Ibid.* — 3. *Ibid.*

politique, il voulut créer une société secrète antichrétienne, dont le programme d'inspiration nietzschéenne est reflété dans les quatre numéros d'*Acéphale*. Il y proclamait la nécessité de l'extase et de l'amour extatique, par mépris de la réalité immédiate : « Un monde qui ne peut pas être aimé à en mourir — de la même façon qu'un homme aime une femme — représente seulement l'intérêt et l'obligation au travail. S'il est comparé avec les mondes disparus, il est hideux et apparaît comme le plus manqué de tous [1]. » Dans le même état d'esprit, il contribua à la fondation du « Collège de sociologie ». Toutes ces tentatives se perdirent au début de la Seconde Guerre mondiale. En 1942, une atteinte de tuberculose le contraignit à quitter la Bibliothèque nationale pour s'installer à Vézelay. Ses dons d'animateur se retrouvèrent à l'origine de la revue *Critique*. Ce ne fut qu'en 1949 qu'il rentra en fonction, d'abord comme conservateur de la Bibliothèque de Carpentras, puis à partir de 1951 de celle d'Orléans, où il demeura attaché jusqu'à sa mort en 1962.

Son intense liberté de morale fut ainsi d'autant plus saisissante qu'elle s'inscrivit dans les conditions d'existence d'un homme d'études. Bataille est parti d'une méditation torturée sur l'animalité, source d'horreur et de délectation morose. Pour l'être pensant, qui tend à la pure intelligence, l'animalité est un scandale, une chute inévitable et non consentie ; elle l'entraîne à des actes qui compromettent sa dignité ; elle égare l'esprit dans les exigences malpropres du corps. Les premiers écrits de Bataille (*W.-C.* — dont le manuscrit devait brûler —, *Histoire de l'œil, l'Anus solaire*) exposèrent cette vérité avec violence. Il la commente dans un curieux article, « Le gros orteil », où il dénonce la honte et le dégoût qui s'attachent aux pieds, dont on fait des emblèmes d'animalité, alors qu'ils assurent la station debout. Décrivant les coutumes de pudeur de certains peuples anciens, et dans les temps modernes « l'hilarité provoquée communément par la simple imagination des orteils », il y voit le signe d'une opposition entre le monde du ciel représenté par la tête, et le monde de la boue dans lequel pataugent les pieds : « La vie humaine comporte en fait la rage de voir qu'il s'agit d'un mouvement de va-et-vient de l'ordure à l'idéal et de l'idéal à l'ordure, rage qu'il est facile de passer sur un organe aussi *bas* qu'un pied [2]. » Au lieu d'oublier les contingences du corps, la pensée de Bataille s'y attarde, approfondit et cultive le malaise qu'elles introduisent dans l'art de vivre. Sans assimiler la chair au péché, comme un théologien, il insiste sur son caractère souillant et souillé ; il veut qu'on

1. « La conjuration sacrée », *Acéphale*, n° 1, 1936.
2. Paru dans *Documents*, 1929.

y songe avec effroi, car « l'accroupissement » conteste l'élan de l'être
vers les cimes : « Nous nous abîmons, écartant les jambes, béant le plus
possible, à ce qui n'est plus nous, mais l'existence impersonnelle,
marécageuse, de la chair [1]. » Ce qui donne un attrait ténébreux aux
relations charnelles, c'est précisément l'impossibilité de nier les
fonctions excrémentielles : « L'horreur de l'excrétion faite à l'écart,
dans la honte, à laquelle s'ajoute la laideur formelle des organes,
constitue l'obscénité des corps — zone de néant qu'il nous faut
franchir, sans laquelle la beauté n'aurait pas le côté suspendu, mis en
jeu, qui nous damne [2]. » L'exaltation de l'amour a ceci de prodigieux
qu'elle nous fait assumer notre animalité, non plus comme une
diminution, mais comme une jouissance; par conséquent, éprouver
l'extase de l'animalité et agir en amant exalté sont synonymes : « L'acte
d'amour entier serait de me mettre nu dans la nuit, dans la rue, non
pour une femme attardée mais pour un impossible à vivre moi seul
dans un silence sûr. Je ferais là l'inavouable, différent de ce que je puis
dire en quelque insignifiance vulgaire, à laquelle on ne penserait pas. Je
pourrais déféquer, me coucher là et pleurer [3]... »

Georges Bataille, philosophe de la dépense et de la transgression, a
déployé en tous ses livres une extraordinaire ontologie de la nudité.
Aucune philosophie, avant lui, n'avait étudié avec cette profondeur la
signification de la mise à nu dans la vie humaine. On croit
généralement que la nudité exprime la plénitude de l'état naturel; ainsi,
les belles femmes nues qu'on exhibe dans les magazines, dans les films,
sont offertes comme des fruits de chair correspondant à un appétit des
hommes, aussi concret que la faim. Rien de tel chez Bataille : il a
toujours présenté la nudité comme une déchirure de l'être. Le fait de se
mettre nu, d'être nu, est selon lui une cérémonie pathétique où se
produit le passage de l'humanité à l'animalité; et le besoin de
contempler le nu n'est que le besoin angoissé de se rassurer sur ses
propres origines. La nudité se définit par « l'inachèvement »; elle
donne aux individus une sensation d'être « inachevés » qui favorise la
communication : « L'illusion de l'achèvement donnée — humainement
— en la personne d'une femme habillée, à peine est-elle en partie
dénudée : son animalité devient visible et sa vue délivre en moi mon
propre achèvement... Dans la mesure où les êtres semblent parfaits, ils
demeurent isolés, refermés sur eux-mêmes. Mais la blessure de
l'inachèvement les ouvre. Par ce qu'on peut nommer inachèvement,

1. *Sur Nietzsche.*
2. *Ibid.*
3. *Le Petit,* Paris, Pauvert, 1963, nouvelle édition.

animale nudité, blessure, les divers êtres séparés *communiquent*, prennent vie en se perdant dans la *communication* de l'un à l'autre [1]. » Devant la nudité, Bataille éprouve un sentiment sacré, où la fascination se mêle à l'épouvante : « La nudité fait peur : notre nature en entier découlant du scandale où elle a le sens de l'horrible... Ce qui s'appelle *nu* suppose une fidélité déchirée, n'est qu'une réponse tremblée et bâillonnée au plus trouble des appels [2]. » Toutes les réactions de Bataille, en face d'un corps nu, sont des réactions poignantes, allant du désarroi au désir douloureux. Il ne peut en rire, même s'il cherche à le profaner par une analogie comique; il évoque gravement : « La dure et lumineuse nudité du derrière, indiscutable vérité de falaises au creux de la mer et du ciel [3]. » Son héros Dianus, dans *l'Impossible*, aperçoit la voluptueuse E. prostrée sur le tapis de sa chambre, dénudée dans un corset de dentelles noires : « Les bras, les jambes et la chevelure rayonnant de tous côtés, déroulés dans l'abandon comme les spires de la pieuvre, ce rayonnement n'avait pas pour centre un visage tourné vers le sol, mais l'autre face, fendue profondément, dont les bas accusaient la nudité. » Cette vision libertine suscite aussitôt en lui un mouvement de panique : « Je descendis les escaliers *grisé d'horreur,* non pour une raison définie, mais sous les arbres au feuillage encore dégouttant de pluie, ce fut comme si cet inintelligible monde me communiquait son humide secret de mort. » Quand on pense aux hommes à qui la nudité n'inspire que les sentiments les plus triviaux, on est saisi d'admiration pour ce philosophe qui ne l'abordait qu'avec « crainte et tremblement ». La mise à nu, sur le plan moral, était en outre chez Bataille l'activité intellectuelle par excellence : « Je pense comme une fille enlève sa robe [4]. » Et il attribuait au non-savoir, dans le domaine de la connaissance, le même effet que le rejet d'un vêtement inutile : « Le non-savoir dénude [5]. »

En fait, l'enseignement de Bataille tend à démontrer que l'érotisme doit être vécu *religieusement*. Au lieu de le désigner par ses conduites extérieures, il le caractérise par ses phénomènes intérieurs, qu'il rapproche de ceux de la mystique : « Avec une méchanceté, une obstination de mouche, je dis en insistant : *Pas de mur entre érotisme et mystique!* [6] » On sait que Bataille a créé « une mystique sans Dieu » et

1. *Le Coupable.*
2. *L'Impossible,* Paris, Éd. de Minuit, 1962.
3. *Le Coupable.*
4. *Méthode de méditation*, Paris, Fontaine, 1948.
5. *L'Expérience intérieure*, Paris, Gallimard, 1945.
6. *Sur Nietzsche.*

une forme de « sainteté » dionysiaque qui doit passer par l'excès, la démesure, et non par l'abstinence. On ne s'étonnera donc pas de le voir faire l'apologie de la débauche, car celle-ci est assimilable aux rites orgiaques des religions primitives, où la bestialité, loin d'être réprouvée, était un hommage aux dieux. Il a aimé le commerce des prostituées, les revues de cabaret, par exercice spirituel autant que par besoin physique; les ivresses, les exploits de bouges, étanchaient sa « soif sans soif ». Il disait : « Il m'est doux d'entrer dans la nuit sale et de m'y enfermer fièrement », ou encore : « Une maison close serait ma véritable église, la seule inapaisante [1]. » Les confidences qu'il a faites sur ses débauches ont un accent lyrique ou exaspéré : « L'orgie à laquelle j'assistais (je participais) cette nuit était de la nature la plus vulgaire. Cependant ma simplicité me met vite au niveau du pire. Je demeure silencieux, tendre, non hostile, au milieu des cris, des braillements, des chutes de corps. A mes yeux, le spectacle en est terrible (mais plus terrible encore les raisons, les moyens par lesquels d'autres se maintiennent à l'abri de cette horreur, à l'abri de besoins n'ayant d'autre issue qu'elle) [2]. » Bataille s'est toujours défendu de comparer les extases qu'il se procurait par ce qu'il appelait « l'opération souveraine », et les émois sexuels, si violents qu'ils fussent : « Je ne confonds pas mes débauches et ma vie mystique... Je m'en tiens de part et d'autre à des emportements sans mélange [3]. » Pour lui, si la débauche prépare à l'état mystique, elle en est séparée par définition : « L'expérience mystique est différente de l'érotique en ce qu'elle réussit. L'excès érotique amène la dépression, l'écœurement, l'impossibilité de persévérer, quand le désir inassouvi parfait la souffrance [4]. » Ce qui l'intéresse dans la débauche, c'est l'abandon candide aux sensations, le pouvoir d'atteindre les confins de l'animalité : « Le débauché n'a chance d'accéder au sommet que s'il n'en a pas l'intention. Le moment extrême des sens exige une innocence authentique, l'absence de prétention morale et même, en contrecoup, la conscience du mal [5]. » Si la mystique a pour but l'extase, la débauche a pour objet « le plaisir excédant », qui est « un moment suspendu d'exaltation, de surprise intime et *d'excessive pureté* » [6].

Un esprit d'une telle envergure ne pouvait se complaire dans l'amour

1. *Le Coupable.*
2. *Ibid.*
3. *Sur Nietzsche.*
4. *Le Coupable.*
5. *L'Alleluiah,* Paris, K éditeur, 1947.
6. *Sur Nietzsche.*

sentimental; il rêva de « l'amour noir », orageux, oppressant comme un cauchemar, nourri d'obsessions de mort et de désirs pervers. La femme aimée y est moins un être à chérir qu'un moyen pour le « saint » d'éprouver ses forces : « Ce que j'aime dans l'être aimé — au point de désirer mourir d'aimer — ce n'est pas l'être particulier, mais la part d'universel en lui [1]... » Pour cela, il faut que la femme élue soit capable de transports insensés, qu'elle soit habitée d'une fureur de plaisir défiant la satiété. On trouve dans les héroïnes des récits de Bataille — Dirty dans *le Bleu du ciel*, Edwarda dans *Madame Edwarda*, Éponine dans *l'Abbé C.* — ce prodigieux désordre de râles, d'égarements, d'ivresses, de nausées, d'envies mauvaises, qui lui rendait désirable la féminité. Dans *Histoire de rats,* B. apparaît sublime au narrateur à cause de ses audaces impudiques, lors d'un dîner avec le Père A. Grâce à elle, il entreprend « cette exploration du froid qu'est l'amour *noir* (lié à l'obscénité de B., scellé par une incessante souffrance — jamais assez violent, assez louche, assez proche de la mort!) ». La femme aimée ne doit pas lui offrir *moins* qu'une prostituée; elle doit lui offrir *plus,* être une sorte de prostituée métaphysique. Pareille partenaire n'est pas facile à découvrir, aussi s'employa-t-il à en former une à sa mesure; *l'Alleluiah* est le catéchisme que doit pratiquer celle qui se voue à « l'amour noir ». La voix du philosophe se fait ici insidieuse : « Ne cherche plus la paix ni le repos. Ce monde dont tu procèdes, que tu es, ne se donnera qu'à tes vices... Jouissant à n'en plus pouvoir ou t'enivrant à mort, tu détournes la vie des retards pusillanimes... N'oublie pas que tu es chienne. Cette nuit est ton pays, ton seul authentique pays. » Une jeune femme qui suivrait ces conseils véhéments, formulés dans une langue majestueuse, serait bien la plus singulière des bacchantes.

Après ces indications générales, on pourra mieux apprécier la vérité profonde de l'amour noir, tel que l'a pensé, imaginé et vécu Bataille, et tel que je vais maintenant en faire ressortir les caractéristiques principales.

La connaissance sexuelle de la mort.

Bataille a été un homme profondément hanté par la mort, ce qui est inhérent à chaque individu; mais il l'a été sans répit, toujours plus fortement, plus atrocement, alors que tout un chacun est livré par intermittence à cette hantise, trouve dans la satisfaction de ses passions

1. *Sur Nietzsche.*

de quoi oublier sa nécessité d'être mortel. Enfant, il a eu des terreurs qui ont survécu à l'enfance : la vue de son père infirme sur un vase de nuit, la descente dans une cave infestée de rats. Plus tard, les accès de sa maladie, les phases dépressives de son expérience extatique, l'incitèrent à se croire toujours proche de sa fin. Au lieu de chercher à ne pas penser à la mort, il a voulu la regarder en face, et mieux encore : la rendre désirable, comme peut l'être un plaisir charnel. Il a souhaité qu'elle lui apparaisse non comme une défaite, non comme une expropriation de soi-même, mais comme la promesse d'une suprême jouissance, à laquelle il faut se préparer constamment en raison de sa violence même.

Le seul moyen de rendre la mort désirable, pour un non-croyant, c'est de l'associer à l'acte sexuel. Depuis longtemps, la sagesse des nations a appelé l'orgasme « la petite mort », à cause des suffocations, des soupirs, de la crise comitiale qui accompagnent la copulation, où les partenaires semblent chercher de concert leur anéantissement ; mais ce disant, on songe à une mort rapide, propre, sans douleur, et suivie d'une joyeuse renaissance. Bataille voit plus grand, si l'on peut dire ; il envisage la pire des morts, avec une longue agonie, et il envisage aussi le processus de la décomposition *post mortem*. C'est ce tableau horrible qu'il veut s'efforcer de désirer, qu'il mime dans la frénésie sexuelle, par des improvisations explosives ou des cérémonies préparées. Or, qu'est-ce qui, dans la sexualité, peut rendre compte fidèlement du processus de la décomposition ? C'est l'obscénité poussée à son paroxysme, quand le corps, dont l'esprit perd le contrôle, éjacule, urine, défèque, vesse, vomit, sue, donnant le spectacle d'une irrésistible débâcle. Alors la chair se montre faillible, périssable, et jouit pourtant de ce qui la diminue. Ce sont ces images qui s'imposent à Bataille, car en assumant la sexualité de cette façon totalement débridée, il s'habitue à l'abomination des abominations, il se rend insensible à la mort : « J'égalerais l'amour (l'indécent corps-à-corps) à l'illimité de l'être — à la nausée, au soleil, à la mort. L'obscénité donne un moment de fleuve au délire des sens [1]. »

Bataille va donc entreprendre toutes sortes d'actions, les unes par méthode, les autres par impulsion irraisonnée, pour sexualiser la mort. Il a ainsi raconté, dans *le Petit,* qu'il s'est masturbé devant le cadavre de sa mère, durant la veillée funèbre ; ce n'était pas attrait œdipien mais besoin de donner issue à l'angoisse ; il a répété ailleurs cette confidence avec des détails supplémentaires. Il a fréquenté les prostituées en se

---

1. *La Scissiparité* dans *Œuvres complètes,* Paris, Gallimard, 1970, t. III.

persuadant que les aimer, c'était aimer la pourriture à laquelle était promise toute chair, ou au moins s'y accoutumer ; il lui a semblé que le sexe d'une fille publique, ouvert à n'importe qui, était une espèce de fosse commune, et que s'il prenait plaisir à s'y ensevelir, il aurait le même appétit de sa propre tombe. C'est pourquoi on le voit faire des analogies épouvantables, associer les réminiscences de ses terreurs infantiles (notamment sa peur des rats, sa phobie de la cave aux ténèbres humides et au remugle fade) à ses désirs du corps féminin : « Cette partie des filles entre la mi-jambe et la ceinture — qui répond violemment à l'attente — y répond comme l'insaisissable passage d'un rat. Ce qui nous fascine est vertigineux : la fadeur, les replis, l'égout ont la même essence, *illusoire,* que le vide d'un ravin où l'on va tomber [1]. » Lorsqu'il se trouve au bordel, « dans le temple inondé de clarté aveuglante de l'amour ordurier », il voit s'ouvrir « l'abîme mortuaire de la débauche », il assimile les prostituées et leurs clients à des morts : « C'est seulement ainsi qu'angoissé dans l'étouffant royaume des cadavres, je suis entré moi-même dans un état presque cadavérique [2]. »

Quand Bataille dit : « Ce qui dans mon caractère est le moins accusé (mais enfin...) : le côté *gustave* ou *cochon* » [3], on le croit sans peine ; ses écrits érotiques sont terrifiants, parce qu'ils sont le fait d'un homme terrifié, qui oppose le terrorisme du sexe au terrorisme de la mort. Il prétend nous faire respirer « ce que la folie sexuelle a d'irrespirable ». En imaginant des oraisons quotidiennes et des rites, en méditant sur les situations impossibles auxquelles il aspire, en cultivant d'une manière intensive ses fantasmes, il oblige la littérature à traquer l'inavouable. La part autobiographique, dans les récits de Bataille, est sans doute moins grande qu'il ne semble. Il y exprime des pseudo-réalités qu'il souhaiterait vivre, ou il s'y livre à des interprétations délirantes de faits vécus. Ses pseudonymes : Troppmann, Lord Auch, Dianus, Pierre Angélique, Louis Trente, correspondent aux divers personnages qu'il joue dans sa vie secrète, et servent à l'occasion de noms aux héros de ses fictions. Il veut accumuler, comprimer en lui des pensées obscènes, afin qu'elles ne puissent plus sortir que d'une façon volcanique : « C'est ainsi que l'amour s'écrie dans ma propre gorge : je suis le *Jésuve*, immonde parodie du soleil torride et aveuglant [4]. » Le Jésuve, ce dieu-volcan que Bataille croyait être dans sa jeunesse, est « l'image

---

1. *L'Impossible.*
2. *La Déesse de la noce,* dans *Œuvres complètes,* t. IV.
3. *La Scissiparité.*
4. *L'Anus solaire,* Paris, Éd. de la Galerie Simon, 1931.

du mouvement érotique donnant par effractions aux idées contenues dans l'esprit la force d'une éruption scandaleuse [1] ». N'oublions jamais, devant les excès verbaux de son érotisme, qu'il s'agit d'un homme qui essaie de redéfinir le désirable, en y incluant l'indésirable. Il s'exhortait à la délectation de choses répugnantes (André Breton le lui reprocha avec un mordant impitoyable), en entourant le commerce charnel de toutes sortes de barbouillages infects : « Dès cette époque, Simone contracta la manie de casser des œufs avec son cul [...] je m'inondais de cette souillure abondante [2]. » Ce n'est pas assez pour lui d'imaginer des ivrognesses impudiques, ayant une perpétuelle incontinence urinaire, il faut encore qu'elles aient des inventions salissantes : « Je n'aimais pas ce qu'on nomme « les plaisirs de la chair », en effet parce qu'ils sont fades. J'aimais ce que l'on tient pour « sale » [...] la débauche que je connais souille non seulement mon corps et mes pensées mais tout ce que j'imagine devant elle et surtout l'univers étoilé [3]... » On dirait qu'il veut s'écœurer de la chair (et jouir de cet écœurement) pour mieux aimer la mort, car si la chair lui paraissait suave, exquise, immaculée, il aurait plus de peine à se détacher de la vie dont elle serait l'expression édénique.

Dans *le Mort,* Bataille nous révèle clairement le caractère funèbre et sacré qu'il donnait à l'obscénité. Il commença ce récit à la fin de 1942, lors d'un séjour de repos en Normandie, à la suite d'une récidive de sa tuberculose : « Dans ma solitude presque entière, je vivais alors non loin de Tilly, mais nous habitions à part à un kilomètre l'un de l'autre, une belle fille, ma maîtresse, et moi; j'étais malade, dans un état obscur, d'abattement, d'horreur et d'excitation. » Un jour, il se rend à bicyclette sur les lieux où s'est écrasé un avion allemand, et reste bouleversé d'y découvrir un corps dont seul un pied nu est intact. Les circonstances l'amenaient donc à imaginer cette histoire, dans laquelle une femme réagit avec la plus grande violence érotique à la mort de son amant. Marie quitte la chambre d'Édouard, qui vient de décéder dans ses bras, et se précipite à travers la pluie dans le village, nue sous son imperméable : « L'horreur disposait d'elle absolument comme l'assassin de la nuit noire. » Elle échoue dans une auberge (décrite d'après une auberge réelle que Bataille suspecta d'être un coupe-gorge), s'enivre avec des valets de ferme et des filles, et fait des provocations obscènes jusqu'à ce qu'elle tombe sur le plancher. On la relève, l'installe sur une chaise, les filles, la patronne et les rustres sont autour

1. *L'Anus solaire.*
2. *Histoire de l'œil*, Paris, 1928.
3. *Ibid.*

d'elle. Le plus hardi, Pierrot, la caresse sans brutalité : « Le beau gosse eut un rire de conquête et darda sa langue dans les poils. Malade, illuminée, Marie semblait heureuse, elle sourit sans ouvrir les yeux. Intolérable, une joie la portait dans un ciel immense où, de noirs nuages, émanait une chaleur de terre. » Un instant, elle se sent réunie à Édouard dans son orgasme, si bien que lorsque la porte de l'auberge s'ouvre, elle croit que le spectre d'Édouard vient la chercher. Ce n'est que le comte, un nain lubrique qui entre poussé par la bourrasque : « Sa courte silhouette de rat parut dans l'embrasure de la porte. » L'obsession familière à Bataille, le rat, lui fait ici concevoir un rat humain qui, dès qu'il intervient, donne son vrai sens de décomposition à l'obscénité. Le comte organise une partie de débauche durant laquelle Marie, après avoir uriné sur lui, est violée par Pierrot, maintenue comme une victime : « La scène, dans sa lenteur, rappelait l'égorgement d'un porc ou la mise au tombeau d'un dieu. » Elle a « un spasme de mort », revient à elle en entendant des chants d'oiseaux, se soulage en déféquant et en vomissant, puis emmène le nain chez elle, en lui laissant entrevoir qu'elle lui ménage un plaisir ultime. Mais, lorsque le rat humain, après s'être déshabillé, pénètre dans sa chambre, il la trouve nue sur le lit près du corps d'Édouard, une ampoule de poison à la main ; elle se suicide et lui, songeant : « Elle m'a eu », se jette à l'eau dans le canal. Bataille se délivre de l'angoisse en montrant, d'un même mouvement, que l'obscénité rend la mort facile, et que la perspective de la mort porte l'être à une révolte obscène.

Les états de suspension.

On a vu que Bataille s'est engagé dans un paradoxe délicat : d'une part, il rattache l'érotique à la mystique, et d'autre part, il ne veut pas que l'orgasme soit assimilable à une extase. L'acte sexuel aboutit à un épanouissement indéfini qu'il nomme tantôt « effusion », tantôt « moment souverain » ; mais il n'en a pas fait de descriptions aussi détaillées que de l'expérience extatique, où il distingua « l'extase devant l'objet » et « l'extase dans le vide ». Il nous faut donc, pour le lire en profondeur, établir par nous-mêmes la vérité qu'il nous dérobe. A quoi correspond, dans son expérience amoureuse, ce qui est l'extase dans son « expérience intérieure » ? J'appellerai ce phénomène, différent de l'extase et l'égalant pourtant en ravissement, « l'état de suspension », en fondant mon analyse sur une habitude grammaticale de Bataille : l'emploi des points de suspension dans son œuvre. Ses extases *ruisselantes* ou *imageantes* sont des ouvertures sur le cosmos ; elles lui permettent de s'identifier à une chose de la nature (arbre, flamme, etc.) ou de percevoir le flux temporel comme un chant secret, mais elles ne lui donnent pas prise sur la mort. Au contraire, les états symbolisés par des points de suspension sont des états de rupture avec l'espace et la durée. On peut cataloguer les états de suspension de la façon suivante :

a) L'état de suspension est une sensation d'inachèvement.

« Je ne veux ni jouir ni m'écœurer mais... [1] »

« Nous ne pouvions sans fin donner le pas à la réponse... au savoir... [2] »

b) L'état de suspension est un état de sans-commencement-ni-fin :

« ... Ce SECRET — que le corps abandonne.., [3] »

« ... évidemment la peur de RIEN... [4] »

c) L'état de suspension est un vide dans le phrasé de la sensation :

  « l'extase a cessé d'être tolérable et seule subsiste une virilité vide . . . .
. . . . Je me
retrouve solitaire [5] »

d) A l'inverse, ce peut être un moment plein perçu en relief dans la vacuité universelle :

« . . . .
. . . . . . ceci, toutefois, est *l'instant* . . . .
. . . . [6] »

Dans son expérience mystique, Bataille vise au « point d'extase », qu'il définit ainsi : « Le point d'extase est mis à nu si je brise intérieurement la particularité qui m'enferme à moi-même. » Il y est alors précipité dans l'immensité du grand Tout : « A travers la déchirure, j'accède à l'au-delà que j'appelle, en terme vague, LE FOND DES MONDES [7]. » L'état de suspension est souvent conçu comme une succession de points d'extase qui s'intercalent dans le vécu quotidien. La *Méthode de méditation* montre que ce qu'il fait pour *se jouer*, dissoudre le monde en soi, lui permet d'échapper aux règles communes,

1. *Le Petit.*
2. *Le Coupable.*
3. *L'Impossible.*
4. *Le Coupable.*
5. *Ibid.*
6. *Méthode de méditation.*
7. *L'Expérience intérieure.*

d'atteindre à la plénitude du ravissement (évoqué comme ci-dessus
en *d*). Ici, il y a émergence d'un éclat de temps pur dans le vide produit
par une série de points d'extase. Il dit : « A la fin tout me met en jeu, je
reste suspendu, dénudé, dans une solitude définitive : devant l'impénétrable simplicité de *ce qui est*. »

e) L'état de suspension, réunissant toutes les possibilités précédentes, est une dispersion discontinue :

« l'impasse où je m'enfonce, et dans
laquelle je disparais, n'est que l'immensité du rire . . . . .
. . . .
. . . .
Je suis le roi du bois, le Zeus, le criminel . . . .
. . . .
. . . .
. . . .
. . . .
Mon désir? sans limites... [1] »

Or, on peut constater que l'état de suspension, considéré comme un
à-côté de l'extase, quand il se réduit à l'inachèvement, au sans-
commencement-ni-fin, ou au moment plein, est l'expression de la
sexualité quand il est passage dans le vide ou dispersion discontinue.
Avec toutefois cette différence : le passage dans le vide est un
détachement du réel, une tmèse sexuelle où l'être ne se sent plus, ne se
sait plus. Telle est la jouissance qui confond, sur un lit de lupanar,
Pierre Angélique et Mme Edwarda, jouissance traduite par plusieurs
lignes de points. La dispersion discontinue est un plaisir beaucoup plus
trouble; des lambeaux de réalité, des représentations imaginaires, des
absences, en font une longue pâmoison avec éclipses de la conscience.
La dispersion discontinue illustre en fait l'aphorisme de jeunesse de
Bataille : « Le coït est la parodie du crime [2]. » On ne le verra jamais
mieux que dans *l'Impossible,* quand Dianus, tombé dans la neige, jouit
mentalement de l'idée que le père A. et B. sont surpris en pleine
fornication, que leurs rapports s'effectuent sous l'éclairage sanglant
d'un meurtre; la coïncidence d'une pensée de sexe et d'une pensée de
mort provoque le coma voluptueux de Dianus, c'est-à-dire sa dispersion discontinue :

1. *Le Coupable.*
2. *L'Anus solaire.*

« .   .   .   le cri de douleur de B., la terre, le ciel et le froid sont
nus comme les ventres dans l'amour .   .   .

.   .   .   .

.   .   .   .   A., claquant des dents sur le seuil se
rue sur B., la dénude, arrache ses vêtements dans le froid.
Arrive à ce moment le père (non le père A., mais le père de B.)
le petit homme chafouin, riant comme un niais, disant avec
douceur : « Je savais, c'est une comédie! » .   .   .   .

.   .   .   .   le petit homme, le père, à pas de loup,
goguenard, enjambe les forcenés sur le seuil (étendu sur la neige
et la merde auprès d'eux — ne pas oublier la soutane, et surtout *la sueur de mort* — me semblerait pure) il met ses mains
en porte-voix (le père, l'œil brillant de malignité) et crie à voix
basse : « Edron! » .   .   .   .

.   .   .   .   quelque chose de chau-
ve et de moustachu, démarche sournoise de cambrioleur, un doux,
un faux-comme-un-jeton, un mignon gloussement de rire; il appelle
à voix basse : « Edron! le fusil de chasse! » .   .   .   .   .   .

.   .   .   .   dans le
silence endormi de la neige, une détonation retentit .   .   .   .   .

.   .   .   .   [1] »

L'étude des points de suspension chez Bataille révèle en quoi ce qu'il
cherche dans « l'effusion érotique » diffère de l'extase : c'est « une
sorte de saut suspendu ». Cette expérience est ineffable, et il ne peut la
rendre que par un pointillisme exclusif. Ce qui est divin est
innommable, et c'est parce qu'il croit l'obscénité divine qu'il écrit :
« (Même l'. . . . . d'élégants personnages a l'énormité d'un
rat)[2]. » La spéculation éthique de Bataille en amour est une volonté de
valoriser les points de suspension de l'être[3].

1. *L'Impossible.*
2. *Ibid.*
3. Quand il écrit pour des raisons de censure, dans des livres publiés
pendant la guerre : « Communément j'éclate de rire et je... » (*Sur Nietzsche*),
ou : « Rien que de pauvre en matière de pensée, de morale, si l'on ne peut

La sanctification de l'homme par la sainte.

Pour cette ascèse conduisant à la jouissance de la mort par la voie du sexe, l'ascète a besoin d'être assisté d'une sainte, qui remédie à ses défaillances et l'encourage par ses propres excès à enfreindre « le souci du temps à venir ». On voit se former dans les écrits de Bataille une image de sainte moderne, tournée vers l'au-delà et le divin indépendamment de toute religion. Ce type de femme ne peut se comprendre que si l'on se rappelle les agissements des saintes véritables. Elles s'imposaient des mortifications et des pénitences inouïes pour mériter le salut, elles s'obligeaient, quand elles surprenaient en elles le moindre dégoût en soignant des malades, à lécher leurs plaies purulentes ou à faire pis. Sainte Rose de Lima s'inventa des supplices, portant sous son voile une couronne garnie intérieurement de pointes, dormant sur une table de planches noueuses, recouvertes de trois cents morceaux de pots cassés : « Lorsqu'elle prit l'habit de saint Dominique, elle se fit avec des chaînes une discipline, dont elle se frappait sans miséricorde, de sorte que chaque coup atteignît une autre partie du corps. Cette mortification lui ayant été interdite, elle se ceignit les reins d'une triple chaîne de fer, dont elle fixa les deux bouts avec un cadenas ; puis, après l'avoir fermé, elle jeta la clef. La peau fut bientôt enlevée, et la chaîne s'enfonça si avant dans la chair qu'elle disparut presque entièrement et pénétra jusqu'aux nerfs de cette région [1]. » Sainte Marie d'Agréda se meurtrissait aussi d'un cilice, et se mit en état de « mort spirituelle » pour accéder à une nouvelle vie. Sainte Colette de Gand, se torturant par l'imagination, « souffrait aux fêtes des martyrs les mêmes supplices qu'ils avaient endurés... Le jour de la saint Laurent, elle était brûlée dans le feu ; elle était écorchée avec saint Barthélemy et crucifiée avec saint Pierre » [2]. Jeanne Rodriguez de Burgos fut canonisée pour les tourments qu'elle souffrit dans sa vie conjugale ; mariée à treize ans à un forcené, Ortiz, qui l'attachait nue pour la fouetter et faisait couler dans les blessures la cire fondue d'un flambeau, ou qui la suspendait à la corde d'un puits et la laissait toute la nuit plongée dans l'eau

---

glorifier la nudité d'une jolie fille ivre d'avoir... » (*le Coupable*), la portée de ces déclarations est si forte qu'on regrette qu'il ait complété ces phrases dans les éditions ultérieures (« ivre d'avoir en elle un sexe masculin »). Il n'avait donc pas tout à fait conscience qu'il dévoilait l'indicible de sa sexualité par des points de suspension ; c'est ce qui rend leur étude si *fondamentale*.

1. Joseph von Görres, *La Mystique divine, naturelle et diabolique*, Paris, Poussielgue, 1854-1855, t. I. — 2. *Ibid.*

jusqu'au cou, elle accepta toutes ces brimades par désir de purification. Elle recherchait même les mauvais traitements : « Lorsque son mari devint plus doux à son égard, elle se mit sous l'obéissance d'une servante à moitié folle, qui la traitait comme une esclave, l'accablait à chaque instant de reproches et d'injures, et allait jusqu'à lui donner des soufflets, lui cracher au visage ou la traîner par les cheveux. Elle faisait faire à Jeanne tout ce qui lui passait par l'esprit. Ainsi, elle la faisait s'étendre par terre et lui donnait des coups de pied sur la bouche ; ou bien elle la conduisait dans un lieu écarté, lui ordonnait de quitter ses vêtements et la flagellait de la manière la plus atroce [1]. » Les héroïnes de Bataille sont engagées dans des actions comparables à celles que racontent certaines vies de saintes ; la différence vient de ce que leurs tourments ne sont pas offerts à Dieu, et ne trouvent pas de compensations dans des visions extatiques. Et que les répugnances qu'elles surmontent concernent exclusivement les excrétions de l'activité sexuelle. Elles ne les surmontent d'ailleurs qu'avec peine : ses héroïnes vomissent fréquemment, comme la Bienheureuse Oringa, qui vomissait quand elle entendait un mot obscène, et entrait en catalepsie à l'approche d'un homme impur.

Cette distinction est importante, car d'habitude on présente les femmes sans pudeur, pareilles à des chiennes en rut, comme des créatures diaboliques. Rien de tel chez Bataille : ce sont des saintes d'un nouveau genre, qui apportent une occasion de salut aux hommes obsédés par la mort. Elles pratiquent la sainteté dans le mal : « La *sainteté* demande la complicité de l'être avec la lubricité, la cruauté, la moquerie [2]. » La sainte sera donc lubrique, cruelle et moqueuse ; elle se portera à des extrémités, elle se mortifiera, non pas en se frappant avec une discipline, mais en s'adonnant à un onanisme frénétique ou en se souillant de déjections. Elle cherche bien plus que le plaisir : « Être une femme renversée, dévêtue, les yeux blancs. Rêve d'absence et non de plaisir. Absente elle est davantage le mal qu'avide de jouir, le mal, le besoin de nier l'ordre sans lequel on ne pourrait vivre [3]. » La sainte est une fille propre qui fait des choses malpropres. Telle l'héroïne de *la Houpette* qui dit : « Combien de fois j'aurais aimé que tu me files ta merde dans ma bouche et pourtant, tu le sais, combien j'aime avoir un petit con frais, d'une propreté exquise, avec un parfum de lavande [4]. » La sainte a d'ailleurs souvent un vêtement blanc, ou est associée à une

1. Joseph von Görres, *op. cit.*
2. *Méthode de méditation.*
3. *Le Petit.*
4. *Œuvres complètes*, Paris, Gallimard, 1973, t. IV, p. 333.

notion de blancheur qui symbolise sa pureté mise à l'épreuve dans le stupre.

La première sainte dont Bataille a retracé la légende est, en 1928, Simone, dans *Histoire de l'œil*. Cette jeune fille provoque le narrateur, dès leur rencontre, en s'asseyant dans l'assiette de lait destinée au chat et en lui montrant le liquide blanc ruisselant sur ses cuisses. Ils se livreront ensemble, non pas à l'acte d'amour proprement dit, mais à des « jeux » sales d'une véhémence croissante. Elle est vierge, mais « si avide de ce qui trouble les sens que le plus petit appel donne à son visage un caractère évoquant le sang, la terreur subite, le crime, tout ce qui ruine sans fin la béatitude et la bonne conscience ». Ils prennent comme compagne de jeux Marcelle, « blonde, timide et naïvement pieuse », qui deviendra entre leurs mains une sainte passive, soumise à un martyre érotique. Ce sera quand Marcelle, folle, se pendra, que le narrateur déflorera Simone près de son cadavre, auquel celle-ci fera outrage pour nier « le comique obstacle qu'est la mort ». Ensuite, invité par un riche Anglais, sir Edmond, le couple gagne l'Espagne, où leurs « jeux » acquièrent une férocité de corrida. « Simone, après le suicide de Marcelle, changea profondément. Elle ne fixait que le vague, on aurait cru qu'elle était d'un autre monde. Il semblait que tout l'ennuyât. » Ses orgasmes ressemblent aux crises des convulsionnaires : « La jeune fille m'échappa en râlant, saisit son cul à deux mains, cognant contre le sol sa tête violemment renversée ; elle se tendit ainsi quelques secondes sans respirer, ses mains de toutes ses forces ouvraient son cul avec les ongles, elle se déchira d'un coup et se déchaîna à terre comme une volaille égorgée, se blessant dans un bruit terrible aux ferrures de la porte. » L'aventure se termine sur un sacrifice humain qui révélera en Simone une sainteté impie : elle séduira un prêtre, don Aminado, qu'elle contraindra à des actes sacrilèges avant de le tuer. Comme la « sainteté » de Simone n'est pas très convaincante, Bataille envisagea une suite à *Histoire de l'œil* pour la rendre plus évidente, en accablant son héroïne de pénitences. Elle aboutit dans un camp de torture, soumise à une dévote qui tente de la convertir, puis battue par un bourreau femelle : « Elle meurt comme on fait l'amour, mais dans la pureté (chaste) et l'*imbécillité* de la mort : la fièvre et l'agonie la transfigurent. »

Dans *Madame Edwarda,* c'est une fille de maison close qui fait acte de sainteté, allant même jusqu'à s'identifier à Dieu ; et le pathétique, la grandeur extraordinaire de la scène racontée montre qu'il n'y a là aucune intention dérisoire. Quand Mme Edwarda écarte les jambes pour montrer au narrateur ses « guenilles », il est clair qu'elle lui désigne la porte étroite de l'infini; et quand, dans la chambre où elle le conduit, il la possède devant des miroirs, la débauche devient ébauche d'absolu. On remarquera que Mme Edwarda met, pour sortir du lupanar, des bas blancs, un boléro blanc : elle est pure, rien de ce qu'elle a fait n'a pu l'avilir. Elle court dans la nuit à la recherche du supplice qui la consacrera, confirmera sa divinité; son accouplement insensé avec un chauffeur de taxi sera l'épreuve au prix de laquelle elle connaîtra l'apothéose. Bataille a écrit ce récit pour illustrer la partie de *l'Expérience intérieure* concernant « le supplice », et c'est effectivement en fonction de tout ce qu'il dit de la « joie suppliciante », de la nécessité de « sortir par un projet du domaine du projet », qu'on comprend le comportement de son héroïne. A cette époque, il lisait avec admiration le *Livre de l'expérience* de sainte Angèle de Foligno, et il est évident qu'il a voulu donner une réplique moderne, profane, à cette ardente mystique qui entra en religion après avoir, en tant qu'épouse et mère, connu les satisfactions de la chair.

Dans ses derniers récits, afin que nul ne s'y trompe, Bataille donne même un caractère de piété fervente à ses saintes. Charlotte d'Ingerville, la jeune fille qui aborde Pierre dans une église, a été surnommée « panier pourri » par les garçons avec qui elle se débauche : « Je vous ai dit la pourriture que je dissimulais sous l'aspect d'une fille sage! Je suis dans le village à ceux qui veulent. Et pourtant, le lendemain, je prie dans l'église où je t'ai retrouvé. Souvent, Pierre, il me semble que je vois Dieu. » Cette jeune fille vient le rejoindre la nuit, avec des vêtements blancs chiffonnés (symbole), lui raconte ses amours lesbiennes avec sa tante dans une forêt. Pierre emmène Charlotte à Paris, où ils vivent dans un hôtel de passe, se rendant malades à force de boire. Quand elle est mourante, elle lui dit : « Tu devrais me conduire au bordel. J'aurais voulu mourir dans un bordel. Je n'ai même plus la force d'enlever ma robe. » Alors l'homme faiblit, est *dépassé* par la sainte : « Charlotte, lui dis-je, assez, nous avons été trop loin [1]. » Une autre histoire, *Sainte,* est encore plus significative; Sainte est l'amie de Louise, patronne d'une maison de « massages » de la rue Poissonnière. Le narrateur s'y rend pour la rencontrer, et une fille, Thérésa, lui explique pourquoi on l'appelle Sainte, tout en la lui montrant, en divers accouplements pervers, dans un album : « Madame a d'abord été religieuse, dit Thérésa. Elle est pieuse, mais le couvent l'a renvoyée. Elle dit qu'elle aime Dieu, mais ce qu'elle aime avant tout, c'est la noce. » Sainte assiste en voyeuse, masquée, à une scène de flagellation

1. *Œuvres complètes*, t. IV.

entre le narrateur et Thérésa, mais elle ne décide de se donner à lui qu'après l'avoir vu, devant elle, posséder l'affreuse Louise. Il emmène Sainte, nue sous sa robe, dans un bar pour boire, en lui disant : « Je ne voudrais pas que tu saches demain si nous avons couché ensemble cette nuit. » Ils boivent immodérément, jusqu'à en perdre la tête : « Dans le coin sombre du bar, elle amusait mes yeux de ses fentes les plus secrètes. Je versai le whisky sur sa gorge. Elle s'en gonflait les joues, elle ouvrit ma braguette et se vida la bouche. Il y avait un hôtel au-dessus du bar, dont elle monta nue l'escalier avec un sentiment de paradis. » Le lendemain, il se réveille avec le tremblement et la nausée, et ne sait pas ce qui s'est passé entre eux : « Je regardais Sainte allongée sur un lit que les désordres de la nuit avaient bousculé : elle était l'image du malheur [1]. » Ainsi, ils ont connu ensemble, non le plaisir, mais le supplice et l'absence, conditions de la sainteté.

La sainte n'est pas la seule figure féminine de l'œuvre de Bataille ; à côté d'elle, il dresse deux autres types bien différents : la femme de bon vouloir et la porte-fesses (comme on dit un portefaix ou un porte-drapeau : elle porte son animalité comme un fardeau ou un emblème). La femme de bon vouloir est humble, subalterne ; c'est la mère de Simone, qui assiste effarée, muette de terreur, aux débordements de sa fille. La porte-fesses est la prostituée, ou toute femme similaire, qui n'existe que pour laisser voir et manier ses parties génitales, et communiquer ainsi une sensation de déchirure. Son postérieur est un objet sacré, presque indépendant d'elle. « Un jour, une fille nue dans les bras, je lui caressai des doigts la fente du derrière. Je lui parlai doucement du « petit ». Elle comprit. J'ignorais qu'on L'appelle ainsi, quelquefois, dans les bordels [2]. » Quand il se remémore ses débauches, c'est pour évoquer : « La saveur d'un cul, d'une bouche, des seins, surtout la sensation de nudité : une fille infiniment plus nue, quelquefois dans ses bas, sa ceinture, une autre fois toute nue, les pieds nus. Mais toujours la fente du derrière ouverte à mes yeux, à mes mains... — parfois à d'autres yeux... A quel point la bouche d'une fille est profonde, plus profonde que la nuit, que le ciel, en raison du derrière qu'elle a nu [3]. » La porte-fesses n'est pas angélique (Mme Edwarda est la seule prostituée qui accède à la sainteté), elle est innocemment porcine : « J'imagine une jolie putain, élégante, nue et triste dans sa gaieté de petit porc [4]. » Quand elle remplit bien son rôle,

1. *Œuvres complètes*, t. IV.
2. *Le Petit.*
3. *Ibid.*
4. *La Scissiparité.*

elle parvient à la souveraineté, comme « l'infernale déesse de la noce », debout sur un guéridon de marbre, élevant une coupe de champagne vers le plafond : « Une femme toute nue sauf les souliers vernis, debout sous les lumières électriques, le corps poudré, le visage fardé, la bouche puant l'épuisement ou la fatigue, les mamelles lourdes et d'une clarté impudente, le derrière pur, pâle et irréel... » Cette créature, qui lui adresse « un sourire prometteur de tout ce qui est ignoble », lui apparaît d'une beauté macabre : « Elle est à la fois belle comme un jour d'émeute ouvrière, belle comme une immense halle pleine de détritus, belle comme le petit matin dans une rue à l'heure où les débauchés n'arrivent même plus à songer au cimetière dont ils longent les murs. En même temps, elle est pâle et lumineuse comme un squelette nocturne, son parfum qui me prend à la gorge est transfiguré par une odeur de vomi[1]. »

Dans *le Bleu du ciel*, Troppmann est précisément confronté avec une sainte et deux femmes de bon vouloir. Dorothea, dite Dirty, est une sainte présentée d'emblée en état de supplice : crise d'ivrognerie avec vomissements, postures indécentes, évocation de la mort de sa mère, propos obscènes au liftier de l'hôtel. Troppmann, malgré ses efforts, n'arrive pas à posséder Dirty : « Jamais je n'ai eu de femme plus belle ou plus excitante que Dirty : elle me faisait même absolument perdre la tête, mais au lit, j'étais impuissant avec elle. » Il en donne pour cause sa sainteté acquise dans le vice : « Je la respectais trop, et je la respectais justement parce qu'elle était perdue de débauches. » Ils s'excitent ensemble jusqu'à l'écœurement, avec des images nécrophiliques ; elle simule la morte sous ses caresses, elle propose d'appeler un prêtre et de recevoir l'extrême-onction, en feignant d'être à l'agonie ; il refuse, effrayé : « Un soir, elle était nue sur le lit, j'étais debout près d'elle, également nu. Elle voulait m'énerver et me parlait cadavres... sans résultat... Assis sur le bord du lit, je me mis à pleurer. » Elle a horreur de lui, ils sont liés par cette horreur plus que par l'amour. « Il y avait en elle, il y avait même dans sa débauche, une candeur telle que, parfois, j'aurais voulu me mettre à ses pieds : j'en avais peur. » Ils se séparent, et Troppmann fréquente Lazare, « la vierge sale », militante révolutionnaire aux ongles crasseux, au teint livide, avec « des vêtements noirs, mal coupés et tachés ». Bien qu'il ait de la sympathie pour ses idées, elle lui paraît pitoyable en comparaison de Dirty. Il a aussi un rapport amoureux avec une élégante jeune femme, Xénie, qu'il tourmente cruellement, tentant d'en faire une sainte : mais elle n'a que

1. *Œuvres complètes*, t. IV.

de la bonne volonté, aucune perversité, et il s'exaspère de sa fadeur. Lorsqu'il retrouve Dirty, il sait qu'elle est la seule qui peut lui apporter ce qu'il cherche. Dans la vallée de la Moselle, ils se perdent, une nuit, et s'arrêtent près d'un cimetière où les tombes sont illuminées par des bougies : « Nous sommes tombés sur le sol meuble et je m'enfonçai dans son corps humide comme une charrue bien manœuvrée s'enfonce dans la terre. La terre, sous ce corps, était ouverte comme une tombe, son ventre nu s'ouvrit comme une tombe fraîche. Nous étions frappés de stupeur, faisant l'amour au-dessus d'un cimetière étoilé. » Dirty rentrera ensuite en Allemagne, où elle vivra loin de lui, ayant en quelque sorte accompli sa mission : elle a communiqué à son élu, à travers l'amour noir, la connaissance fulgurante du non-être.

Il restait à concevoir une sainte qui soit une éducatrice, qui initie volontairement un homme à la sainteté dans le mal (alors que les autres le font involontairement). Dans *Ma mère,* cette figure extraordinaire est posée en pied. Le narrateur, Pierre, veut entrer en religion et va régulièrement à la messe avec sa mère, femme mélancolique, adonnée à la boisson; il déteste son père, qui est anticlérical. Mais quand celui-ci meurt, il apprend de sa mère, qui jette le masque, qu'elle est pire que le défunt : « Ta mère n'est à l'aise que dans la fange. Tu ne sauras jamais de quelle horreur je suis capable. » Elle entreprend de former son fils en le soumettant au choc violent de la débauche; et comme il lui avoue qu'il a peur, elle l'approuve : « Tu as raison. Mais tu n'en sortiras qu'en bravant ce dont tu as peur. » Elle commence par l'attirer dans un piège; quand il range le cabinet de travail de son père, elle y laisse une collection de photos obscènes. Elle lui jette dans les bras son amie, Réa, « la fille la plus folle du monde », pour qu'il se déprave avec elle sous ses yeux, et l'encourage de ce conseil : « C'est seulement si notre bonheur se charge de poison qu'il est délectable. » Cependant, Pierre, dans ses débauches, va donner la préférence à Hansi, une fille qui veut « le guérir », et qui organise pour lui des fêtes intimes avec sa soubrette Loulou; mais cette sensualité n'étant pas assez dévoyée, sa mère le lui reproche : « Ton erreur est de préférer le plaisir à la perversité. » Ce roman est resté inachevé, mais l'on y révèle qu'à la fin la mère se suicidait, après avoir écrit à son fils : « Je ne veux de ton amour que si tu sais que je suis répugnante, et que tu m'aimes en le sachant. » *Ma mère* n'est pas une histoire d'inceste, ce serait une grave erreur que de le croire; Pierre le dit : « Ma mère et moi nous mettions facilement dans l'état de la femme ou de l'homme qui désirent et nous ragions dans cet état, mais je ne désirais pas ma mère, elle ne me désirait pas. » Il y a entre eux exaspération mutuelle d'un état mystique : « A deux reprises au moins nous avons laissé le délire nous lier plus profondément, et d'une manière plus indéfendable que l'union charnelle n'aurait pu le faire. » C'est justement parce qu'elle redoutera que leurs rapports tournent à l'inceste vulgaire, les poussent à cette union, que la mère prendra du poison. La sainte maternelle ne souhaitait pour son fils qu'un apprentissage de la pureté à travers tout ce qui la met en péril.

Ainsi, l'amour noir apparaît comme une ascèse personnelle et comme un défi lancé au partenaire : « Ce que l'on doit demander à l'être aimé : être la proie de l'impossible [1]. » La débauche y est assumée dans l'égalité des sexes, la femme devenant complice d'orgie, ou tremplin permettant à l'homme d'exécuter le « saut suspendu » (tandis qu'elle-même trouve dans son propre déchaînement animal, dont n'importe quoi peut être l'instrument — homme, femme, objet —, l'appui nécessaire à ce « saut »). Le couple est alors mis en question par une mystique ayant pour but la conquête de l'éternité, et prétendant en avoir l'avant-goût dans la vie par la démesure des sensations [2].

Toutes ces figures de saintes, loin d'être de pure fiction, eurent au moins une répondante dans la réalité. Depuis la publication des *Écrits de Laure,* on sait quelle place tint exactement dans la vie de Bataille cette jeune femme passionnée; Jérôme Peignot, dont elle fut la tante, a discerné partout son influence : « Je me faisais fort de déchiffrer l'œuvre entière de Bataille à la lumière de son désir de Laure [3]. » En fait, Laure est surtout Dirty dans *le Bleu du ciel* où Bataille évoque même le voyage à Barcelone qu'il fit avec elle; son souvenir hante certainement ses livres ultérieurs, mais on peut dire aussi qu'elle a été elle-même formée par la lecture d'*Histoire de l'œil*, que Bataille écrivit avant leur rencontre.

Laure était une jeune bourgeoise révoltée, ayant rompu avec un

1. *Le Coupable.*
2. Dans ma première étude sur Georges Bataille, que j'écrivis à vingt-deux ans, et pour laquelle il m'exprima par lettre sa satisfaction, je disais : « La sexualité poussée à bout livre l'esprit au grand écart de la transcendance. En ce sens, la débauche n'est pas *la voie menant* à la transcendance, elle est, sans nul retour possible, la *transcendance jouée.* » Bataille me fit une objection sur le mot de transcendance, qui lui semblait prêter à équivoque, mais il aima sans réserve que je précise qu'il prospectait « les aléas secrets de la mise en jeu », « le nocturne intérieur de la réalité animale », et qu'il invitait l'individu à « transluder ses possibles sexuels dans le sacrifice dionysiaque de soi ».
3. *Écrits de Laure*, précédé de *Ma mère diagonale*, par Jérôme Peignot, Paris, Pauvert, 1971.

groupe catholique auquel elle appartenait. Elle gravita d'abord autour du surréalisme, eut pour ami Jean Bernier de la revue *Clartés*. Vers 1928, elle résida un an à Berlin chez un médecin allemand qui lui fit subir des sévices érotiques : « Elle vivait chez T., ne sortant pas, ne voyant personne, étendue sur un divan. T. lui fit porter des colliers de chien ; il la mettait en laisse à quatre pattes et la battait à coups de fouet comme une chienne. Il avait une tête de forçat, c'était un homme relativement âgé, énergique, raffiné. Un jour, il lui donna un sandwich [1]... » Très élégante, Laure portait des robes de soie de haute couture, des bas noirs, des parfums de luxe. Convertie au communisme, elle apprit le russe, partit pour la Russie, où elle voulut passer l'hiver dans un village perdu, au sein d'une famille de moujiks ; elle y tomba malade, fut hospitalisée à Moscou ; son frère vint la chercher : « Elle rentra à Paris : elle habitait alors rue Blomet. Dégoûtée, il lui arrivait de provoquer des hommes vulgaires et de faire l'amour avec eux jusque dans les cabinets d'un train. Mais elle n'en tirait pas de plaisir. » Bataille, dînant avec sa femme Silvia à la Brasserie Lipp, vers 1931, vit à la table d'en face Laure et Boris Souvarine ; ce fut là leur première rencontre. « Je n'ai jamais eu plus de respect pour une femme. Elle parut d'ailleurs différente de ce qu'elle était : solide, capable, quand elle n'était que fragilité, qu'égarement. » Laure devint la maîtresse de Bataille à la fin de 1934, et ils vécurent ensemble pendant quatre ans à Saint-Germain-en-Laye ; avant de mourir le 7 novembre 1938, âgée de trente-cinq ans, elle eut avec lui des rapports d'amour noir et fut déchirée par la jalousie. Elle avait pour livre de chevet une biographie de sainte Thérèse, mais elle écrivait des textes anticléricaux, *Histoire d'une petite fille, le Sacré*. Elle ébaucha un roman érotique autobiographique influencé par Bataille, dont un épisode est la rencontre de Laure et de Vérax, un soir au coin d'une rue ; elle veut fuir, elle est retenue par son rire et la vision de son sexe lumineux qu'il agite devant elle. Il la maltraite, la jette sur la chaussée, l'oblige à rouler sur elle-même vers un égout encombré d'ordures : « Les cheveux pleins de déjections, les yeux fous, la bouche salie, toute jaune aux commissures des lèvres mais avide encore et deux mains qui s'élevaient, se tendaient, blanches, diaphanes, vers le sexe. Elle était toute prière, toute offrande. » On voit au nom de quelle mystique, fondée sur l'excès d'angoisse, Laure écrivait à Bataille : « Le temps le plus *chrétien* de ma vie, c'est auprès de toi que je l'ai vécu. »

1. « ... à l'intérieur beurré de sa merde », précise Bataille dans sa *Vie de Laure (Écrits de Laure)*. Ce texte a été publié avec des blancs supprimant les passages les plus forts du manuscrit.

On comprend maintenant pourquoi les pages de *l'Érotisme* sont si fortes, si décisives; elles proviennent d'un homme dont l'expérience intime fut sans concession. Ce livre succéda à *la Part maudite*, traité d'économie générale, dont l'objet premier n'était pas la production des richesses mais leur dépense (leur « consumation »). *L'Érotisme*, quant à lui, était désigné comme « la part problématique », parce qu'il est pour chacun « le problème des problèmes ». Le mérite de Bataille fut d'envisager la sexualité humaine dans son cadre sociologique, par rapport à l'histoire du travail et à celle des religions. Toute son interprétation reposa sur une dialectique de l'interdit et de la transgression. L'existence se joue en fonction d'un ensemble d'interdits, concernant la mort et l'activité érotique, qui ne sont pas uniquement imposés du dehors, mais qui sont des valeurs subjectives : « L'attitude angoissée qui fonda les interdits opposa le refus — le recul — des premiers hommes au mouvement aveugle de la vie. » Ces interdits ont pour but de restreindre tout ce que l'humanité peut encore contenir d'exubérance animale. Cependant, le flux des passions porte l'homme à transgresser sans cesse les interdits; et parfois c'est la transgression même qui dévoile l'interdit. Tel est le cas, dans l'érotisme : « L'essence de l'érotisme est donnée dans l'association inextricable du plaisir sexuel et de l'interdit. Jamais, humainement, l'interdit n'apparaît sans la révélation du plaisir, ni jamais le plaisir sans le sentiment de l'interdit. » Bataille étudia comparativement les moyens de « transgression organisée » de la société : la guerre, le sacrifice, qui lèvent provisoirement l'interdit de meurtre; le mariage, l'orgie rituelle, qui permettent de franchir l'interdit de l'obscénité. Les mêmes sensations d'angoisse, de détresse, se retrouvent dans la transgression de ces deux genres d'interdits, car la mort et l'érotisme bouleversent avec la même frénésie l'ordre du vécu. Pour le démontrer, Bataille fait une analogie persuasive entre le sacrifice religieux et l'acte sexuel : « L'amant ne désagrège pas moins la femme aimée que le sacrificateur sanglant l'homme ou l'animal immolé. La femme dans les mains de celui qui l'assaille est dépossédée de son être. Elle perd, avec sa pudeur, cette ferme barrière qui, la séparant d'autrui, la rendait impénétrable : brusquement elle s'ouvre à la violence du jeu sexuel déchaînée dans les organes de la reproduction, elle s'ouvre à la violence impersonnelle qui la déborde du dehors. » Après avoir examiné le renforcement des interdits dans le christianisme, et ses conséquences dans le choix de « l'objet du désir », Bataille acheva d'illustrer sa thèse en décrivant « le monde de l'affaissement » — celui de la basse prostitution —, où l'on vit hors de l'interdit et de la transgression. La conclusion de ce livre est donnée dans un autre qui lui est complémentaire, *les Larmes d'Éros,* évoquant les rapports de l'érotisme et de l'art : « Personne aujourd'hui n'aperçoit que l'érotisme est un monde dément, et dont, bien au-delà de ses formes éthérées, la profondeur est infernale. »

Les leçons de Georges Bataille, malgré leur particularité exclusive, sont accordées avec notre temps. Sa lucidité cruelle, son pessimisme exalté gardent les vertus capiteuses d'un alcool. Il a exprimé les états ineffables de la sensualité, sans jamais cacher leur splendeur inquiétante : « La chance des amants est le mal (le déséquilibre) auquel les contraint l'amour physique. Ils sont condamnés sans fin à ruiner l'harmonie entre eux, à se battre dans la nuit. C'est au prix d'un combat, par les plaies qu'ils se font qu'ils s'unissent [1]. » Et il a rendu visible le sens intérieur qui anime le dépassement des douleurs et des joies : « L'amour n'a d'autre objet que la chance et seule la chance a la force d'aimer [2]. »

1. *L'Alleluiah.* — 2. *Ibid.*

Table

IMP. BUSSIÈRE SAINT-AMAND (CHER)
D.L. 1er TRIM. 1977. No 4544 (1472)

Collection Points

Collection Points

Collection Points

Collection Points

Collection Points

SÉRIE HISTOIRE

dirigée par Michel Winock

Collection Points

SÉRIE HISTOIRE

dirigée par Michel Winock

Nouvelle histoire de la France contemporaine

Collection Points

SÉRIE PRATIQUE

Collection Points

SÉRIE SAGESSES

dirigée par Jean-Pie Lapierre

Collection Points

SÉRIE SCIENCES

dirigée par Jean-Baptiste Grasset